Dinamite
MENTAL

Título original: *Andrew Carnegie's Mental Dynamite*
Copyright © 2020 by Napoleon Hill / Fundação Napoleon Hill

Dinamite mental
2ª edição: maio 2023
Direitos reservados desta edição: CDG Edições e Publicações
O conteúdo desta obra é de total responsabilidade do autor
e não reflete necessariamente a opinião da editora.

Autores:
Napoleon Hill
Fundação Napoleon Hill

Tradução:
Débora Isidoro

Preparação de texto:
Lindsay Viola

Revisão:
Flavia Araújo

Projeto gráfico:
Anna Yue

Capa:
Jéssica Wendy

DADOS INTERNACIONAIS DE CATALOGAÇÃO NA PUBLICAÇÃO (CIP)

Hill, Napoleon
  Dinamite mental : lições práticas e inéditas do curso original aplicado por Andrew Carnegie e Napoleon Hill em 1941 / Napoleon Hill ; tradução de Débora Isidoro. – Porto Alegre : Citadel, 2022.
      352 p.

ISBN: 978-65-5047-179-8
Título original: Andrew Carnegie's Mental Dynamite: How to Master Your Own Mind

1. Autoajuda 2. Sucesso 3. Desenvolvimento pessoal I. Título II. Isidoro, Débora

22-4555   CDD 158.1

Angélica Ilacqua - Bibliotecária - CRB-8/7057

Produção editorial e distribuição:

contato@citadel.com.br
www.citadeleditora.com.br

NAPOLEON HILL

Dinamite MENTAL

LIÇÕES PRÁTICAS E INÉDITAS DO CURSO ORIGINAL APLICADO
POR ANDREW CARNEGIE E NAPOLEON HILL EM 1941

Editado e anotado por James Whittaker

Tradução:
Débora Isidoro

2022

"O melhor tipo de segurança é a segurança pessoal
que é desenvolvida de dentro para fora."

– Andrew Carnegie

SUMÁRIO

Nota aos leitores por James Whittaker 9

Prefácio por Don Green 15

PARTE 1:
AUTODISCIPLINA 21
INTRODUÇÃO/ANÁLISE

PARTE 2:
APRENDER COM A DERROTA 129
ANÁLISE

PARTE 3:
A REGRA DE OURO APLICADA 231
ANÁLISE

Posfácio por Sharon Lechter 333

Reflexão por James Whittaker 339

Conte suas histórias 343

Agradecimentos 345

Depoimentos 347

NOTA AOS LEITORES

por James Whittaker

Causa um sentimento estranho ler um manuscrito que tão poucas pessoas viram. É ainda mais estranho ler um manuscrito baseado em conversas que aconteceram há mais de um século, mas ainda abordam a essência de quase todos os problemas que enfrentamos hoje em relação a relacionamentos, educação, política, progresso profissional, moradia, administração dos negócios, independência financeira ou até democracia.

Fui aluno de Napoleon Hill durante muitos anos, mas há algo de especial neste livro que você tem em mãos. Não me lembro de alguma vez ter sentido a energia correr em minhas veias como quando eu perseguia o que deve ser visto como um tesouro nacional.

Este livro traz tanto a promessa de esperança quanto um mapa para o sucesso, oferecido por um dos indivíduos mais bem-sucedidos do mundo e preparado por um dos autores mais vendidos da história.

Para ilustrar bem seu poder, precisamos explorar rapidamente o humilde começo daquele que empresta seu nome ao livro, Andrew Carnegie. Depois de passar os primeiros treze anos de vida na Escócia, Andrew e a família se mudaram para os Estados Unidos em 1848; eles procuravam trabalho fixo, uma vida mais confortável e um novo ponto de partida. Mas a sorte continuava escapando da família depois da longa viagem. Então, no mesmo ano, para ajudar a pôr comida na mesa, o jovem Andrew arrumou um emprego em um moinho têxtil, onde trabalhava doze horas por dia, seis dias por semana.

Embora pobre de bens materiais, o menino era rico em curiosidade intelectual, e encontrou uma possibilidade de manifestação quando um empresário da região deu a ele acesso regular a uma biblioteca. Carnegie ficou tão grato por esse gesto de bondade que jurou retribuir ajudando outras crianças, se algum dia ficasse rico. Foi nesse início humilde que seu potencial foi provocado pela primeira vez.

Muitos anos mais tarde, a inabalável semente do serviço filantrópico ainda imperava, tendo revolucionado a indústria do aço de um jeito que transformou trabalhadores comuns em milionários e criou oportunidades para inúmeras outras indústrias.

Mas uma coisa estranha aconteceu. Depois de passar a vida acumulando uma das maiores fortunas pessoais de que se tem registro na história, Carnegie dedicou os dias que lhe restavam a distribuí-la. Não no sentido de "fazer chover" dinheiro nas ruas da cidade, ou de fornecer bens materiais àqueles necessitados, não. A lenda empresarial percebeu que existia uma riqueza maior que o dinheiro, um tesouro enterrado no fundo de cada pessoa que tinha a felicidade de passar pela terra: potencial.

Se a sociedade conseguisse encontrar um jeito de reconhecer e libertar o potencial de cada indivíduo no planeta, a harmonia generalizada finalmente seria possível. Afinal, esse era o objetivo de Carnegie, harmonia. Aqueles que vivem em harmonia prestam serviço aos outros de boa vontade, continuam aprendendo tanto quanto podem e trabalham com diligência à sua maneira para fazer do mundo um lugar melhor. Com uma população global trabalhando em clima de harmonia – o MasterMind supremo –, padrões de vida, investimento em serviços de saúde e um sentimento geral de propósito seriam significativamente elevados.

Na época da morte de Carnegie, sua fortuna era estimada em mais de US$ 400 bilhões, ajustados para acompanhar a inflação. Mas esse magnata do aço nunca buscou reconhecimento por sua riqueza financeira. Ele acreditava que a real medida do sucesso de alguém nessa breve passagem pela terra era representada por quantas pessoas esse indivíduo ajudou. Carnegie acreditava que os ricos tinham a obrigação de retribuir, porque reconhecia, por intermédio das leis supremas da natureza, que somos todos – a população, o planeta e a economia – conectados de um jeito complexo. O que você faz a uma pessoa, faz a todas, e vice-versa.

Hoje, Andrew Carnegie ainda é considerado um dos maiores filantropos da história. Seu tino para os negócios permitiu que ele construísse enorme fortuna, mas sua generosidade ajudou a todos, de humildes trabalhadores que queriam estudar a países em guerra que buscavam a paz.

Quem pensa enriquece tem confundido muitas pessoas que simplesmente estudam o título e buscam com avidez ganho financeiro a todo custo. Como diz Hill sobre Carnegie com tanta habilidade neste livro: "Sua atitude em relação ao dinheiro era revelada pelo fato de ele ter distribuído a maior parte de sua imensa fortuna antes de morrer". Enquanto estava ocupado determinando as melhores maneiras para doar mais de 90% da riqueza material que conseguiu acumular, o escocês também buscava criar e distribuir – tão amplamente quanto pudesse – uma filosofia prática que mostraria às pessoas todos os dias como despertar o próprio brilhantismo, uma filosofia que contivesse todos os elementos e obstáculos da vida.

Leitor, não se engane quanto ao poder do livro que tem em mãos – ele pode ser o livro mais transformador que você já leu. Mas ainda mais importante: reconheça o poder do coração em seu peito e do cérebro em sua cabeça, que pode ser direcionado para a criação de quaisquer circunstâncias que você desejar.

Este livro oferece um mapa abrangente para lidar com os desafios da vida diária e criar oportunidades para uma vida de prosperidade muito além do que você jamais pensou ser possível. Essa abordagem é ilustrada por meio de três princípios fundamentais: autodisciplina, aprender com a derrota e a Regra de Ouro aplicada. Este é um livro sobre liderança, primeiro pela tomada das rédeas de sua própria vida, depois, ajudando outras pessoas a fazer a mesma coisa. Para os que estão enfrentando trauma, desilusão ou algum outro infortúnio, este livro oferece um método prático para promover uma recuperação maior do que você jamais imaginou.

Depois de cada conversa, você vai encontrar uma análise detalhada de Hill, utilizando exemplos do mundo real, do que ele aprendeu e como isso pode ser aplicado. Embora o material seja atemporal, sem dúvida, inclui anotações para ajudar a ilustrar os temas-chave e fornecer exemplos mais modernos desses princípios em ação. Essas ilustrações trarão mais evidências de que os ensinamentos de Carnegie continuam promovendo cada inovação, transformando todas as áreas e criando os campeões pelos quais torcemos hoje.

Embora as conversas entre Hill e Carnegie tenham acontecido em 1908, as anotações de Hill, incluídas neste livro, só foram preparadas em 1941. Tenho certeza de que você vai se surpreender, como eu me surpreendi, com como uma coisa escrita há tanto tempo pode tocar rapidamente a essência das principais questões que enfrentamos hoje, especialmente na era digital.

Pessoalmente, preciso expressar minha mais profunda gratidão a Don Green, diretor executivo da Fundação Napoleon Hill, por confiar a mim este importante projeto. Meu livro anterior, *Think and Grow Rich: The Legacy*, foi escrito em parceria com a Fundação para apresentar os poderosos princípios de *Quem pensa enriquece* às gerações atuais, inspirando-as à autoconfiança por intermédio da jornada dos empreendedores mais reverenciados do mundo, líderes respeitados e ícones culturais.

Entrevistei inúmeras pessoas que consideram Hill o catalisador de seu sucesso, e há outras centenas de milhares pelo mundo que professam semelhante dívida de gratidão. É claro, Hill transfere rapidamente todo o crédito a seu mentor, o grande magnata do aço Andrew Carnegie, por ter confiado nele para reunir e compartilhar sua filosofia com o mundo.

Sinto-me honrado por servir mais uma vez à Fundação Napoleon Hill e a você, leitor. Embora não tenha podido alcançar o padrão extremamente elevado estabelecido por esses dois grandes ícones quando preparei este livro, espero que minhas contribuições acrescentem clareza a essas poderosas lições e forneçam ao leitor uma via clara para aplicá-las, à sua maneira, em sua vida.

No entanto, devo avisar que este livro não é um monitor pelo qual se possa assistir a tudo das laterais do campo; longe disso. Este livro é um convite para você se relacionar com a vida – pensar em quais circunstâncias mais deseja, agir para criar essas circunstâncias, e depois despertar o mundo ajudando outras pessoas a fazerem a mesma coisa.

"Ação é a real medida de inteligência", como disse Napoleon Hill. Com essa finalidade, estamos empolgados por oferecer *The Napoleon Hill Success Journal* como o complemento essencial para este livro, para ajudar o leitor a traduzir esforços em resultados. Essas ações extrapoladas se tornarão sua vida, seu impacto e seu legado. Não importa o que aconteceu no passado – que resultado você obteve em um teste padronizado, para que cargo foi preterido, que relacionamento se deteriorou, ou que problema de saúde imprevisto interrompeu seu progresso. A única coisa que importa é o que você faz agora e daqui em diante.

Leitor, espero que esteja empolgado! Depois de ler o breve prefácio de meu amigo Don Green, eu o convido a me acompanhar nesta fascinante conversa entre dois dos grandes. Que os ensinamentos deles continuem iluminando o potencial em todos nós.

Para a frente e para cima sempre,
James Whittaker

PREFÁCIO

por Don Green

Em 1908, um jovem repórter de revista, Napoleon Hill, foi conduzido ao escritório de Andrew Carnegie, magnata do aço e filantropo. Levado pela expectativa de conduzir uma breve entrevista que serviria de base para um artigo na revista, o jovem Napoleon acabou passando horas ouvindo o Sr. Carnegie explicar os princípios que acreditava terem sido os condutores para o sucesso dele mesmo e de outras pessoas. O Sr. Carnegie convidou Napoleon a dedicar os próximos vinte anos de sua vida, sem remuneração, a entrevistar grandes pessoas na América a fim de desenvolver e ilustrar a filosofia do sucesso.

Napoleon Hill aceitou o desafio e escreveu *A lei do triunfo*, publicado em 1928, vinte anos depois de seu encontro com o Sr. Carnegie. O livro detalha as descobertas de Hill baseadas em vinte anos de entrevistas com centenas de empresários bem-sucedidos. Em 1937, Hill publicou uma versão condensada intitulada *Quem pensa enriquece*, que foi vendida em praticamente todos os idiomas do mundo e ainda é um prolífico best-seller.

Em 1941, Dr. Hill escreveu uma série de livretos intitulados *Dinamite mental*. Cada livreto tratava de um dos dezessete princípios que ele discutiu com o Sr. Carnegie. Meses depois de sua publicação, os Estados Unidos entraram na Segunda Guerra Mundial, e os livretos foram esquecidos na prateleira. A Fundação Napoleon Hill, fundada pelo Dr. Hill em 1962 para perpetuar o ensino da filosofia do sucesso, recuperou esses livretos de seus arquivos e selecionou três princípios para serem incluídos neste livro.

No capítulo 1, que é dedicado ao princípio da autodisciplina, Napoleon Hill começa a entrevista com Andrew Carnegie. O Sr. Carnegie explica a importância da autodisciplina para o controle das sete emoções positivas e sete emoções negativas que motivam a ação. Ele anuncia a importância de usar a autodisciplina para controlar e usar as emoções mais fortes: amor e sexo. A autodisciplina também permite que se "feche a porta" para problemas do passado e emoções negativas.

O Sr. Carnegie diz ao jovem Napoleon como a autodisciplina pode ser reforçada pelo uso de uma fórmula psicológica de treze pontos que pode ser adotada como um mantra diário. Ele a descreve como essencial para transformar o objetivo principal definido em conquista. Depois, ele estabelece a relação entre autodisciplina e força de vontade, descrevendo como ambas são essenciais para se alcançar o objetivo do sucesso. O Sr. Carnegie argumenta de maneira convincente sobre a autodisciplina ser fundamental, não apenas útil, para a aplicação bem-sucedida de sua fórmula de realização.

Depois de relatar a entrevista com o Sr. Carnegie, Dr. Hill detalha as conquistas de muitas pessoas que se tornaram bem-sucedidas pelo uso da autodisciplina. Entre elas estão Charles Dickens, Robert Louis Stevenson, Benjamin Disraeli, Gene Tunney e Marshall Field, além de muitos que superaram sérios problemas físicos para conquistar o sucesso, incluindo Helen Keller, Theodore Roosevelt, Thomas Edison e Glenn Cunningham. Ele conta a impressionante história sobre como Alice Marble usou a autodisciplina para desafiar os médicos e tornar-se campeã mundial de tênis. Ele propõe um credo de como usar a autodisciplina diariamente para controlar os seis departamentos da mente.

Dr. Hill então oferece uma explicação detalhada de como dificuldades e fracassos do passado podem ser superados por autodisciplina e transmutação; isso é especialmente importante para aqueles que sofreram decepções amorosas. Ele conclui com uma análise sobre por que muita gente nos Estados Unidos, na época em que o livro foi escrito, pouco tempo depois do fim da Grande Depressão e do início da Segunda Guerra Mundial, perdia a autodisciplina e se tornava dependente de concessões do governo.

O capítulo 2, focado no princípio de aprender com a derrota, também começa com a entrevista de Napoleon com Andrew Carnegie, em 1908. O Sr. Carnegie declara que seu presente para o mundo é o conhecimento que vai permitir que muitas pessoas sejam autodeterminadas e aprendam como encontrar felicidade em seus relacionamentos com outras pessoas. Sua filosofia de sucesso vai permitir que indivíduos, dos quais muitos se tornaram prisioneiros da própria mente depois de encontrar a derrota, se libertem. Ele relaciona quarenta e cinco grandes causas de fracasso, sendo as mais importantes a falta de um objetivo principal definido e a falta de força de vontade.

A derrota deve ser encarada como temporária e um desafio para que se faça um esforço maior. O Sr. Carnegie afirma que as pessoas precisam transformar obstáculos em degraus. Ele dá exemplos de indivíduos que superaram incapacidades físicas e alcançaram o sucesso, como Helen Keller, Thomas Edison e Beethoven. Diante da adversidade, eles desenvolveram força de vontade e autodisciplina.

O Sr. Carnegie explica como ataques verbais e físicos podem ser vencidos por forças mentais e espirituais, em vez de violência. A derrota pode ser benéfica na medida em que, como a dor, é uma indicação de que algo precisa de conserto. O sofrimento também pode mudar a atitude de um indivíduo de negativa para positiva quando a força de vontade se manifesta em um esforço bem-sucedido para superar derrota e infelicidade.

Depois desses trechos de sua entrevista inicial, o Dr. Hill prossegue com análises pessoais do que o Sr. Carnegie disse a ele e do que absorveu nesses anos de entrevistas sobre aprender com a derrota. Ele relaciona os hábitos que levam ao fracasso e à derrota e incentiva o leitor a fazer uma análise pessoal de como está lidando com a superação desses hábitos. Ter um objetivo principal definido pode eliminar dezoito das 45 causas de fracasso identificadas pelo Sr. Carnegie. Usando a poesia de Walter Malone e os ensaios de Ralph Waldo Emerson, o Dr. Hill explica de forma eloquente como até o mais profundo sofrimento e a mais dura tragédia podem levar à descoberta de força e caráter suficientes para superá-los e alcançar sucesso ainda maior.

O capítulo 3, último deste livro, explica o princípio da Regra de Ouro aplicada, e começa com a entrevista que o jovem Napoleon fez com Andrew Carnegie. O Sr. Carnegie explana sobre os muitos benefícios da aplicação da Regra de Ouro. Talvez o menor deles seja o benefício alcançado pelo recipiente. A pessoa que dá aos outros se beneficia de muitas maneiras. Seguindo a Regra de Ouro, essa pessoa alcança harmonia da mente, que leva ao desenvolvimento de caráter sólido. A aplicação da Regra de Ouro bane ganância e egoísmo e leva aquele que a adota a servir quando necessário.

O Sr. Carnegie relaciona muitos outros benefícios de se adotar a Regra de Ouro, inclusive a eliminação de oposição e a promoção de cooperação que, sem dúvida, levam ao sucesso. Ele conclui que hoje não há gente suficiente seguindo a Regra de Ouro, e que essa deficiência pode levar à ruína do país.

Napoleon Hill acompanha esse relato da entrevista com sua análise da Regra de Ouro. Fica claro que ele a considera um dos mais importantes princípios da filosofia da realização. (Ele deu à sua primeira revista, que começou a ser publicada mais ou menos dez anos depois da entrevista com o Sr. Carnegie, o nome de *Hill's Golden Rule Magazine*).* Ele descreve a adoção da Regra de Ouro como levar uma "vida impessoal" – ou seja, uma vida altruísta.

Dr. Hill estabelece que aplicar a Regra de Ouro desenvolve um caráter forte, que produz a fé extra necessária em tempos de emergência, quando

---

* Em tradução livre, *Revista da Regra de Ouro de Hill*. (N. T.)

a força de vontade e a faculdade do raciocínio são inadequadas para as necessidades humanas. Ele explica como cinco dos nove motivos básicos que impelem a humanidade são fortalecidos pela aplicação da Regra de Ouro.

Depois Dr. Hill fornece exemplos de muitas pessoas que beneficiaram a si mesmas e a terceiros com a aplicação da Regra de Ouro, entre elas, Dr. John D. Rockefeller, Jr., William Penn, Benjamin Franklin, Simón Bolívar, Florence Nightingale, Johnny Appleseed e Fanny Crosby. Ele fala de empresas americanas que prosperaram aplicando a Regra de Ouro, inclusive a Coca-Cola Company e McCormick & Company.

O Sr. Carnegie deu a Napoleon Hill a missão de passar vinte anos de sua vida desenvolvendo a filosofia da realização para que as pessoas pudessem conquistar riqueza material, porém, mais importante, para que pudessem aprender como viver em harmonia com os outros. Homem generoso, o Sr. Carnegie doou a maior parte de sua riqueza para o aprimoramento da humanidade, contribuindo com a construção de mais de trezentas bibliotecas públicas no mundo de língua inglesa.

No entanto, seu maior presente foi a filosofia da realização, que ele já tinha descoberto na época de sua entrevista com Napoleon Hill, em 1908, e que Hill refinou, desenvolveu e promoveu a partir daquele dia até sua morte, em 1970.

Neste livro, você vai aprender como essas três lições, quando aplicadas de maneira diligente, podem permitir uma vida feliz, pacífica e gratificante.

Ao seu sucesso,

Don Green

Diretor Executivo

Fundação Napoleon Hill (2000-atualmente)

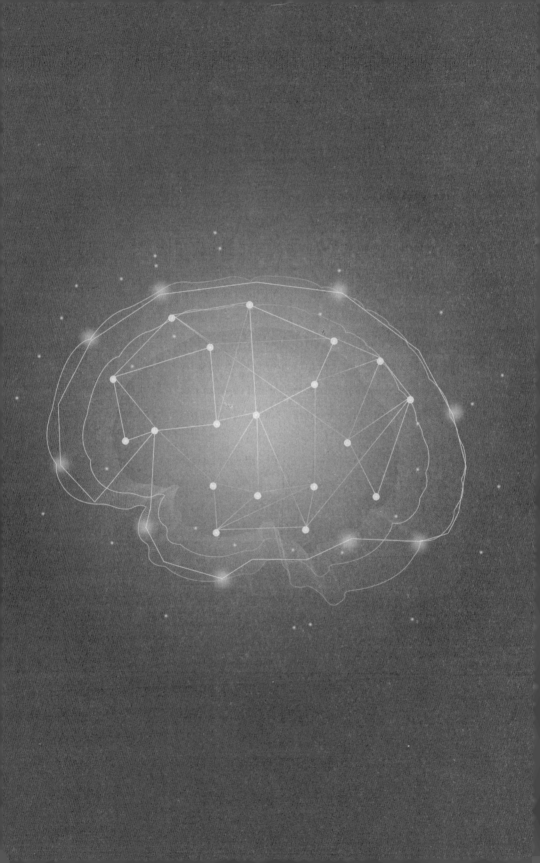

PARTE 1

AUTODISCIPLINA: TOMAR POSSE DA PRÓPRIA MENTE

Pensamento, educação, conhecimento,
habilidade natural – todas são palavras vazias,
a menos que sejam traduzidas em ação.
– Andrew Carnegie

INTRODUÇÃO À AUTODISCIPLINA

por Napoleon Hill

Este capítulo não pode ser assimilado em uma ou duas leituras. Ele trata de um assunto que se sobrepõe aos outros princípios deste livro. A análise no fim do capítulo descreve um dos assuntos mais importantes em todo o campo dos fenômenos mentais: o princípio pelo qual os seis departamentos da mente podem ser organizados e direcionados para qualquer fim desejado.

O gráfico dos seis departamentos da mente (incluídos em relação ao objetivo de nossa conversa sobre esta lição) fornece uma referência rápida às forças que devem ser postas sob a autodisciplina, se a pretensão é se tornar senhor de si mesmo. O princípio pelo qual esse domínio pode ser conquistado é descrito com detalhes, mas não se deixe enganar pela aparente simplicidade do princípio a ponto de subestimar sua impressionante influência ou a abrangência de suas possibilidades, porque ele é a chave mestra para toda a filosofia da realização.

Com um conhecimento funcional deste princípio, é possível se apoderar completamente da própria mente, um medo que não pode ser dominado por nenhum outro método. Por meio deste princípio, toda adversidade, derrota temporária, preocupação e emoção negativa, como raiva e medo, podem ser organizadas e usadas para a conquista de um objetivo principal definido. Esse princípio explica a afirmação de Andrew Carnegie de que "toda adversidade... carrega em si a semente de uma vantagem equivalente". Além do mais, ele descreve como "a semente" pode germinar e se desenvolver em uma flor de oportunidade.

Não tente familiarizar-se com esse princípio antes de ler com atenção a abordagem do Sr. Carnegie. Siga ao pé da letra as instruções para o uso desse princípio; depois, observe a surpreendente mudança em você. Sua imaginação se tornará mais alerta. Seu entusiasmo será mais aguçado. A iniciativa será mais ativa. A autossuficiência será obviamente maior. Sua personalidade se tornará mais magnética, e você será procurado por pessoas que antes não lhe davam atenção. O alcance de sua visão será ampliado. Os problemas desaparecerão na sua frente como flocos de neve derretendo sob os raios do sol. Esperanças e ambição serão fortalecidas. Você começará a ver o mundo com olhos diferentes. Seus relacionamentos com outras pessoas se tornarão mais agradáveis e harmoniosos.

Essas e outras promessas ainda maiores se revelarão, se você apreender deste capítulo tudo que é oferecido.

Não leia este capítulo com pressa. Pense enquanto lê. Examine a lição em relação às suas experiências e observe com que precisão ela retrata certas verdades que você reconhecerá prontamente, embora possa jamais ter entendido seu completo significado. Leia com um lápis à mão e sublinhe as linhas que mais o impressionarem. Volte a essas linhas com frequência e apodere-se do pensamento por trás delas.

NOTA DO EDITOR:

De início, vamos refletir rapidamente sobre a melhor maneira de ler livros como este. Os livros de Hill venderam mais de duzentos milhões de cópias pelo mundo, mas nem todos que os leem sentem seu poder. Por que será que é assim? Muitas pessoas comentaram comigo que esses livros não foram apenas transformadores, mas que simplesmente olhar para a capa fazia com que elas se sentissem melhor, enquanto outras os leram, mas não sentiram nenhuma mudança de vida. Por que as mesmas palavras nas mesmas páginas transformam sonhos em realidade para alguns, enquanto, para outros, os sonhos continuam sendo apenas fantasias?

A dicotomia deriva de como o leitor, ou o ouvinte de audiolivros, os aborda. Este não é um romance que você lê rapidamente e depois deixa na estante. Para obter mais deste livro, mantenha à mão um bloco de anotações e pense em como pode aplicar essas lições em sua vida. Depois as aplique! Como você vai ver, ação é um tema central deste livro e de toda a filosofia de realização, como deveria ser para você.

Pesquisas mostram que você tem 42% mais probabilidade de alcançar seus objetivos, se os anotar. É assim que o verdadeiro poder deste livro e seu acompanhamento, *The Napoleon Hill Success Journal*, é liberado, e como o seu imenso potencial é despertado.

Sobre o relacionamento entre pensamento e ação, Carnegie comenta: "Sem controle sobre os pensamentos, não pode haver controle sobre atos". Até a melhor fórmula é inútil, a menos que seja expressada em ação.

AUTODISCIPLINA

Tomar posse da própria mente

Talvez não exista em nossa língua uma palavra para descrever melhor o maior requisito para a realização individual do que o tema deste capítulo. Toda essa filosofia serve, em primeiro lugar, para capacitar a pessoa a desenvolver controle sobre si mesma, sendo essa a maior de todas as coisas essenciais para o sucesso.

Neste capítulo, o Sr. Carnegie se esforçou muito para enfatizar a necessidade de autodisciplina, porque aprendeu por experiência própria, ao lidar com milhares de pessoas, que ninguém pode almejar alcançar sucesso digno de nota sem antes alcançar o controle sobre si mesmo! Ele aprendeu por experiência própria, e a partir da observação de outras pessoas, que quando alguém se apodera da própria mente e começa a contar com ela, essa pessoa alcançou uma vitória da maior importância, que a coloca em uma posição da qual pode conquistar tudo que a cabeça e o coração quiserem.

Autodisciplina, então, pode ser definida como o ato de se apoderar da própria mente!

A definição é breve e clara, mas também é tão carregada de significado que menosprezar sua importância pode invalidar toda essa filosofia. Felizmente, no entanto, o método pelo qual podemos nos apoderar de nossa mente é conhecido, e será descrito com clareza neste capítulo.

Mas conhecer o método não vai servir de nada se esse conhecimento não for posto em ação. Autodisciplina é algo que não podemos adquirir como aprendemos a tabuada, mas pela persistência, seguindo o procedimento detalhado neste capítulo. O preço da autodisciplina, portanto, é a eterna vigilância e o esforço contínuo para seguir essas instruções. Não há outra maneira para alcançá-la, e não existe negociação. Conquistamos autodisciplina pelo esforço, ou não a conquistamos.

Sem autodisciplina, um indivíduo pode ser comparado a uma folha seca levada de um lado para o outro, em círculos, pelos ventos aleatórios das circunstâncias, sem a menor chance de se aproximar de qualquer coisa remotamente parecida com sucesso pessoal.

Pessoas que se apoderam da própria mente e a usam podem determinar o próprio preço e fazer a vida pagar aquilo que elas pedem. Os outros têm que aceitar o que a vida oferece, e não precisamos mostrar evidências de que isso sempre se limita à mera sobrevivência.

Agora vou levá-lo ao estudo particular de Andrew Carnegie, o qual você terá o privilégio de acompanhar enquanto ele me instrui sobre o assunto da autodisciplina.

HILL:

Sr. Carnegie, você determinou que a autodisciplina é um princípio de realização individual. Pode descrever o papel que a autodisciplina desempenha na realização pessoal e indicar como esse princípio pode ser desenvolvido e aplicado nas questões práticas da vida diária?

CARNEGIE:

Muito bem. Vamos começar chamando a atenção para alguns usos da autodisciplina. Depois disso, vamos discutir os métodos pelos quais esse importante princípio pode se tornar propriedade de alguém que se dispõe a pagar o preço por ele.

Autodisciplina começa com o domínio dos próprios pensamentos. Sem o controle sobre os pensamentos, não pode haver controle sobre os atos! Digamos, portanto, que autodisciplina inspira o indivíduo a pensar primeiro e agir depois. O procedimento usual é o oposto – muita gente age primeiro e pensa depois, se e quando pensam.

Autodisciplina nos dá o controle completo sobre as quatorze emoções principais. Isso nos permite eliminar ou subjugar as sete emoções negativas e exercitar as sete emoções positivas como quisermos. O efeito desse controle fica evidente quando reconhecemos que a emoção é o que governa a vida da maioria das pessoas e, em grande parte, o mundo.

Autodisciplina deve começar, se começar, com o domínio completo dessas quatorze emoções.

As sete emoções positivas:

1. Amor.

2. Sexo.

3. Esperança.

4. Fé.

5. Entusiasmo.

6. Lealdade.

7. Desejo.

As sete emoções negativas:

1. Medo.

2. Inveja.

3. Ódio.

4. Vingança.

5. Ganância.

6. Raiva.

7. Superstição.

Todas essas emoções são estados da mente, sujeitos a controle e direção. As sete emoções negativas são fatais, é claro, se não forem dominadas. As sete emoções positivas também podem ser destrutivas, se não forem organizadas, dominadas e guiadas sob total controle. Nessas quatorze emoções está a "dinamite mental" que pode nos levar a grandes picos de realização ou nos reduzir às profundezas do fracasso, e não tem educação, experiência, inteligência ou boas intenções que possam alterar ou modificar essa possibilidade.

NOTA DO EDITOR:

Esse é um tema central nas lições de Carnegie e nos subsequentes ensinamentos de Hill: da mesma maneira que temos tudo de que precisamos para alcançar o sucesso, também temos tudo que é necessário para a autodestruição. A mente age a partir daquilo com que a alimentamos, bom ou ruim. É importante notar que a natureza humana, como é enfatizado pela tecnologia e pelos confortos modernos, volta a fazer aquilo que é fácil. Sem uma ideia clara do que queremos, é muito mais fácil ceder à distração e à procrastinação, que pode ser tão simples quanto passar horas diante da televisão, se entupir de junk food ou passar o tempo pulando de uma rede social a outra. Mas se o sucesso é o objetivo, não podemos perder de vista esse equilíbrio entre emoções positivas e negativas e como as emoções influenciam nossa trajetória.

Tive a honra de falar sobre palcos no mundo todo, e em cada apresentação exibo um slide com a inscrição; "Todos os dias, se você não toma a decisão de vencer, terá tomado automaticamente a decisão de perder". Esse sentimento é influenciado diretamente pelas lições de Hill, que sugerem que o sucesso chega para quem se torna consciente dele. Compreender esse princípio é um requisito fundamental para todos que desejam ser grandes realizadores. Aqueles que não têm consciência do sucesso acabam sendo forçados a encarar a pobreza, doença e infelicidade. *Quem pensa enriquece* poderia ter sido intitulado *Quem pensa empobrece* – a premissa é a mesma.

Sua primeira e mais importante batalha acontece dentro de você.

HILL:

Parece óbvio que a falta de controle sobre as sete emoções negativas pode levar o indivíduo à derrota certa, mas não fica claro como se pode usar as sete emoções positivas para a conquista de fins desejáveis. Pode esclarecer esse ponto, Sr. Carnegie?

CARNEGIE:

Sim. Vou mostrar exatamente como as emoções positivas podem ser transmutadas em um poder motivador que pode ser usado para a realização de qualquer propósito. Posso esclarecer melhor descrevendo como um homem fez uso eficiente de suas emoções. Esse homem é Charlie Schwab, e a análise que faço de sua utilização das emoções se baseia no relacionamento próximo que tive com ele ao longo de muitos anos.

Pouco depois de ter começado a trabalhar comigo, ele decidiu se tornar parte indispensável da minha família empresarial, dirigindo assim a emoção do desejo para um fim definido. Ao realizar seu desejo, ele aplicou os seguintes princípios da realização:

1. Definição de Objetivo.
2. MasterMind.
3. Personalidade Atraente.
4. Fé Aplicada.
5. Fazer o Esforço Extra.
6. Esforço Organizado.
7. Visão Criativa.
8. Autodisciplina.

Por meio do princípio da autodisciplina, ele organizou os outros sete princípios e assumiu o controle sobre eles. Reforçando esse autocontrole, ele depositou todas as emoções e as expressou por meio de lealdade aos seus associados, entusiasmo pelo trabalho, esperança de realização bem-sucedida relacionada ao trabalho e fé em sua capacidade de realizar; e como reforço para todas essas emoções havia a emoção do amor pela esposa, a quem Schwab pretendia agradar com suas realizações.

O motivo que o inspirou a organizar e usar suas emoções para a conquista de um fim definido, como é óbvio, foi o motivo duplo de a) amor e b) desejo de ganho financeiro.

A necessidade é a senhora e guia da natureza. A necessidade é o tema e a inventora da natureza, seu freio e sua eterna lei.

– Leonardo da Vinci

HILL:

Acho que entendo o que quer dizer, Sr. Carnegie. Pode me corrigir, se eu errar ao descrever minha compreensão do progresso do Sr. Schwab rumo ao poder? Primeiro, ele decidiu o que queria, colocando em uso, portanto, o princípio da definição de objetivo. Ele adotou um plano para conseguir o que queria, e começou a pôr esse plano em prática Fazendo o Esforço Extra, usando também, portanto, o princípio do esforço organizado.

Trabalhando em harmonia com você e outros associados, ele usou o princípio do MasterMind. Ao adotar um objetivo tão elevado, ele mostrou que entendia e utilizava o princípio da visão criativa, e também demonstrou sua compreensão e aplicação do princípio da fé aplicada. Pela maneira agradável como se relacionava com você e os outros associados, ele indicou sua compreensão e uso do princípio da personalidade atraente.

Pela maneira inteligente como fez uso de todos esses princípios, e pela persistência com que se dedicou à empreitada até completá-la, ele demonstrou sua compreensão e uso da autodisciplina, por meio da qual subordinou todos os desejos a um único propósito, o de tornar-se parte indispensável de sua organização.

Por trás dessa empreitada havia os dois motivos – o amor pela esposa e o desejo de realização financeira –, por meio dos quais ele dominou e usou todas as emoções positivas para a conquista de um objetivo definido. Isso resume o caso?

CARNEGIE:

Foi exatamente esse o procedimento adotado! E você vai notar que as chances de ele alcançar o sucesso teriam sido reduzidas, se ele deixasse de usar um dos princípios mencionados. Foi por intermédio de uma aplicação cuidadosamente planejada de todos esses princípios que ele conquistou o sucesso. A aplicação exigiu autodisciplina da mais alta ordem. Se ele tivesse desviado qualquer porção de poder emocional em qualquer outra direção, os resultados teriam sido diferentes, fato de que me lembro graças à experiência de outro homem que começou a progredir para essa mesma relação que Charlie Schwab conseguiu conquistar com minha organização.

Esse homem tinha as mesmas habilidades de Charlie. Além disso, ele tinha melhor formação acadêmica, havia se formado em uma das faculdades mais renomadas, onde se especializou em química industrial. Ele usou com igual eficiência cada um dos princípios mencionados, como Charlie, com uma só exceção, e esse foi o motivo que o inspirou. Seu motivo era o desejo de ganho financeiro, não como um meio de expressar amor pela esposa, mas para alimentar a própria vaidade. Ele tinha um amor pelo poder, não como uma expressão de seu orgulho por realizações, mas como um meio de impor sua autoridade a outras pessoas.

Apesar dessa fraqueza, ele progrediu até se tornar um membro oficial do meu grupo de MasterMind. Então tropeçou, e nesse momento ele destruiu suas esperanças e sua oportunidade por causa da arrogância e da vaidade. Foi rebaixado de posto, porque precisávamos manter a harmonia em nosso grupo de MasterMind, e finalmente voltou ao primeiro degrau da escada, exatamente onde havia começado. Esse retrocesso feriu sua vaidade, um golpe do qual ele jamais se recuperou.

HILL:

Qual foi a maior fraqueza desse homem, Sr. Carnegie?

CARNEGIE:

Posso responder com três palavras: falta de autodisciplina! Se tivesse assumido o controle sobre seus sentimentos, ele poderia ter tido sucesso com muito menos esforço que Charlie Schwab em sua empreitada, porque tinha formação e todos os outros atributos de sucesso identificados em Schwab.

Ele deixou de controlar e direcionar suas emoções positivas. Quando se viu escorregando, começou a ceder a muitas emoções negativas, especialmente inveja, medo e ódio. Ele invejava aqueles que haviam conseguido ter sucesso, os odiava por terem conseguido superá-lo, e tinha medo de todo mundo, particularmente dele mesmo. Ninguém é forte o suficiente para alcançar o sucesso tendo uma variedade tão grande de inimigos trabalhando contra seu esforço.

HILL:

Pelo que disse, penso que poder pessoal é algo que deve ser usado de maneira discreta, ou pode se transformar em uma maldição, em vez de bênção. Estou certo?

CARNEGIE:

Sim. Sempre foi parte da minha filosofia de negócios prevenir meus associados contra os perigos do uso desmedido de poder pessoal, especialmente aqueles que, por conta de promoções, conquistaram esse poder aumentado recentemente. O poder recém-adquirido é como a nova riqueza; precisa ser observado com atenção, ou a pessoa pode se tornar vítima do próprio poder. É aqui que a autodisciplina se apresenta bem. Quando as pessoas mantêm a própria mente sob completo controle, fazem com que essa mente as sirva de um jeito que não hostilize outras pessoas.

HILL:

Se entendi corretamente, Sr. Carnegie, autodisciplina requer um domínio completo das sete emoções negativas e um direcionamento controlado das sete emoções positivas. Em outras palavras, as pessoas devem manter os pés no pescoço das sete emoções negativas, enquanto organizam e direcionam as sete emoções positivas para um fim definido. É essa a ideia?

CARNEGIE:

Sim, mas autodisciplina requer o domínio de outras características de personalidade, além das emoções. Ela pede planejamento e uso controlado do tempo. Pede o domínio da característica inata da procrastinação. Se alguém pretende ocupar uma posição superior na vida, não tem tempo para perder com atividades sem sentido, além daquelas de que precisam para o lazer.

NOTA DO EDITOR:

Neste trecho, Carnegie introduz a importância de administrar o tempo, especificamente, de garantir que se tenha energia suficiente – um prazo claramente definido – para aquilo que se deseja realizar. Quando essa urgência é atrelada a um motivo e embalada com o domínio das quatorze emoções, somos muito menos propensos a ceder à distração e à procrastinação e muito mais propensos a alcançar nossos objetivos.

Vamos ver um exemplo simplificado em uma universidade. Sabemos que a maioria dos alunos termina os trabalhos em cima da data de entrega, mesmo que tenham um prazo de seis semanas (ou mais). Porém, se um professor tivesse dito que havia um trabalho valendo 60% da nota e que ele teria que ser entregue em 48 horas, você acha que muitos alunos esperariam antes de fazer dele seu foco principal? De jeito nenhum.

Para cada objetivo que tiver, crie um prazo determinado com sinalizações claras para acompanhar seu progresso ao longo do caminho. Até a Técnica Pomodoro, uma poderosa ferramenta para administração do tempo, se baseia na urgência criada pela existência de um cronômetro com uma contagem regressiva visível em cima da sua estação de trabalho.

Sem essa urgência, é fácil terminar o dia sem ter nada para mostrar. Você acha que seus empreendedores, atletas e líderes empresariais favoritos, aqueles que são obcecados por quebrar recordes e mudar o mundo para melhor, têm tempo a perder?

HILL:

Poderia citar os traços de personalidade que mais frequentemente atrapalham a autodisciplina?

CARNEGIE:

Vamos dizer, por enquanto, que os maiores inimigos da autodisciplina são as sete emoções negativas. Elas são os obstáculos aos quais devemos dar atenção primeiro, se quisermos ter certeza do sucesso. Autodisciplina começa com a formação de hábitos construtivos – especialmente os hábitos relacionados a comida, bebida, sexo e uso do chamado tempo extra. De maneira geral, quando controlamos esses hábitos, eles ajudam a regular todos os outros hábitos.

Considere, por exemplo, o que a definição de objetivo faz pela melhoria de seus hábitos. Quando começamos a aplicar o princípio de Fazer o Esforço Extra, damos um grande passo na direção do estabelecimento de hábitos construtivos, porque ao fazermos mais do que aquilo pelo que somos pagos, somos forçados a administrar nosso tempo de maneira a aproveitá-lo melhor.

Pense, então, no que acontece quando ficamos obcecados por um motivo forte que começamos a expressar por meio do princípio do esforço organizado associado ao princípio da visão criativa. Quando obtemos o controle sobre esses princípios, já percorremos uma grande distância rumo à adoção de hábitos que, por si mesmos, constituem o melhor tipo de autodisciplina. Percebe como isso funciona?

HILL:

Sim, percebo, e também posso ver que tudo que fazemos gira em torno do motivo primário por trás de nosso objetivo principal definido. Motivo é realmente o ponto de partida de toda realização, não é?

CARNEGIE:

Sim, é isso mesmo, mas você deveria ter o cuidado de dizer que esse motivo precisa ser obsessivo. Isto é, deve ser tão forte que leva as pessoas a subordinarem todos os seus pensamentos e esforços à sua realização. Com muita frequência, as pessoas não distinguem entre motivo e mero desejo. Desejar não vai trazer sucesso. Se trouxesse, todo mundo seria bem-sucedido, porque todo mundo tem desejos. As pessoas desejam tudo, da terra à lua, mas desejos e devaneios resultam em nada, se não forem transformados em uma chama ardente de vontade baseada em um motivo definido, e essa deve se tornar a influência dominante em sua mente; a ela se deve atribuir proporções obsessivas suficientes para provocar ação.

Esses motivos que servem como uma força propulsora por trás do objetivo principal escolhido por alguém devem ser sublinhados e enfatizados, para que não passem despercebidos. Eles também devem ser incluídos na descrição escrita do objetivo principal definido do indivíduo. Um objetivo definido sem um motivo obsessivo por trás dele é tão inútil quanto uma locomotiva sem nenhum vapor na caldeira. Motivo é o que dá força, ação e persistência aos planos de alguém.

Sem um sentimento de urgência, o desejo perde seu valor.
– Jim Rohn

HILL:

Isso me lembra de perguntar, Sr. Carnegie, qual é o seu motivo para dedicar todo esse tempo a me preparar para organizar essa filosofia da realização? Tem mais riqueza material de que precisa. É reconhecido como a liderança industrial no mundo. Toda sua vida tem sido um sucesso estupendo, e até onde posso ver, não há nada que queira e já não tenha.

CARNEGIE:

É aí que você se engana. Não tenho tudo que quero. É verdade que tenho mais riqueza material de que preciso, como demonstra o fato de eu estar distribuindo meu dinheiro o mais rápido que posso com segurança. Mas tem algo que quero mais que tudo, e esse é um desejo obsessivo de fornecer ao povo da América uma filosofia segura e confiável pela qual as pessoas possam conquistar a riqueza em sua forma mais elevada, uma riqueza que permitirá que as pessoas se relacionem umas com as outras de forma que possam encontrar paz de espírito, felicidade e alegria nas responsabilidades da vida.

Meu desejo obsessivo surgiu das experiências com pessoas, pelas quais soube da grande necessidade de uma filosofia como essa. É a exceção, não a regra, quando encontro uma pessoa que tenta se beneficiar sem prejudicar os outros. Sempre vejo pessoas tentando, de maneira insensata, conseguir alguma coisa sem dar nada em troca, embora saiba muito bem que tudo que elas terão será sofrimento e decepção.

Meu motivo para ajudar a organizar uma filosofia confiável de realização pessoal é o mesmo que leva algumas pessoas a construírem grandes monumentos de pedra para marcar o local onde seus restos mortais finalmente repousarão. Monumentos de pedra desmoronam com o tempo e voltam ao pó, mas tem um tipo de monumento que pode ser eterno, e vai durar tanto quanto a própria civilização. É o monumento que se pode construir no coração de outras pessoas, por intermédio de alguma forma de serviço construtivo que beneficie a humanidade como um todo.

É um monumento assim que espero construir, com a sua cooperação, e posso sugerir que, ao me ajudar a construí-lo, você também o adote como seu monumento?

HILL:

Entendo o que diz, Sr. Carnegie. Era esse o seu motivo no início da carreira?

CARNEGIE:

Não, não era. No começo, o que me motivava era um desejo por expressão pessoal e um desejo por influência financeira, com a qual eu disseminaria a influência daquela expressão pessoal. Mas ao levar adiante meu motivo original, felizmente encontrei um motivo maior e mais nobre – o de fazer pessoas, em vez de fazer dinheiro. E aprendi a visão desse motivo maior por ter descoberto, enquanto fazia dinheiro, que havia uma grande necessidade por pessoas melhores. Se civilização é evoluir para padrões ainda mais elevados de vida ou preservar os progressos já feitos, precisamos aprender padrões de relacionamento humano mais elevados que aqueles que hoje prevalecem.

E, acima de tudo, as pessoas precisam aprender que existem riquezas muito maiores que qualquer uma representada por coisas materiais. A necessidade por essa visão mais ampla é suficiente para desafiar até a maior das pessoas. Foi a esse desafio que respondi quando meu motivo obsessivo passou a ser o de dar às pessoas uma filosofia sólida de realização pessoal.

NOTA DO EDITOR:

A eficiência de Carnegie como empresário é superada apenas pela de seus esforços filantrópicos. Como apontou no Prefácio Don Green, diretor executivo da Fundação Napoleon Hill, o compromisso do magnata do aço com ajudar a civilização a destravar seu potencial ainda é evidente hoje pelo mundo. Há uma ideia errada de que o dinheiro é a raiz de todo mal, quando, na verdade, ter mais recursos à nossa disposição não só nos dá mais liberdade para estruturar os dias como quisermos e capacidade para contribuir com as causas que são importantes para nós, mas também nos permite financiar inovação que melhora nosso padrão de vida e dá mais qualidade de vida às pessoas em todos os lugares.

Carnegie foi movido por um propósito muito maior que ele mesmo, um propósito que ele esperava que acendesse uma chama de ambição no mundo todo e desse às pessoas o maior dos presentes: a habilidade de ajudar elas mesmas. Mais de cem anos depois de sua morte, vimos como o exemplo de Carnegie é seguido por lideranças atuais, como Warren Buffett, Bill Gates e Li Ka-shing, que, depois de alcançar seus objetivos nos negócios, dedicou-se à filantropia. Esse foco filantrópico, primariamente em educação e saúde, pretende criar paz, curar doenças e elevar o padrão de vida de pessoas em todos os lugares.

Além da grande generosidade financeira, Carnegie proporcionou sua filosofia de realização – refinada e divulgada por Hill em livros como este – na esperança de que ela ensinasse às pessoas como ser autossuficientes, acima de tudo. Quanto mais recursos você tem à sua disposição, mais pode ajudar os outros. Isso nos leva a outro tema fundamental neste livro: a melhor maneira de ajudar os outros é se ajudar primeiro.

HILL:

A partir de tudo que você disse, deduzo que autodisciplina é, em grande medida, uma questão de adotar hábitos construtivos. É essa a ideia?

CARNEGIE:

É exatamente essa a ideia! O que uma pessoa é e o que ela realiza – tanto em fracasso quanto em sucesso – é resultado dos hábitos dela. Felizmente, hábitos são autoformados. Estão sob o controle do indivíduo. Os mais importantes são os hábitos de pensamento. As atitudes do indivíduo acabam se tornando parecidas com a natureza de seus hábitos de pensamento. Adquirir controle sobre esses hábitos de pensamento é um grande progresso para o desenvolvimento da autodisciplina.

Motivos definidos são o começo dos hábitos de pensamento. Não é difícil manter a mente focada na coisa que serve como seu maior motivo, especialmente se o motivo se torna obsessivo. Autodisciplina sem definição de motivo é impossível. Além disso, não teria valor. Já vi faquires na Índia com uma autodisciplina tão perfeita que conseguem passar o dia inteiro sentados em pontas afiadas de pregos cravados em uma tábua, mas essa disciplina é inútil, porque não há motivo construtivo por trás dela.

HILL:

Se entendi bem, Sr. Carnegie, autodisciplina, no sentido em que é designada como um dos maiores princípios da realização individual, refere-se ao domínio completo tanto dos hábitos de pensamento quanto dos hábitos físicos. É essa sua ideia?

CARNEGIE:

Sim, é isso mesmo. Autodisciplina significa exatamente o que a palavra sugere: completa disciplina sobre si mesmo! Ela requer um equilíbrio das emoções do coração e da faculdade de raciocínio da cabeça. Isto é, temos que aprender a responder à razão e aos sentimentos de acordo com a natureza de cada circunstância que pede uma decisão nossa. Às vezes é necessário deixar as emoções completamente de lado e permitir que a cabeça assuma o comando. Nas questões de relacionamento físico, essa capacidade se torna muito importante.

HILL:

Não seria mais seguro se uma pessoa controlasse sua vida com a faculdade do raciocínio, deixando as emoções fora de decisões e planos?

CARNEGIE:

Não, isso seria muito pouco sábio, mesmo que fosse possível, porque as emoções proporcionam o poder propulsor, a força de ação que nos permite pôr em ação as decisões da "cabeça". A solução é controlar e disciplinar as emoções, não as eliminar.

Além disso, é muito difícil, se não impossível, eliminar a grande natureza emocional do ser humano. Nossas emoções são como um rio, têm um poder que pode ser represado e liberado nas proporções e direções que quisermos, mas não podem ser eliminadas. Por meio da autodisciplina, podemos organizar nossas emoções e liberá-las de uma forma altamente concentrada como um meio de alcançar o alvo de nossos planos e propósitos.

As duas emoções mais poderosas são amor e sexo. Essas emoções são inatas, obras da natureza, instrumentos pelos quais o Criador garantiu tanto a perpetuação da raça humana quanto a integração social pela qual a civilização evolui de uma ordem inferior para outra superior de relacionamento humano.

Não se pode desejar destruir um presente tão grandioso quanto as emoções, mesmo que isso fosse possível, porque elas representam o maior poder da humanidade. Se você destruísse a esperança e a fé, o que sobraria de útil? Se removesse entusiasmo, lealdade e o desejo de realização, ainda deixaria a faculdade da razão (o "poder da cabeça"), mas de que isso serviria? Não restaria nada para a cabeça dirigir!

Agora, quero chamar sua atenção para uma verdade surpreendente: as emoções de fé, esperança, entusiasmo, lealdade e desejo não são mais que aplicações especializadas das emoções inatas de amor e sexo desviadas, ou transmutadas, para propósitos diferentes! Na verdade, toda emoção humana além de amor e sexo tem suas raízes nessas duas características naturais, inatas. Se esses dois elementos naturais fossem destruídos, essa pessoa se tornaria tão dócil quanto um animal castrado. A faculdade do raciocínio permaneceria, mas o que poderia ser feito com ela?

HILL:
Autodisciplina, então, é a ferramenta com que podemos dominar e direcionar nossas emoções inatas em qualquer direção que quisermos?

CARNEGIE:
É isso mesmo. E agora quero chamar sua atenção para outra verdade surpreendente: visão criativa é o resultado da autodisciplina na qual as emoções de amor e sexo são transmutadas em algum plano ou propósito específico. Nenhum grande líder, em nenhuma forma de empreitada

humana, jamais chegou à liderança sem dominar e direcionar essas duas grandes emoções inatas!

Os grandes artistas, músicos, escritores, oradores, advogados, médicos, arquitetos, inventores, cientistas, donos de indústrias e vendedores, e as pessoas de destaque em todas as esferas da vida, alcançam a liderança dominando e direcionando suas emoções naturais de amor e sexo como uma força propulsora por trás de suas empreitadas. Em muitos casos, o desvio dessas emoções para a empreitada especializada é feito de maneira consciente, como resultado de um desejo ardente por realização. Em outros casos, a transmutação é deliberada.

HILL:

Então, não é vergonha alguém nascer com grande capacidade para as emoções de amor e sexo?

CARNEGIE:

Não, a "vergonha" resulta do abuso desses dons naturais! O abuso é resultado de ignorância, da falta de treinamento para a natureza e as potencialidades dessas grandes emoções.

Práticas perseguidas com afinco se tornam hábitos.
– Máxima latina

HILL:

Pelo que disse, Sr. Carnegie, tenho a impressão de que a aplicação mais importante de autodisciplina é que por ela nos apoderamos das emoções de amor e sexo e as transformamos em qualquer forma de empreitada que desejarmos. Isso é verdade?

CARNEGIE:

Você entendeu a ideia com precisão. E devo acrescentar que, quando alcançamos disciplina sobre essas duas emoções, descobrimos que é fácil ter disciplina sobre nós mesmos em todos os outros aspectos, porque essas emoções se refletem, de maneira consciente ou não, em praticamente tudo o que fazemos.

Deixar de controlar as emoções de amor e sexo geralmente significa o fracasso na tentativa de controlar outras características. Veja o exemplo de Charles Dickens. Ainda jovem, ele sofreu uma grande decepção no amor. Em vez de se deixar destruir pelas emoções do amor não correspondido, ele transmutou essa grande força propulsora em um romance chamado *David Copperfield*, com o qual alcançou fama e fortuna, e que o levou a criar outras obras literárias que o tornaram um mestre em seu campo de atuação.

Abraham Lincoln era um advogado medíocre que tinha fracassado de maneira desanimadora em todas as empreitadas, até que os poços profundos de sua emoção foram abertos por sua grande dor com a morte de Ann Rutledge, a única mulher que ele amou de verdade. Ele transformou sua dor em um serviço público que fez dele um dos imortais da América. É lamentável que nenhum de seus biógrafos tenha captado a importância ou feito referências explicativas à tragédia que marcou o ponto de virada na vida do grande estadista.

A genialidade criativa de Napoleão Bonaparte como líder militar foi, em grande parte, uma expressão de sua aliança MasterMind com a primeira esposa. Observe com muita atenção a tragédia que se abateu sobre esse homem depois que sua cabeça dominou o coração e ele pôs a primeira esposa de lado, priorizando as ambições de sua cabeça.

Em sua pesquisa, quando estiver organizando a filosofia da realização, observe cuidadosamente que sempre que um casal une suas emoções em um espírito de harmonia para a conquista de um fim definido, ele se torna quase invencível contra todas as formas de desencorajamento e derrota temporária.

É por meio dessa aliança harmoniosa que tomamos posse do maior poder espiritual! Talvez o Criador tenha desejado que fosse assim, mas seja como for, o fato é que o mundo não tem registro de um nenhum grande homem ou mulher cuja vida não tenha sido influenciada definitivamente pelas emoções de amor e sexo!

Que fique bem claro que, ao falar de sexo, eu me refiro àquela emoção criativa inata que dá à humanidade sua habilidade criativa, não à mera expressão física desse poder. São as conotações burlescas e o uso errado dessa grande emoção que, às vezes, a degradam aos mais baixos níveis.

HILL:

Então, a emoção do sexo pode ser nosso maior bem ou nosso maior prejuízo, de acordo com como entendemos e aplicamos a emoção?

CARNEGIE:

Exatamente. E agora quero chamar sua atenção para outro fato importante: a emoção do sexo, sem o efeito modificador da emoção do amor, como se expressa em relacionamentos sexuais "ilícitos", é nossa mais perigosa influência. Quando essas duas grandes emoções são expressas em conjunto, elas se tornam um poder criativo que sugere uma natureza espiritual.

HILL:

Então deduzo, por seus comentários, que a emoção do sexo sem a influência modificadora da emoção do amor é só uma força biológica que pode ser desastrosa, não for controlada?

CARNEGIE:

Você entendeu a ideia exatamente! Mas deixe-me dizer uma coisa sobre o método pelo qual essa emoção deve ser controlada. A válvula de segurança é o princípio de transmutação, pelo qual essa grande força propulsora pode ser convertida e usada como apoio para um objetivo principal definido. Quando usada dessa maneira, ela se torna um bem de valor inestimável mesmo sem a influência modificadora da emoção do amor.

A emoção do sexo não se deixará privar de alguma forma de expressão. Ela é como um rio que pode ser represado e direcionado para quaisquer formas de ação desejadas, mas ela não pode ser privada de expressão sem que haja grande dano. Como as águas de um rio que foi represado, se ela não for liberada em condições controladas, vai explodir pela força de seu poder inerente de maneira destrutiva.

Autodisciplina, com a qual esses grandes poderes são guiados para canais seguros de empreitada humana, é a única solução sensata para o problema que eles apresentam.

HILL:

Se amor e sexo são as emoções predominantes sobre as quais se deve exercer autodisciplina, poderia analisar agora a influência delas nos assuntos práticos da vida diária? Como essas emoções atuam nos fatores essenciais dos relacionamentos humanos, em todas as esferas da vida?

CARNEGIE:

Qualquer filosofia realmente prática de realização individual deve capacitar as pessoas para a superação dos problemas práticos da vida diária – e estou me referindo a todos os problemas!

NOTA DO EDITOR:

O que nunca deixa de me impressionar em Carnegie e Hill é como eles entendem e apresentam soluções para os problemas que seriam enfrentados por pessoas décadas mais tarde. Quando Hill foi convidado a preparar um mapa prático de realização para pessoas de todas as origens, era importante que ele servisse como orientação para todos os problemas que o indivíduo enfrentasse. Porém, mais que nunca, as pessoas estão procurando respostas e muitas vezes encontram salvação de curto prazo no chamado de extravagantes posses materiais.

Inevitavelmente, essas tentativas de consolo material só oferecem felicidade passageira. As pessoas então se descobrem lidando com os mesmos problemas que as atormentavam antes. Carnegie comenta aqui de maneira resumida que qualquer filosofia de realização pessoal digna de nota deve permitir que as pessoas percorram as inúmeras bifurcações que encontram na estrada todos os dias.

Uma das minhas citações favoritas de Hill é: "Ter um plano definido para sua vida simplifica muito o processo de tomar centenas de decisões diárias que afetam o sucesso final". Primeiro, em livros como este e *Quem pensa enriquece*, aprenda tudo o que puder sobre os hábitos de empreendedores extraordinários. Depois, com uma ideia clara em mente sobre o que mais quer, prepare um plano detalhado para alcançar esse objetivo – deixe-se guiar pelo *The Napoleon Hill Success Journal*. Se você dominou essas duas etapas, não existe um único problema que possa surgir na vida diária para o qual você não tenha uma resposta astuta.

CARNEGIE:

Como já vimos, toda atividade humana se baseia em motivo. Não foi por acaso que os motivos de amor e sexo foram postos no topo da lista dos motivos básicos. Esse é o lugar deles, porque esses dois motivos inspiram mais ação que todos os outros motivos combinados.

As maiores criações em literatura, poesia, arte, drama e música têm suas raízes no amor. Nas obras de Shakespeare, você vai notar que tanto tragédias quanto comédias são muito coloridas pelos motivos de amor e sexo. Remova esses motivos das peças de Shakespeare e não restará nada mais que diálogo corriqueiro, nada que supere um dramaturgo comum. Você vai ver, portanto, que essas emoções criativas podem servir ao mais elevado propósito em literatura.

Oradores talentosos, respeitados em qualquer área de atuação a que se tenham dedicado, dão cor e força magnética às palavras transmutando as emoções de amor e sexo em entusiasmo e, assim, transmitem sentimento por intermédio da palavra falada. Ouvi discursos que, embora fossem obras-primas no tema e na linguagem perfeita, não transmitiam sentimento, porque o orador formulava pensamentos da cabeça, em vez daqueles do coração. Ele não conferia sentimento às palavras, porque não tinha capacidade emocional para isso, ou desconhecia seu uso.

A História será bondosa comigo, porque eu pretendo escrevê-la.
– Winston Churchill

Em uma conversa comum, todos revelam pela palavra falada a exata coloração de seus sentimentos, ou sua falta de sentimentos, e é por esse meio que observadores experientes chegam ao real estado mental do orador. Como todos sabemos, palavras muitas vezes são usadas para esconder os sentimentos de quem as pronuncia, não para transmiti-los! Portanto, o analista experiente julga as pessoas não por suas palavras, mas pelo sentimento ou pela falta dele, transmitidos inconscientemente em suas palavras.

Diante disso, considere como é importante entender e usar deliberadamente o poder da *emoção* no discurso e na escrita, porque ninguém fala uma palavra ou escreve uma linha sem revelar de maneira consciente ou inconsciente a presença de seus sentimentos ou a falta deles, independentemente do que pretendia transmitir a construção de palavras.

HILL:

Se entendi corretamente, Sr. Carnegie, nossas palavras são coloridas pela natureza das emoções, sejam essas emoções positivas ou negativas.

CARNEGIE:

Sim, isso é verdade, mas as emoções negativas, como medo, inveja e raiva, podem ser controladas e transmutadas em uma força propulsora construtiva. É por meio desse tipo de autodisciplina que as emoções negativas podem ser despojadas de seus perigos e colocadas a serviço de fins úteis. Às vezes, medo e raiva inspiram atitudes que normalmente não tomaríamos, mas todas as ações originárias de emoções negativas deveriam ter a influência modificadora da cabeça, de forma a serem guiadas para fins construtivos.

HILL:

Deve-se submeter tanto as emoções negativas quanto as positivas à influência modificadora da faculdade da razão, ou a "cabeça", como você diz, antes de expressar as emoções por meio de ações?

CARNEGIE:

Sim, esse é um dos principais propósitos da faculdade da razão. Ninguém deveria jamais, em tempo algum, agir com base nas emoções antes de modificar seus impulsos de pensamento, submetendo-os à faculdade da razão. Essa é a maior função da autodisciplina. Esta consiste em um equilíbrio apropriado dos poderes da cabeça e do coração.

HILL:

Isso traz à tona um assunto sobre o qual tenho pensado muito pouco. Nunca me ocorreu que cabeça e coração precisavam de um senhor, mas pelo que você diz, entendo que eles têm um senhor em potencial na faculdade da força de vontade.

CARNEGIE:

Sim. O ego, agindo por meio da vontade, é o juiz que preside a razão e as emoções, mas não perca de vista o fato de esse juiz agir apenas para a pessoa que treinou seu ego para agir, por meio da autodisciplina. Sem autodisciplina, o ego cuida dos próprios assuntos. Isso deixa cabeça e coração lutando suas batalhas como quiserem, mas onde um reina sozinho, o outro é gravemente ferido.

HILL:

Então, considerando tudo o que você disse, o cérebro humano tem dentro dele uma forma completa e autônoma de governo?

CARNEGIE:

Essa é uma boa maneira de colocar a questão. O governo é composto por muitos departamentos que, quando coordenados e devidamente orientados pela autodisciplina, capacitam o indivíduo a percorrer um caminho na vida que encontra pouca oposição de terceiros.

Esses departamentos são:

- A faculdade da imaginação, em que se pode criar ideias, planos e métodos para alcançar os fins desejados.
- A faculdade da razão, em que se pode pesar, estimar e avaliar apropriadamente os produtos da imaginação.
- A consciência, em que se pode testar a justiça moral dos pensamentos, planos e propósitos do indivíduo.

- A faculdade das emoções, em que existe a força propulsora que põe em ação os pensamentos, planos e propósitos do indivíduo.
- A memória, que serve como guardiã dos registros de todas as experiências.
- O ego (expressado pela força de vontade), acima de todas as outras, a Suprema Corte com o poder de reverter, modificar ou eliminar o trabalho completo de todos os outros departamentos da mente.

Sem dúvida, Shakespeare tinha em mente esse complexo sistema de autogoverno quando escreveu estas palavras de alerta profundamente significativas:

Acima de tudo sê fiel a ti mesmo,
Disso se segue, como a noite ao dia,
Que não podes ser falso com ninguém.
– Hamlet

O grande dramaturgo deve ter reconhecido que a pessoa que governa a si mesma mantendo esses seis departamentos em adequada ordem de funcionamento, com todos os departamentos funcionando de forma natural e apropriada, será sábia o suficiente para não ser falsa com ninguém.

A partir dessas observações, torna-se muito claro que autodisciplina é o procedimento pelo qual se coordena os seis do próprio governo de tal forma que nenhum deles escapa ao controle.

HILL:

Qual desses departamentos de autogoverno se deve observar com mais atenção, Sr. Carnegie?

CARNEGIE:

Sem dúvida, o departamento das emoções, porque esse é o departamento da ação, e a observação casual das pessoas força o indivíduo à conclusão de que ações decorrentes das emoções, sem a influência modificadora da cabeça, geralmente resultam em desastre. Sim, emoção sem razão é seu maior inimigo!

HILL:

Gostaria de modificar essa declaração, Sr. Carnegie?

CARNEGIE:

Nem um pouco. Pelo contrário, quero enfatizar a declaração chamando a atenção para o fato de que em quase todos os casos em que o indivíduo submete seus desejos emocionais a um exame da cabeça, ele se sente compelido a modificá-los de um jeito ou de outro. As coisas que mais desejamos sempre sobreviverão ao mais atento exame de nossa cabeça, e a pessoa que desenvolveu autodisciplina sabe que isso é verdade. É raro o dia em que não temos a experiência de "sentir" que devemos fazer alguma coisa que a cabeça nos diz para não fazer, se tiver uma chance de nos dizer.

NOTA DO EDITOR:

Reflita sobre a força das palavras de Carnegie em relação a agir com base na emoção. Hill perguntou se Carnegie gostaria de modificar sua afirmação de que emoção sem razão é nossa maior inimiga, mas Carnegie se recusou e, de fato, a reforçou. Evidentemente, Carnegie havia observado inúmeras pessoas cuja falta de controle sobre suas emoções havia levado à destruição da carreira e da vida pessoal.

Vamos pensar sobre um exemplo moderno. Muitas pessoas foram advertidas ou demitidas depois de, impulsivamente, enviar e-mails carregados de emoção ou desabafar em uma rede social, antes de parar e pensar no que poderia acontecer. Uma influência modificadora adequada, como uma rápida caminhada para respirar ar fresco ou pedir o conselho de um colega respeitado, teria impedido uma atitude que, uma vez tomada, causa dano irreparável à reputação do indivíduo entre as pessoas em questão. Como muitas carreiras teriam sido salvas, se a autodisciplina correta tivesse sido aplicada!

Ações desastrosas derivadas de emoções sem controle criam rapidamente desconfiança e são os meios mais certos para sabotar o próprio progresso. Afinal, somos livres para fazer as escolhas que quisermos, mas não estamos livres das consequências dessas escolhas.

Com alinhamento bem-sucedido de cabeça e coração, não é que você não vai sentir o impulso de fazer alguma coisa – é que vai fazer a escolha certa em relação a chegar aonde quer.

HILL:

Então, harmonia é algo que se deve começar em casa, na própria mente. Não é isso?

CARNEGIE:

O princípio do MasterMind não pode funcionar sem perfeita harmonia entre os indivíduos que constituem o grupo MasterMind. Não podemos nos tornar uma unidade harmoniosa de um grupo MasterMind a menos e até que alcancemos harmonia entre os seis departamentos de nossa mente.

HILL:

Vejo por suas explicações que harmonia na própria mente é uma condição precedente à aplicação bem-sucedida de toda a filosofia da realização individual.

CARNEGIE:

Você entendeu a ideia. E lembre-se de que harmonia interior é produzida por autodisciplina e de nenhuma outra maneira. Quando entender essa verdade, você vai perceber meu objetivo ao enfatizar a importância do domínio sobre si mesmo.

HILL:

Não deixou de fora a importância da força de vontade?

CARNEGIE:

Não, não houve omissão. Força de vontade faz parte do ego humano. É assim que ela acontece, pelo poder de deixar de isolar todos os atos de todos os outros departamentos da mente. Quando você fala em força de vontade, está falando no poder de prerrogativa do ego que consiste em uma aliança com a alma, ou em algum poder maior que aquele que é inerente a qualquer um dos outros cinco departamentos da mente.

O ego é o tribunal do último recurso. Suas decisões são finais, e não precisamos de prova de que elas se impõem a todos os outros departamentos da mente. Que poder reside por trás do ego, ou qual pode ser a exata natureza da origem de seu poder são questões que julgo estarem além do escopo e do propósito da filosofia da realização individual.

Tudo que sabemos desse poder oculto é que ele existe, e podemos absorvê-lo apenas pela compreensão e aplicação dos princípios descritos nessa filosofia. Não é suficiente? Vamos antes fazer uso inteligente dos princípios conhecidos de abordagem desse poder oculto antes de começarmos a investigar sua origem e natureza, já que essa investigação pode resultar em confusão, e certamente resulta em controvérsias individuais.

HILL:

Resumindo, então, seu conselho é que devemos aprender mais sobre a natureza e o uso dos seis departamentos em nossa mente antes de nos preocuparmos com a origem da qual a mente extrai seu poder?

CARNEGIE:

É exatamente esse meu conselho! Não estou preocupado com nenhum plano para fornecer mais poder do que aquele que fica disponível por meio dessa filosofia, até aprendermos como usar o poder que temos da melhor maneira. Você deve lembrar que, por alguma combinação dos princípios dessa filosofia, os líderes do estilo de vida americano deram ao mundo o mais elevado padrão de vida já conhecido pela civilização.

Com a aplicação dessa filosofia, eles desenvolveram um grande império industrial, um sistema bancário incomparável, um sistema de seguro de vida que garante segurança econômica a milhões de pessoas, um sistema de transporte e comunicação sem igual, um sistema de publicidade e merchandising invejado pelo mundo, e um sistema de educação muito à frente de qualquer um já criado por qualquer outro país.

Embora nenhuma dessas instituições seja perfeita, elas ainda estão evoluindo e passando por refinamento e melhoria quase todos os dias. Portanto, vamos manter esses aperfeiçoamentos, presumindo, como acredito que podemos presumir com segurança, que se fizermos nossa parte, o poder acima e por trás de toda atividade humana vai relevar a nós fontes maiores de poder individual quando estivermos preparados para usá-las de maneira inteligente e para o bem da humanidade.

> *Crie a visão mais elevada e grandiosa possível para sua vida,*
> *porque nos tornamos aquilo em que acreditamos.*
> – Oprah Winfrey

HILL:

Acho que sua reprimenda é justificada, Sr. Carnegie, e concordo com você sobre devermos fazer melhor uso dos "talentos" que nos foram confiados, antes de exigir mais poderes ou poderes superiores.

CARNEGIE:

E você poderia ter acrescentado que autodisciplina é o meio para se alcançar um uso melhor dos nossos poderes. A única coisa de que toda pessoa viva precisa, talvez mais que tudo, é maior disciplina sobre si mesmo.

Antes de mais nada, precisamos de autodisciplina sobre os seis departamentos da mente. Mas isso não é suficiente. Precisamos de disciplina sobre o apetite físico, o sexo, o discurso, o adorno pessoal, a leitura, e precisamos especialmente da mais estrita disciplina no uso do nosso tempo. Se o tempo que a maioria das pessoas perde com fofoca fosse usado de maneira mais sábia, controlado por uma administração adequada, elas teriam todos os luxos que pudessem necessitar na vida.

Precisamos de disciplina em todos os nossos relacionamentos com outras pessoas. Então, como vê, não há limite para a necessidade de autodisciplina, e a tragédia dessa necessidade está no fato de a autodisciplina estar ao alcance de todos, e ninguém precisar consultar alguém para fazer uso dela.

HILL:

Por que, Sr. Carnegie, essa prerrogativa tem sido tão negligenciada, de maneira geral?

CARNEGIE:

Os filósofos têm feito essa mesma pergunta há eras. O aviso comum de todo grande filósofo é "conhece-te", porque é óbvio para o filósofo que tudo que precisamos é conhecer a natureza do poder guardado em nossa mente.

Com compreensão e aplicação desse poder, podemos ter tudo que precisamos ou queremos. Tudo que temos que fazer é tomar posse de nossa mente, colocá-la sob autodisciplina e pronto! Ela vai nos servir como a lâmpada de Aladim e, com ela, vamos realizar todos os nossos desejos.

Mas para responder à sua pergunta mais diretamente, eu diria que essa prerrogativa tem sido ignorada porque ninguém jamais deu ao mundo uma filosofia prática que tivesse incorporado todos os elementos essenciais de uma vida bem-administrada. Foi por reconhecer a necessidade dessa filosofia que convidei você para começar a organizá-la.

Os filósofos do passado, de Aristóteles e Platão aos modernos, ocuparam-se demais com os princípios abstratos da vida e pouco se preocuparam com as regras práticas concretas do relacionamento humano, com as quais podemos percorrer nosso caminho na vida com sucesso.

Não foi responsabilidade de ninguém fornecer essa filosofia, e aparentemente ninguém se importou em assumir o trabalho de organizá-la, principalmente, suponho, por causa da quantidade estupenda de esforço não remunerado que teria que ser feito com pesquisa, investigação e estudo. Tudo que posso prometer a você, como um incentivo para começar a organização da filosofia de realização pessoal, são vinte anos de trabalho sem remuneração, mas me sinto encorajado pela esperança de que vai continuar até concluir o trabalho, inspirado pelo motivo do orgulho da realização, mais as compensações materiais que virão depois de finalizá-lo.

Quanto ao motivo pelo qual nenhuma outra pessoa jamais se dedicou a organizar essa filosofia, não o conheço. Sei tanto quanto você! Essa é uma pergunta que não posso responder, exceto chamando sua atenção para o fato de que, quando a civilização precisa de voluntários para alargar seus horizontes, de algum jeito essas pessoas sempre aparecem. Assim a humanidade emergiu da aurora da civilização, e assim ela continuará emergindo. Por trás de tudo isso tem algum grande plano e propósito que nós, os que se voluntariam para fazer deste um mundo melhor, não precisamos necessariamente entender. Vamos ter que nos contentar com a recompensa da autossatisfação, que é a maior fonte de gratificação para todos que prestam serviço útil.

NOTA DO EDITOR:

É aqui que temos um insight real quanto ao motivo de a filosofia de realização ser tão relevante hoje. Esses princípios funcionaram para todos que Hill entrevistou em *Quem pensa enriquece*, publicado em 1937, como funcionaram para todos em *Think and Grow Rich: The Legacy*, publicado oitenta anos depois, e para centenas de outras pessoas citadas em títulos publicados pela Fundação Napoleon Hill.

O sucesso não discrimina, e ninguém nasceu com uma medalha de ouro no pescoço. O sucesso chega para todos que fazem o que precisa ser feito. Esteja certo, querido leitor: esses princípios vão funcionar para você também.

HILL:

É verdade, Sr. Carnegie, que aqueles que prestam serviço relevante à humanidade demonstram, dessa forma, autodisciplina da mais elevada ordem?

CARNEGIE:

Sim, é verdade, e o simples fato de que prestar esse serviço tende a desenvolver autodisciplina é compensação suficiente pelo serviço que eles prestam, porque não há bem maior que o autocontrole. Se temos controle sobre nós, podemos ter controle sobre praticamente qualquer coisa que desejarmos.

HILL:

É verdade, Sr. Carnegie, que aqueles que adquirem grande poder por meio de severa autodisciplina raramente o usam em detrimento dos outros?

CARNEGIE:

Sim; quando as pessoas são realmente autodisciplinadas, não desejam usar seu poder para obter vantagem sobre outras pessoas. A história nos mostra que todos aqueles que violaram essa regra logo perderam seu poder.

Por exemplo, os fundadores de nossa nação adquiriram poder por meio de autodisciplina. Estude o histórico de George Washington, Thomas Jefferson e outros de seu tipo e tempo, e vai encontrar evidências de autodisciplina da mais alta ordem. Esses indivíduos se distinguiram por causa de suas demandas por liberdade para toda a humanidade.

HILL:

Sr. Carnegie, observei que a maioria das pessoas permite que seu espírito seja destroçado pelas inevitáveis decepções e pelos fracassos da vida, especialmente aqueles que são provenientes da perda de bens materiais e da perda de amigos. De que maneira a autodisciplina pode ser útil para essas pessoas?

CARNEGIE:

Autodisciplina é a *única* solução para esses problemas. A disciplina deve começar com o reconhecimento de que só existem dois tipos de problemas: os que podemos resolver e os que não podemos resolver. Os problemas que podem ser solucionados devem ser liquidados pelos meios mais práticos à disposição, e os problemas que não podem ser solucionados devem ser tirados da cabeça e esquecidos.

Autodisciplina, que significa domínio sobre todas as emoções, nos permite fechar a porta entre nós e as experiências desagradáveis do passado. A porta deve ser fechada e trancada, de forma que não haja a possibilidade de ser novamente aberta. A porta também deve ser fechada para os problemas que não têm solução. Pessoas que não têm autodisciplina não só deixam aberta a porta entre elas e lembranças desagradáveis e problemas insolúveis, mas também ficam na soleira e olham para trás, para o passado, em vez de fechar a porta e olhar apenas para a frente, para o futuro.

Esse expediente de fechar a porta é necessário e importante. Ele requer o apoio do ego, mas esse apoio só estará disponível se mantivermos os outros departamentos da mente sob o controle do ego.

HILL:

O primeiro passo, então, para fechar a porta para lembranças desagradáveis e problemas insolúveis, é adquirir controle sobre a mente?

CARNEGIE:

Essa é a ideia. Não podemos fechar a porta mental para experiências do passado e garantir que ela permanecerá fechada enquanto não tivermos controle sobre a mente. Lembre-se também que, a menos que formemos o hábito de fechar a porta para o passado, não conseguiremos abrir a porta da oportunidade que está bem na nossa frente.

Oportunidade para autopromoção, para a conquista da felicidade e para o acúmulo de riquezas materiais permanece indisponível para aqueles cuja mente está ocupada com erros e fracassos do passado ou outros pensamentos desanimadores. Pessoas bem-sucedidas são valentes! Precisam ser. Não só trancam a porta para o passado, como jogam a chave fora.

NOTA DO EDITOR:

Opa! Quanto isso é poderoso! Da mesma forma que o sucesso chega para quem tem consciência dele, oportunidades chegam para quem se concentra em um futuro próspero, em vez de se ater aos infortúnios do passado. Isso pode ser especialmente difícil para quem sofreu um grave problema de saúde ou uma adversidade física, e tenho três amigos que, acredito, personificam esse foco acentuadamente:

- Janine Shepherd era esquiadora de cross-country e classificou-se para as Olimpíadas de Inverno em Calgary, Canadá. Poucos meses antes dos jogos, quando treinava pedalando pelas Blue Mountains na Austrália, Shepherd foi atropelada por um caminhão em alta velocidade. Ela foi levada ao hospital, onde disseram aos seus pais que ela não sobreviveria. Depois de dez dias em coma, "Janine, a Máquina" acordou, mas teve que passar seis meses na ala de lesão de coluna vertebral, enfrentando inúmeras cirurgias e a assombrosa realidade de que não só suas esperanças atléticas tinham evaporado, como seu corpo havia sido lesionado de maneira irrecuperável e estava irreconhecível. Hoje, a mulher que construiu uma carreira desafiando probabilidades é autora de muitos best-sellers e viaja pelo mundo em sua condição de paraplégica parcial, andante, compartilhando sua história inspiradora com companhias de ponta – incluindo Amazon, Google e Cisco – e com associações sem fins lucrativos e escolas, lembrando as pessoas de que não somos nossos corpos, mas o desafiador espírito humano. Nunca esquecerei a lição que ela compartilhou comigo, que resume perfeitamente sua atitude: "Eu simplesmente não ouço quando alguém me diz que não posso fazer alguma coisa".
- Por causa de um raro defeito congênito, Jessica Cox nasceu sem os braços. Em vez de se concentrar no infortúnio, Cox encontrou uma solução

– tinha dois pés e os usaria como substitutos. Motivada por todos os desafios, ela aprendeu a dirigir um carro, digitar rapidamente e com precisão em um teclado, mergulhar e trocar as lentes de contato, e aos quatorze anos chegou à faixa preta no taekwondo.

Em meio a muitas outras conquistas notáveis, Cox aprendeu a pilotar aeronaves, e foi reconhecida pelo Guinness World Records como a primeira piloto do mundo sem os braços. Hoje ela ensina indivíduos, companhias e associações como viver o impossível.

- Aos dezessete anos, Jim Stovall foi reprovado nos exames médicos para o time de futebol do ensino médio. Três médicos se reuniram com ele e explicaram que logo ele ficaria total e permanentemente cego, e que não havia nada que pudessem fazer para impedir. Cumprindo a profecia, o mundo de Stovall começou literalmente a se apagar em escuridão, mas ele decidiu que, se tinha essa aflição, teria que encontrar o benefício equivalente compensador.

Alguns anos mais tarde, Stovall percebeu que era impossível para os milhões de pessoas com deficiência visual no mundo todo apreciar a programação de televisão, então, ele se dedicou a trabalhar para retificar essa situação. Hoje, a Narrative Television Network opera em mais de uma dezena de países e forneceu serviço de grande valor àqueles que antes se sentiam isolados. Stovall também é autor de trinta best-sellers, apesar de nunca ter escrito um livro antes de perder a visão.

As jornadas de Janine Shepherd, Jessica Cox, Jim Stovall e inúmeros outros pelo mundo nos lembram que devemos encarar o futuro com coragem, independentemente do que aconteceu no passado, acreditando que há muito mais vida para vivermos.

Ficar pensando no sócio que o enganou, no ex-cônjuge que roubou sua dignidade ou na circunstância que você nunca poderia ter previsto é justamente o que o impede de ser feliz no presente. Canalize a energia para meios construtivos e encontre o presente em cada adversidade. Ação intencional é o melhor remédio.

HILL:

Gosto dessa expressão que fala em "fechar portas". Mas esse hábito de fechar portas não torna o indivíduo endurecido e sem emoção?

CARNEGIE:

Talvez firme, mas eu não diria endurecido. Firmeza é uma qualidade que se deve ter para tornar-se autodisciplinado. Não esqueça que autodisciplina não é só um gesto de dar um tapinha na própria mão e dizer: "Seja bonzinho!". Autodisciplina é uma atitude mental definida que procura e encontra no fundo de nossa alma galhos secos do ser e os joga fora com coragem.

A autodisciplina não permite memórias de experiências tristes, e não perde tempo se preocupando com problemas insolúveis. Fecha a porta com a mesma firmeza para ódio, vingança, ganância, raiva e superstição, e fica de guarda atrás da porta para garantir que ela não seja aberta por ninguém, por nenhum motivo.

Não pode haver concessão nessa coisa de fechar a porta. Ou empregamos nossa força de vontade diante dessa porta que leva a experiências que desejamos esquecer e a fechamos hermeticamente, ou não desenvolvemos autodisciplina. Esse é um dos mais importantes serviços prestados pela autodisciplina.

A maioria das pessoas é tão feliz quanto decide ser.
– Abraham Lincoln

HILL:

E quanto àquelas pessoas que sofrem por desilusões amorosas? O que devem fazer em relação ao hábito de fechar a porta, que você diz ser tão essencial?

CARNEGIE:

Decepção com o amor não é diferente de outras decepções. Essas feridas podem ser curadas com mais facilidade quando se redireciona o afeto para um novo campo. O remédio, então, é fechar a porta com firmeza e começar a procurar um novo amor.

HILL:

Mas esse remédio é mais fácil de prescrever do que de aplicar, não é?

CARNEGIE:

Fechar a porta nunca é fácil! Se fosse, essa atitude não seria necessária. O problema com a maioria das pessoas é que deixam a porta encostada ou completamente aberta, fazendo concessões a coisas que deveriam ser eliminadas de sua vida. Não se pode correr o risco de temporizar lembranças que são desagradáveis. Elas destroem o poder da visão criativa, minam a iniciativa, enfraquecem a imaginação, perturbam a faculdade da razão e confundem todos os departamentos da mente. Autodisciplina não permite essa interferência, seja qual for o caminho.

HILL:

Pelo que você disse, a autodisciplina nos capacita a dominar tudo que surge em nosso caminho ou causa algum tipo de desconforto?

CARNEGIE:

Sim, é exatamente isso. Ela não tolera interferência no funcionamento organizado da mente. Como um caça-minas no oceano, limpa seu caminho de todos os obstáculos e nos deixa com um caminho aberto para o futuro. Ela nos faz olhar para a frente, não para trás. Não tolera desânimo ou preocupação. Ou remove a causa desses males, ou fecha a porta para eles com tanta firmeza que eles não conseguem passar.

Por sua vez, a autodisciplina se recusa com a mesma firmeza a permitir que a porta seja fechada para as sete emoções positivas. A porta para elas é deixada sempre aberta, e se elas não entram, a autodisciplina vai buscá-las voluntariamente, as traz para dentro e as põe para trabalhar.

HILL:

Em outras palavras, a autodisciplina alimenta e nutre as emoções positivas, mas mantém a porta fechada para as emoções negativas. Essa é a ideia?

CARNEGIE:

Sim, mas ela faz mais do que incentivar as emoções positivas. Ela as conserva em seus lugares e as força a compartilhar sua influência com a faculdade da razão, mantendo-as, dessa forma, sob controle. Veja a emoção do entusiasmo, por exemplo. Nunca se soube de alguém que realizou algo realmente grande sem entusiasmo, mas o entusiasmo desenfreado pode causar problemas para a pessoa, e isso ocorre com frequência. Portanto, ele tem que ser mantido sob controle e guiado para fins definidos.

A mesma coisa é válida para outras emoções positivas, especialmente as emoções do amor e do sexo. Essas duas, sendo as mais poderosas do grupo, precisam de mais atenção. Quando escapam ao controle, podem causar dano permanente. Esperança, fé e lealdade são as únicas emoções que raramente dão motivos para serem mantidas sob controle. Mas ainda assim precisam ser modificadas, às vezes, pela faculdade da razão; caso contrário, podem ser desviadas e abusadas.

HILL:

Estou começando a pensar que autodisciplina é uma habilidade que só pode ser usada por pessoas fortes.

CARNEGIE:

É isso mesmo! E por que não? O que esperar de mentes fracas? O propósito da autodisciplina é criar mentes fortes. Qual você pensa ser a intenção da filosofia de realização pessoal, senão criar mentes fortes? Essa é sua maior função. Seu objetivo é ajudar pessoas a tomar posse da própria mente e usá-la para todo fim necessário.

Ninguém se apodera da própria mente até desenvolver autodisciplina suficiente para permitir que a mente seja *organizada* e mantida livre de influências desintegradoras.

HILL:

Você acha que a maioria das pessoas vai querer pagar o preço necessário para desenvolver autodisciplina, Sr. Carnegie?

CARNEGIE:

É claro que não! Mas os que conseguem têm de pagar o preço. Eles se tornarão líderes em seus campos de empreitada; essa será sua recompensa por terem pagado o preço. Lembre-se, de uma vez por todas, que não se pode ter alguma coisa em troca de nada. Tudo que vale a pena ter possui um preço, e é preciso pagar esse preço, ou não ter essa coisa. É possível ter outra coisa, mas nunca em troca de nada.

HILL:

Esse é o equivalente, imagino, de quando você diz que os benefícios da filosofia da realização individual não podem ser apreciados por aqueles que não estão dispostos a adquirir autodisciplina?

CARNEGIE:

Você colocou a questão perfeitamente. Diante do que acabei de afirmar sobre a impossibilidade de ter alguma coisa sem dar nada em troca, não se poderia esperar que as pessoas se apropriassem dos benefícios de uma filosofia tão completa sem conquistar esses benefícios.

Você deve lembrar que, quando dominamos essa filosofia e a aplicamos de maneira apropriada, alcançamos o alvo de nossas mais elevadas esperanças e intenções. Essa é uma promessa que não pode ser garantida por nenhuma outra fonte ou nenhuma outra causa. Portanto, me parece que nenhum preço seria alto demais a se pagar por essa garantia.

Mas o preço que precisamos pagar pelos benefícios dessa filosofia é infinitesimal, comparado aos benefícios que ela promete. Além disso, o preço está ao alcance de qualquer pessoa de inteligência mediana, corpo são e mente sã. Consiste em uma determinação persistente para se apropriar e usar a filosofia! Certamente, não há nada de formidável sobre isso. Eu diria que a maior porção do preço que se tem que pagar pelos benefícios dessa filosofia é o esforço necessário para desenvolver autodisciplina, e isso é quase inteiramente uma questão de força de vontade, mais um motivo apropriado de magnitude suficiente para garantir esforço contínuo.

Tudo está incluído na escolha do indivíduo.

HILL:

Fico feliz por ouvir você dizer isso, Sr. Carnegie, e esteja certo de que concordo inteiramente com sua visão. Minhas perguntas não conotam dúvida de minha parte. Só as fiz para ter certeza de que você poderia defender seus pontos de vista, porque vai chegar a hora em que terei que substituí-lo e responder essas mesmas perguntas àqueles que buscam autodeterminação pelo uso da filosofia. Há muitos "São Tomé" no mundo, e preciso estar preparado para convencê-los de que as regras da realização individual são conhecidas, e que as regras vão funcionar para todos que as praticam.

CARNEGIE:

Gosto de como você coloca a questão, porque está correto quando diz que as regras funcionam para todos que as praticam. Nenhuma filosofia funciona sozinha, como se fosse uma pílula cujos efeitos se obtêm simplesmente tomando e indo dormir. Mas com aplicação inteligente, você pode ter certeza de que essa filosofia funciona.

E por que não funcionaria? Ela não é apenas um conjunto de regras abstratas; representa, ou representará quando estiver completa, as experiências de vida de mais de quinhentas pessoas bem-sucedidas que construíram enorme sucesso a partir dela. Se uma regra é boa, ela funciona muitas e muitas vezes, e serve a uma pessoa tão bem quanto a qualquer outra com igual habilidade para aplicá-la.

HILL:

Agora quero fazer uma pergunta relacionada a uma coisa que me deu muito motivo para pensar. Por que, Sr. Carnegie, as pessoas mais bem-sucedidas – aquelas que alcançaram influência e fortuna – não conquistaram seu sucesso até estarem em uma idade bem avançada?

CARNEGIE:

Há dois bons motivos para isso. Primeiro, como não havia filosofia definida de realização individual disponível no passado, as pessoas tinham que aprender por tentativa e erro, e isso leva tempo. Segundo, como as pessoas amadurecem com o passar dos anos, elas às vezes adquirem sabedoria, além de idade, e quando isso acontece, pode estar certo de que elas se submeteram a uma severa autodisciplina.

HILL:

Qual é o maior propósito para o qual a autodisciplina pode ser utilizada, Sr. Carnegie?

CARNEGIE:

Sem hesitar, eu diria que seu maior possível benefício consiste em seu uso para apoiar a força de vontade de alguém! O ego, onde podemos assumir que reside a força de vontade, é a Suprema Corte da mente, com poder para anular o trabalho de todos os outros departamentos da mente. Se essa fonte de poder é protegida e apoiada por estrita autodisciplina, suas potencialidades são estupendas em escopo e poder.

Nunca estamos realmente derrotados, enquanto a força de vontade não aceita o veredicto da derrota!

Conheci pessoas que fracassaram nos negócios e perderam todos os bens materiais que tinham quando já haviam ultrapassado de longe a metade da vida, mas essas pessoas se levantaram e recuperaram suas perdas. O que elas não perderam foi a autodisciplina, pela qual desenvolveram força de vontade indomável.

HILL:

Então, você endossa o axioma "Nossas únicas limitações são aquelas que impomos à nossa mente?".

CARNEGIE:

Sim, endosso! E posso lhe dizer mais uma coisa sobre o poder da mente. Ela estabelece os próprios limites, se o indivíduo não toma posse dela e a direciona para fins definidos por meio de autodisciplina. A mente é ilimitada em seu poder apenas na medida em que demandas ilimitadas são feitas a ela.

Em muitos sentidos, a mente é como um jardim fértil que, se cultivado, pode produzir qualquer planta desejada, mas se negligenciado, produz por conta própria muito mato! Entenda essa característica da mente, e você vai saber por que é necessário mantê-la sob controle pela autodisciplina.

O melhor tipo de segurança é a segunda pessoal desenvolvida de dentro para fora.

– Andrew Carnegie

HILL:

A fim de resumir as mais importantes potencialidades da autodisciplina, poderia descrever de forma breve as características de princípio às quais se deve dar atenção primeiro?

CARNEGIE:

Bem, categoricamente falando, eu diria que, quando temos a mente controlada pela autodisciplina, nosso controle sobre tudo mais que nos diz respeito torna-se automático. Certamente, os principiantes devem começar pela formação de hábitos estritos de autodisciplina sobre os seis departamentos da mente. Isso vai exigir paciência, persistência, e um motivo definido para inspirar a aplicação contínua dessas qualidades.

O procedimento não é complicado. Deve começar pela adoção de um objetivo principal definido, respaldado por um motivo adequado para a realização desse objetivo. Esse começo vai precisar de autodisciplina.

NOTA DO EDITOR:

Aqui Carnegie menciona uma razão fundamental para as pessoas não alcançarem seus objetivos. Pesquisas mostram que, na segunda semana de fevereiro, aproximadamente 80% das pessoas que determinaram seus objetivos para o novo ano já haviam abandonado essas decisões. Isso significa que da minoria de pessoas que realmente estabelecem objetivos, só um quinto continua trabalhando para sua realização apenas seis semanas depois de eles terem sido estabelecidos!

Inspirado certamente pela ênfase de Carnegie em motivo, Hill escreve em outro lugar que "ficar à deriva é a causa primária para o fracasso". Isso nos mostra que os objetivos mais prováveis de realizar são aqueles que derivam de um objetivo principal definido, reforçado com motivo adequado para o porquê de se desejar alcançá-lo. Isso facilita muito a atribuição de carga emocional aos objetivos, o que, como descrito aqui, é importante para inspirar a ação consistente e intencional necessária para que eles se tornem realidade.

Lembre-se: quanto mais forte o motivo, mais ardente a ação.

CARNEGIE:

Além disso, eu recomendaria autossugestão como um meio de se fazer alerta e consciente para a necessidade de autodisciplina. Isso pode se traduzir na repetição diária de uma fórmula psicológica, como a seguir:

1. Reconheço que minha mente consiste em um sistema de governo feito dos seis departamentos de imaginação, consciência, faculdade da razão, faculdade emocional, memória e, finalmente, força de vontade, que reside no ego e funciona como a Suprema Corte sobre todos os outros departamentos.
2. Vou cultivar minha imaginação usando-a de maneira persistente.
3. Vou me manter em boa situação com minha consciência, consultando-a em caso de dúvida, mas nunca passando por cima dela.

4. Vou desenvolver minha faculdade da razão submetendo todos os meus planos, propósitos e opiniões a ela para sua análise estrita antes da ação.

5. Vou encorajar as sete emoções positivas, mas vou modificá-las sempre submetendo-as à minha faculdade da razão antes de expressá-las.

6. Por reconhecer o perigo das sete emoções negativas, vou conquistar tamanho controle sobre elas que não darei a elas nenhuma forma de expressão, exceto aquela que posso transmutar em alguma força de ação construtiva.

7. Vou respeitar a Suprema Corte da minha mente – força de vontade – colocando-me a seu lado e dando a ela completo controle sobre todos os outros departamentos de minha mente, independentemente de quanto esforço isso exigir.

8. Vou manter minha memória aguçada e alerta, tomando o cuidado de nela imprimir claramente tudo o que desejo lembrar prontamente.

9. Como um meio de desenvolver esses seis departamentos da minha mente, vou adotar um objetivo principal definido e dedicar alguma forma de esforço à sua realização diariamente, mesmo que seja pequeno.

10. Reconheço que minha mente não tem limites, exceto aqueles que estabeleço nela ou permito que outros estabeleçam. Portanto, vou fechar a porta para toda influência negativa que entrar na minha mente e toda experiência desagradável que tive no passado, e vou manter essa porta fechada, seja qual for o esforço necessário.

11. Reconhecendo o poder do hábito, vou desenvolver completa autodisciplina pela formação de hábitos diários que harmonizam com a natureza do meu objetivo principal definido, percebendo que

minha mente subconsciente vai adotar esses hábitos e mantê-los automaticamente.

12. Para a execução fiel desse compromisso, vou manter minha mente aberta para a orientação da Inteligência Infinita, percebendo que meus planos podem precisar de modificação de tempos em tempos.

13. O compromisso será minha prece diária!

Seria impossível alguém seguir esse compromisso diariamente, em um espírito de fé, sem obter resultados desejáveis! Mais cedo ou mais tarde, a imagem do compromisso será assimilada pela mente subconsciente e posta em prática automaticamente.

O compromisso deve ser cumprido com humildade do coração. Deve ser cumprido de maneira privada, sem o conhecimento (e a consequente possibilidade de interferência) de outras pessoas. Isso deve ser um pacto que a pessoa faz com seu Criador.

O compromisso vai realizar muitas coisas que mudarão a atitude mental do indivíduo. Ele vai:

- Despertar a consciência da disciplina.
- Ajudar a eliminar desânimos de toda natureza.
- Desenvolver autoconfiança e definição de decisão nas questões diárias da vida do indivíduo.
- Capacitar o indivíduo para dominar a procrastinação.
- Promover mudanças agradáveis na personalidade do indivíduo, que se tornarão quase imediatamente notáveis pela mudança de atitude daqueles com quem ele interage e se relaciona diariamente.
- Atrair oportunidades de progresso de maneiras numerosas demais para serem mencionadas.

- Deixar o indivíduo eternamente em guarda contra fraquezas às quais ele antes cedia sem resistência.

Resumindo, ele constitui a autodisciplina em sua forma mais elevada e benéfica – autodisciplina que vai se refletir em *tudo* o que se faz e se pensa!

NOTA DO EDITOR:

Autossugestão é um processo simples de preparar, mas difícil de manter, a menos que você esteja totalmente comprometido. Já aprendemos que o sucesso com esse processo requer que você domine a energia atualmente usada para reclamar de suas circunstâncias e a redirecione para criar de forma construtiva as circunstâncias que mais deseja. O processo de autossugestão é um jeito maravilhoso de testar sua resolução.

Em uma palestra inspiracional (disponível on-line), o autor aclamado pela crítica, orador e pastor Dr. Eric Thomas, conhecido como Hip Hop Preacher (Pregador Hip Hop), faz uma pergunta simples à plateia: "Quanto você quer isso?". Ele conta uma história para ilustrar a importância de criar um tempo perfeito, em vez de esperar por ele. Na história, Thomas diz: "Quando você quer o sucesso tanto quanto quer respirar, você é bem-sucedido".

Hoje vemos cada vez mais pessoas opinando sobre os benefícios de começar o dia com algum tipo de adversidade, por mais insignificante que seja, para terem uma sensação de realização. Sua primeira tarefa do dia pode ser repetir um mantra diário, tomar um banho frio, meditar, ler os jornais ou arrumar a cama, sua atitude em relação a essa primeira tarefa determina sua eficiência nesse dia.

Se você não está pronto para o sucesso, saia da frente e dê passagem para quem está.

HILL:

Sr. Carnegie, não deixou de falar do departamento mais importante da mente, o subconsciente?

CARNEGIE:

Não, eu não ignorei o subconsciente, mas ele não está sob o controle do indivíduo. Mencionei apenas os departamentos da mente que são sujeitos à autodisciplina. A mente subconsciente é o elo entre a mente consciente e a Inteligência Infinita, e ninguém pode submetê-la a controle ou disciplina. Ela trabalha à sua maneira, sendo sua maior função a de apropriar-se dos pensamentos dominantes da mente consciente e agir com base neles.

Você deve saber, no entanto, que autodisciplina permite que o indivíduo imprima na mente consciente de maneira clara e definida qualquer objetivo desejado, preparando assim o caminho para que a mente subconsciente se aproprie desse objetivo e aja com base nele sem demora.

HILL:

O que pode acelerar a ação da mente subconsciente, se é que tal coisa existe?

CARNEGIE:

Intensidade de plano e propósito! Quando se é motivado por um desejo ardente de realização de um objetivo definido, a mente subconsciente costuma agir *imediatamente* com base nesse desejo. A ação normalmente toma a forma de um plano para a realização do objetivo, que ela passa para a mente consciente na forma de um "palpite", geralmente.

Isto é, o plano é apresentado à mente sem nenhuma ajuda da imaginação ou da faculdade da razão, e sua origem pode ser reconhecida pelo sentimento de entusiasmo que o acompanha. Dessa maneira, o trabalho da mente subconsciente é fácil de reconhecer.

HILL:

Pelo que você disse, concluo que o principal objetivo da fórmula psicológica que você descreveu é condicionar a mente para receber metas, planos e propósitos do indivíduo e agir com base neles. É essa a ideia?

CARNEGIE:

Precisamente. A fórmula ajuda a limpar a mente de impedimentos inúteis e influências negativas, e incentiva a presença de influências positivas.

HILL:

A intensidade de emoções sempre acelera a ação da mente subconsciente, Sr. Carnegie?

CARNEGIE:

Não, a mente subconsciente tem o próprio tempo de ação, mas há ocasiões em que ela age imediatamente depois de receber um impulso de desejo. Por exemplo, em um momento de emergência, como quando é iminente a colisão entre dois automóveis, sabe-se que a mente subconsciente leva um motorista a atravessar uma situação de perigo em segurança, de um modo que ele mesmo não faria, e talvez não pudesse elaborar contando com a mente consciente. Sei de várias circunstâncias assim.

É fato conhecido que uma pessoa que enfrenta grande perigo, como estar em uma casa em chamas, muitas vezes desenvolve o que parecem ser poderes sobre-humanos de força física e estratégia mental para se livrar dos perigos. Nesses casos, a mente subconsciente assume o comando e dá ordens, chegando até a tomar o controle completo da mente e do corpo.

Uma característica da mente subconsciente é que ela não acata ordens da cabeça. Ela só cumpre ordens das emoções. Você pode ver, portanto, por que é essencial desenvolver e controlar as emoções positivas: porque a mente subconsciente vai cumprir as ordens das emoções negativas com a mesma rapidez com que vai agir diante das emoções positivas. Ela não faz distinção entre elas.

HILL:

Então, é por isso que pessoas que estão cercadas por evidências físicas e psicológicas de pobreza tornam-se muito frequentemente vítimas da pobreza, não é?

CARNEGIE:

Sim, sua abordagem está correta. A mente subconsciente age sobre as influências dominantes das emoções do indivíduo. Isto é, ela age sobre essas emoções que são as mais fortes – aquelas que ocupam a mente na maior parte do tempo.

HILL:

Podemos dizer, então, que literalmente nos direcionamos à pobreza se permitirmos que a mente a abrigue?

CARNEGIE:

É exatamente isso que acontece. E você deveria acrescentar que a mente que não é organizada e dirigida para um fim definido e por meio de um sistema estrito de autodisciplina deixa-se aberta à infiltração da influência de seu ambiente.

A mente é tudo.
Você se torna aquilo que pensa.
– Buda

HILL:

Mas a mente que é mantida ocupada com um objetivo principal definido baseado em opulência e abundância tende a atrair os meios e as maneiras pelos quais muito pode ser adquirido. É essa a ideia?

CARNEGIE:

Sim, mas a mente assim carregada de definição de propósito tem mais, muito mais, que uma mera tendência para atrair o alvo desse propósito. Ela vai até o fim e realmente atrai o objeto. Mostre-me o tipo de alimento mental dado à mente diariamente, e eu direi com precisão o que o dono dessa mente pode esperar receber da vida.

HILL:

Tem em mente algum pensamento relacionado a esse princípio que gostaria de enfatizar como o clímax da conversa?

CARNEGIE:

Sim, eu tenho! E é muito importante que ele também sirva como o clímax de toda essa filosofia. Estava esperando por essa pergunta que faria emergir o pensamento que tenho em mente, mas você não havia perguntado. Por favor, entenda que não o estou criticando por isso, já que é natural que esse pensamento que tenho em mente deva ocorrer apenas a alguém maduro e experiente nas maneiras da humanidade.

Agora, vou lhe dizer o que tenho em mente. Desenhei uma imagem clara dos seis departamentos da mente, e as funções de cada departamento foram descritas de maneira simples. No entanto, há um departamento que transcende todos os outros em proporções tão estupendas que merece ênfase especial. Eu me refiro ao ego, o local da força de vontade.

Os seis departamentos da mente

Para mostrar como a autodisciplina pode ser mantida, numerados em ordem de importância.

MENTE SUBCONSCIENTE:

O elo entre a mente e a Inteligência Infinita.

(1) EGO: local da força de vontade; a Suprema Corte sobre todos os outros departamentos da mente; seu local de poder fica na mente subconsciente.

(2) FACULDADE DAS EMOÇÕES: local do poder de ação da mente.

(3) FACULDADE DA RAZÃO: local de julgamento e opiniões.

(4) FACULDADE DA IMAGINAÇÃO: origem de ideias e planos.

(5) CONSCIÊNCIA: o guia moral da mente.

(6) MEMÓRIA: guardiã dos registros da mente.

Por comparação, posso dizer que força de vontade é, para os outros departamentos da mente, o que a Suprema Corte dos Estados Unidos é para os outros dois departamentos de governo norte-americano, mas essa comparação dificilmente seria suficiente para dar uma ideia completa do papel que a força de vontade desempenha nas questões humanas.

Professores de física têm uma questão capiciosa com a qual se divertem muito quando avaliam estudantes em início de curso. A pergunta é: "O que acontece quando um corpo imóvel entra em contato com uma força irresistível"?

A pessoa que tem conhecimento no campo da física sabe, é claro, que não existe essa realidade de um corpo imóvel e uma força irresistível. Mas isso é no reino das leis da física. Em metafísica, existe uma força irresistível, e ela é conhecida como *força de vontade*.

Como a força de vontade é irresistível, pode-se dizer que a única limitação que alguém tem é aquela que a pessoa constrói na própria mente pela limitação do uso de sua força de vontade.

Esse poder é tão grande que já deteve muitas vezes a mão da morte! Realizou feitos humanos que, por falta de explicação melhor, foram chamados de "milagres".

Quando as emoções são amparadas por uma vontade indomável, a mente subconsciente divulga a ela informações nunca antes conhecidas pela humanidade. Foi com esse poder que Thomas Edison aperfeiçoou algumas de suas mais relevantes invenções. Sem dúvida, foi esse poder que capacitou George Washington a arrancar a vitória de forças superiores e, assim, dar à nação sua liberdade.

Força de vontade é o instrumento com o qual podemos fechar a porta contra qualquer experiência ou circunstância que desejamos deixar para trás. Com esse mesmo instrumento, podemos abrir a porta da oportunidade em qualquer direção que escolhermos. Se a primeira porta que experimentamos é difícil de abrir, tentamos outra e outra, até que, finalmente, encontramos aquela que vai ceder a essa força irresistível. Portanto, a Suprema Corte da mente humana também pode tornar-se o poder militar com o qual as determinações da força serão implementadas.

Torne-se um mestre de si mesmo e vai poder se tornar o mestre de todas as outras coisas necessárias para se ajustar à vida à sua maneira. Se você deixa de dar atenção a esse pensamento, perde a melhor porção dessa filosofia. Mas você não vai perder. Eu vou cuidar para que isso não aconteça, porque você vai precisar de força de vontade, mais do que qualquer outra coisa, para avançar nesses longos anos de pesquisa de que vai precisar para organizar essa filosofia.

Sua força de vontade abrirá portas que, de outro modo, permaneceriam fechadas. E fará a mesma coisa por qualquer pessoa que contar com ela.

Sempre tive a impressão de que todo o poder do Universo está disponível para a pessoa que tem uma vontade indomável. Ela me ajudou quando o dinheiro foi inútil. Ajudou quando todo o resto falhou. Em toda a minha experiência, ela nunca deixou de me servir quando contei com ela implicitamente, embora no meu caso, como na vida de qualquer outra pessoa, houve momentos em que não fiz uso pleno desse poder.

Não existem dificuldades insuperáveis para quem entende a própria força de vontade. Essas pessoas encontram um caminho para além delas, embora nem sempre seja o que elas gostariam que fosse.

No início da minha carreira, tive uma experiência que nunca esquecerei. Eu queria comprar uma propriedade, e para isso teria que investir vários milhões de dólares. Eu não tinha essa quantia disponível. De início, tentei negociar empréstimos com vários bancos, pedindo uma parte do valor a cada um, mas só consegui recusas.

Na manhã seguinte haveria uma reunião do conselho de diretores da empresa cuja propriedade eu desejava comprar. No caminho para essa reunião, eu agia com uma sensação determinada de que conseguiria a propriedade, com ou sem dinheiro, e foi com essa disposição que entrei na reunião. Antes de chegar ao local, formulei o plano que me permitiria ter a propriedade sem pagar um único centavo do preço de venda. Meu plano era emitir títulos pelo valor total, com um valor adicional como bônus, acima do preço de venda, como um estímulo para os proprietários venderem.

Sem dizer uma só palavra sobre ter pedido empréstimos em bancos e recebido recusas, fiz minha oferta dos títulos aos proprietários, e eles aceitaram sem questionar nada. Na verdade, demonstraram grande alegria por causa da oferta do bônus.

Quando contei aos banqueiros o que tinha feito, um deles exclamou: "Impossível!". Nada é impossível quando alguém com uma vontade determinada entra em ação. Nos anos seguintes, houve várias outras ocasiões em que comprei propriedades sem dinheiro.

Sempre parece impossível, até ser feito.

– Nelson Mandela

HILL:

Então, o ponto de partida da abordagem da força de vontade é definição de objetivo?

CARNEGIE:

Definição de objetivo é o ponto de partida para *tudo* o que a humanidade conquista. Força de vontade é o que nos faz seguir em frente até alcançarmos o que nos propusemos a fazer.

HILL:

Pode-se dizer que força de vontade indomável mais objetivo resoluto resultam em realização?

CARNEGIE:

Essa é a história em uma frase breve, e se você perguntar o que dá a alguém objetivo resoluto, eu diria que é *motivo*.

HILL:

Vamos colocar assim: motivo mais objetivo mais o poder da vontade indomável resultam em realização.

CARNEGIE:

Isso é ainda melhor, e quero acrescentar que nessa única frase você descreveu toda a filosofia da realização individual.

HILL:

O que sustenta a força de vontade, Sr. Carnegie, quando ela começa a enfraquecer por causa de oposição e pressão das circunstâncias?

CARNEGIE:

Motivo! E também um desejo ardente por sua realização. Se nosso motivo é profundamente enraizado e nosso desejo por sua realização é forte, ocorre um influxo natural de força de vontade. Se estamos sob completa autodisciplina, temos a capacidade de invocar a força de vontade sempre que precisamos dela. Esse é um dos principais benefícios da autodisciplina.

HILL:

A força de vontade se desintegra pelo desuso, como os outros poderes que não são usados?

CARNEGIE:

Sim, os poderes da mente se desenvolvem pelo uso, como os poderes físicos do corpo. Essa é uma lei fundamental que se estende a toda a natureza: a lei do crescimento pelo uso. A natureza desencoraja o ócio em todas as suas formas. Toda coisa viva deve continuar crescendo por meio de esforço e ação. No momento em que a ação cessa, a morte começa, seja o alvo do estudo uma matéria vegetal ou as ordens mais elevadas de vida.

HILL:

E é por isso que você enfatizou a importância da ação em todas as nossas discussões, não é?

CARNEGIE:

Exatamente! Tentei deixar claro que nenhum princípio dessa filosofia tem valor até ser expressado em ação! É da ação que nascem crescimento e força. Se você quer um exemplo impressionante do que acontece quando as pessoas usam a mente, dê uma olhada em qualquer um que tenha se aposentado e desistido de trabalhar. A mente é como uma máquina, e enferruja depressa quando deixa de ser usada.

NOTA DO EDITOR:

Carnegie conclui a primeira conversa enfatizando a importância de sair da zona de conforto, porque apesar de qualquer desconforto ou apreensão que possamos ter no momento em que a deixamos, fora dessa zona é onde acontece o crescimento. Somos fortalecidos por nossas dificuldades, porém, mais do que isso – com o advento das televisões de tela grande e os intermináveis feeds de notícias das mídias sociais –, escolhemos assistir ao espetáculo que se desenrola diante de nós, em vez de participarmos ativamente.

Você se lembra do trecho em "Nota aos Leitores" no qual menciono de que este livro é um convite para se relacionar com a vida? Espero que agora você esteja sentindo a empolgação da oportunidade e já tenha uma lista detalhada de atitudes a tomar.

Muitas vezes, resistimos às chances de sair da zona de conforto, mas criar o hábito de aceitar essas chances me levou a estabelecer os relacionamentos e oportunidades que proporcionaram literalmente todo o sucesso que compartilho hoje em dia com gratidão. Você está seguro em sua zona de conforto, mas nada cresce nela.

Desafie-se a comparecer a eventos, conhecer pessoas positivas e expandir a mente buscando criar uma vida muito maior do que você jamais pensou ser possível – para você, sua família e sua comunidade.

ANÁLISE: AUTODISCIPLINA

por Napoleon Hill

Anteriormente, apresentei uma perspectiva dos seis departamentos da mente sobre os quais se pode manter a autodisciplina. Os departamentos foram numerados na ordem que considero ser de sua importância relativa, embora seja difícil dizer qual é, absolutamente, o mais importante desses departamentos. Todos são necessários.

O Sr. Carnegie enfatizou a força de vontade de maneira tão convincente que não tive escolha se não dar a ela o primeiro lugar. Como ele afirma com tanta clareza, "A força de vontade controla todos os outros departamentos", e ele a chamou muito apropriadamente de Suprema Corte da mente.

Parece-me que a faculdade das emoções é a próxima em importância, já que é fato bem conhecido que "o mundo é governado por suas emoções".

A faculdade da razão certamente ocupa o terceiro lugar em importância, já que ela é a influência modificadora pela qual a ação emocional pode ser preparada para uso futuro. A mente bem-equilibrada representa um compromisso entre as faculdades da emoção e da razão.

A faculdade da imaginação vem em quarto lugar, já que é o departamento que cria ideias, planos, meios e maneiras de alcançar os fins desejados.

Os outros dois departamentos, consciência e memória, são adjuntos necessários da mente, e embora ambos sejam importantes, certamente cabem no fim da lista.

A mente subconsciente ficou com o topo por ser o superpoder do qual a mente pode extrair cooperação. Não foi incluída como parte das agências governantes da mente porque age de maneira independente, e não é sujeita a nenhuma forma de disciplina além da sugestão. O subconsciente age à sua maneira e voluntariamente, embora, como colocou o Sr. Carnegie, sua ação possa ser acelerada pela intensificação das emoções e a aplicação de força de vontade em uma forma altamente concentrada.

O relacionamento entre a mente subconsciente e os seis departamentos da mente consciente é semelhante, em muitos aspectos, àquele entre o agricultor e as leis da natureza que regem a produção das safras. O agricultor tem certos deveres a executar, como preparar o solo, plantar na estação certa do ano, e assim por diante, e depois disso o trabalho do agricultor está concluído. Daí em diante, a natureza assume, germina a semente, a faz crescer até a maturidade e produzir a safra.

A mente consciente pode ser comparada ao agricultor na medida em que prepara o caminho para a formulação de planos e objetivos, sob a direção da força de vontade. Se seu trabalho é feito da maneira apropriada e uma cena do que se quer é criada (sendo a cena a semente do propósito que se deseja alcançar), o subconsciente assume a imagem e apresenta à mente consciente caminhos e meios práticos para alcançar esse alvo.

Diferente das leis da natureza que germinam sementes e produzem uma safra dentro de um período definido e predeterminado, o subconsciente usa o tempo que quiser, com as exceções estabelecidas.

A ênfase do Sr. Carnegie em força de vontade indica sua crença de que o esforço altamente concentrado desse poder produz resultados definidos, mas ele não afirma que os resultados derivam sempre da ação da mente subconsciente. Neste ponto, ninguém parece ter informação definida. No entanto, há muitas evidências para apoiar a afirmação do Sr. Carnegie sobre força de vontade, independentemente de qual seja a fonte desse poder.

NOTA DO EDITOR:

Continuamos vendo a importância de concentração e intensidade para produzir os melhores resultados, independentemente do campo de empreitada. Você pode ter a bênção de um cérebro muito inteligente, uma educação prestigiada, um corpo atlético, ou uma poderosa rede de relacionamentos, mas se não tem certeza do resultado que quer, suas qualidades são supérfluas e, no fim, você será superado por aqueles que têm mais direção, desenvoltura e resiliência.

Por exemplo, você pode ter um iate fabuloso com a decoração mais cara, mas se não sabe qual é seu destino – ou pior, como usar a embarcação à sua disposição – você vai acabar parado no porto. A cada dia que o iate ficar parado sem propósito, mais e mais cracas se prendem ao casco, que começa a ser corroído devagar, mas inexoravelmente. Em algum momento, sob essas condições de ataque, seu iate vai afundar.

Ter a autodisciplina para criar um objetivo principal definido permite que os seis departamentos da mente – uma obra-prima metafísica em si mesma – façam girar suas hélices com um objetivo comum. Essa é a importância da força de vontade para a realização do esforço altamente concentrado mencionado por Carnegie e Hill como uma estratégia para produzir resultados definidos.

Pense nos resultados que deseja, no trabalho necessário para obter esses resultados, e em como vai provar seu compromisso com seu objetivo todos os dias. Que seus sonhos sejam grandes, alimentados por intensidade concentrada e reforçados por consistência. Não é uma fórmula atraente, mas é a mais potente, certamente.

Muita gente quer complicar a fórmula do sucesso, o que leva a culpar terceiros, inação, ou à busca por uma varinha mágica. Infelizmente, as mídias sociais só exacerbaram esse fenômeno. É surpreendente, então, que só nos Estados Unidos sejam gastos mais de US$ 73 bilhões em bilhetes de loteria todos os anos? Esse valor é cinco vezes maior que a quantia gasta em livros, que proporcionam uma grande chance de transformar sua vida em algum nível, mas quantos bilhetes de loteria você precisa comprar, antes de ver um retorno do seu investimento? A chance de ganhar o grande prêmio é de uma em 300 milhões, o que significa que é possível que você nunca tenha um retorno do seu investimento.

Como Carnegie e Hill colocaram, a autodisciplina é evidente na consistência: em fazer o trabalho, em persistir diante da adversidade e em se concentrar nas atitudes e ações realizadas todos os dias, em vez de nos resultados alcançados.

Todos sabemos que nunca estamos permanentemente derrotados até aceitarmos a derrota em nossa cabeça, o que significa que não somos derrotados até reduzirmos a aplicação da força de vontade!

Em vendas, por exemplo, é sabido que o vendedor persistente em geral lidera a lista de resultados em vendas. Em publicidade, vale a mesma regra: os publicitários mais bem-sucedidos seguem, com persistência, repetindo seus esforços mês a mês com regularidade inabalável, e especialistas em publicidade profissional têm evidências convincentes que essa é a única política que produz resultados satisfatórios.

Os pioneiros que se instalaram na América quando o país era só uma vasta área natural demonstraram o que pode ser feito quando se aplica força de vontade com persistência! Posteriormente na história do país, depois que os pioneiros estabeleceram algo parecido com uma sociedade democrática, George Washington e seu pequeno exército de soldados desnutridos, maltrapilhos e mal equipados provaram mais uma vez que força de vontade aplicada com persistência é imbatível.

Então vieram os fundadores da indústria e do comércio norte-americanos que, com força de vontade indomável e persistência, deram aos Estados Unidos um padrão de vida que o mundo jamais tinha visto. Vamos examinar os registros de alguns líderes que, por sua força de vontade e persistência, deram estupendas contribuições à saúde desse país, sem mencionar que acumularam recompensas adequadas para eles mesmos.

O próprio Andrew Carnegie está classificado no topo da lista.

Ele chegou à América como passageiro da classe mais econômica de um navio quando era ainda muito jovem, e começou a trabalhar como operário assalariado. Tinha poucos amigos, nenhum deles influente, e muito pouca escolaridade, mas *tinha* uma enorme capacidade de força de vontade e perseverança.

Trabalhando como operário durante o dia e estudando à noite, ele aprendeu telegrafia e progrediu até chegar à posição de operador particular de telégrafo para um superintendente de divisão da operadora ferroviária Pennsylvania Railway Company. Nessa posição, ele usou com tanta eficiência alguns princípios dessa filosofia, que chamou a atenção dos funcionários de cargos importantes da ferrovia.

Àquela altura, ele tinha exatamente as mesmas vantagens de centenas de outros operadores de telégrafo que trabalhavam para a Pennsylvania Railroad Company, nada mais. Mas tinha algo que os outros operadores não tinham aparentemente, ou, se tinham, não usavam. Era a vontade de vencer associada à persistência para continuar até vencer.

Até onde posso saber pelos registros de sua vida e pela aliança profissional próxima que mantive com ele durante muitos anos, suas qualidades de destaque eram persistência e força de vontade, mais uma autodisciplina estrita pela qual essas qualidades eram controladas e dirigidas para um fim definido. Fora isso, ele não tinha qualidades relevantes diferentes das percebidas na maioria das pessoas que se dedicavam ao mesmo tipo de trabalho que ele realizava.

Pelo exercício de sua força de vontade, Carnegie estabeleceu um objetivo principal definido e aderiu com tenacidade a esse objetivo, até que ele o transformou em um grande líder industrial e dono de uma grande fortuna pessoal. De sua força de vontade, devidamente autodisciplinada e direcionada para um fim definido, surgiu a grande United States Steel Corporation, que revolucionou a indústria do aço e proporcionou (e ainda proporciona) emprego para um imenso exército de trabalhadores com e sem habilidades, sem mencionar a riqueza que ele acrescentou à nação norte-americana, um valor tão imenso, que está além de estimativas.

Dedique uma de cada vinte e quatro horas para ficar quieto e ouvir a voz baixa e quieta que fala em seu interior.
– Andrew Carnegie

Mas essa não é toda a história desse menino imigrante. Sua força de vontade seguiu em frente, fazendo sua influência e seu bem serem sentidos em todas as regiões dos Estados Unidos e de muitos outros países, embora ele tenha nos deixado por sua recompensa final.

A fortuna material que ele acumulou foi devolvida ao povo na forma de instituições educacionais, parte dela por meio de doações a bibliotecas públicas, mas "a maior parte dela", para usar as palavras dele mesmo, foi oferecida por intermédio de sua filosofia da realização, que agora está disponível para pessoas de todas as esferas da vida nos Estados Unidos e em outros países.

Portanto, a influência desse homem vai além do que se pode estimar! Os princípios da realização individual pelos quais ele conquistou sua fortuna pessoal estão agora disponíveis a todos que quiserem conhecê-los. Graças à sua antecipação, essa filosofia inclui a experiência de mais de quinhentos outros líderes de destaque na indústria e no comércio, e destina-se a prestar serviço útil enquanto durar a civilização.

NOTA DO EDITOR:

Hill menciona que a filosofia da realização está disponível àqueles que a desejarem. Os fãs de Hill vão reconhecer esse tema de base em todo seu trabalho, como em *Quem pensa enriquece*, onde ele é relacionado como o primeiro princípio, com o seguinte comentário de Hill: "O ponto de partida de toda realização é desejo".

A redação inicial da filosofia é muito mais poderosa do que parece à primeira vista. A filosofia da realização encomendada por Carnegie e concretizada por Hill está hoje disponível nas mais de 120 milhões de cópias em circulação e é citada até hoje por líderes da indústria, ícones culturais e atletas profissionais que continuam transformando o mundo.

Mas se as pessoas sabem o que fazer, por que esse sucesso continua escapando a tanta gente? A razão está na falta de desejo. Portanto, a primeira ação de qualquer líder que espera desenvolver outras lideranças deve ser empolgá-los em relação às infinitas possibilidades para o futuro, e depois definir de maneira abrangente como é o sucesso para eles.

Como o Sr. Carnegie reconheceu que suas realizações resultaram da aplicação de força de vontade e persistência, não causa surpresa que ele tenha enfatizado a importância dessas qualidades. Essas qualidades *auto-obtidas* são tão eficientes em outras formas de aplicação quanto na liderança profissional, como somos lembrados ao considerarmos as conquistas de pessoas como Helen Keller.

Pouco depois de nascer, Helen Keller ficou surda, muda e cega – aflições que a deixavam sem esperança, além daquela que ela mesma assegurou apoderando-se da própria mente. Por meio de força de vontade e persistência, ela superou suas aflições tão efetivamente que aprendeu a falar, e pelo toque ela aprendeu a conectar a mente com uma porção muito maior do mundo exterior do que uma pessoa mediana com boa visão.

Com essa mesma força de vontade ela:

- Adquiriu paz de espírito muito além da média.
- Adquiriu a esperança necessária para sustentá-la em uma vida de escuridão.
- Estudou o suficiente para conseguir perceber a natureza do mundo à sua volta tanto quanto, ou melhor, que uma pessoa com todas as faculdades intactas.

Se precisamos de evidências de que autodisciplina justifica todo o tempo dedicado a adquiri-la, temos essa evidência nas impressionantes realizações de Helen Keller. Mas seu triunfo sobre obstáculos aparentemente intransponíveis é só um pouco mais dramático que o de Thomas A. Edison.

Edison começou a carreira ainda muito novo, depois de ter sido dispensado da escola e mandado para casa após apenas três meses de aulas com um bilhete dos professores, que afirmavam que o menino tinha a mente "prejudicada" e, portanto, não poderia ser educado. Edison se apoderou dessa mente "prejudicada" e a desenvolveu, tornando-a uma das grandes mentes do mundo. Os que o conheceram de perto afirmam que o principal bem de Edison era sua força de vontade indomável.

Ele demonstrou muitas vezes a verdade na afirmação do Sr. Carnegie sobre a força de vontade ser irresistível. Depois de pular de emprego em emprego como operador de telégrafo "vagabundo", o grande Edison se apoderou da própria mente e começou a trabalhar na invenção que daria a ele reconhecimento mundial: a primeira lâmpada elétrica incandescente bem-sucedida.

Muitas crianças estudam na escola a história dessa invenção, mas quase ninguém apreendeu toda a importância do verdadeiro poder que conduziu o inventor em triunfo por mais de dez mil fracassos até a lâmpada ser aperfeiçoada. Aqui encontramos força de vontade e persistência aliadas em sua forma mais elevada, mas as possibilidades dessas qualidades não se tornam aparentes até pararmos para considerar que a pessoa comum desanima e desiste de tudo que tenta depois de um ou dois fracassos, enquanto um número muito grande não espera o fracasso chegar, porque desiste ao *antecipar* o fracasso. Outros têm tão pouca compreensão da força de vontade que nunca desistem – porque nunca começam!

NOTA DO EDITOR:

Hill aborda um dos problemas fundamentais com nosso antiquado sistema educacional. Ensinamos matemática, ciências, história e outras coisas, e todas têm seu tempo e lugar para uso prático. No entanto, em uma era em que as crianças são cada vez mais protegidas do mundo, talvez a melhor lição que a escola possa ensinar a qualquer aluno seja a de apreciar a busca de desafios cada vez maiores em qualquer campo de sua escolha. Assim, o fracasso passa de possibilidade a probabilidade, e isso vai permitir que a criança aprenda com a situação, reavalie o curso de ação e então avance, mais forte e mais resiliente do que jamais foi antes.

A exposição ao fracasso fortalece o espírito e a determinação e nos ajuda a estabelecer exatamente o que queremos. Quando estamos famintos por uma solução, nossas chances de sucesso – no trabalho e na vida – são muito maiores, porque reconhecemos que todo desafio tem uma solução. Melhor ainda, pela busca de desafios cada vez maiores, somos habilmente equipados para encontrar essa solução.

Ao falar dos fracassos em relação a seus experimentos com a lâmpada incandescente, Edison disse que ia trabalhar determinado a concluir essa invenção, mesmo que isso o ocupasse pelo resto da vida. A palavra "impossível" não existe no vocabulário de uma pessoa como ele.

Quando os amigos de Edison o chamavam de "gênio", ele sempre sorria compassivamente e depois respondia: "Genialidade é 1% inspiração e 99% transpiração".

E isso não era apenas modéstia. Ele acreditava em cada palavra dessa resposta.

Quando o Sr. Carnegie disse que força de vontade é uma força irresistível, sem dúvida queria dizer que ela é irresistível quando apropriadamente organizada e dirigida para um fim definido com uma disposição de fé. Obviamente, essa definição enfatiza três princípios dessa filosofia como o suporte de seu poder estupendo. Aqui estão, portanto, os três princípios que pertencem à lista de "necessidades" de todos que pretendem obter realizações relevantes.

A evidência dessa definição de "genialidade" pode ser encontrada nos registros de qualquer pessoa que conquista sucesso notável. Por mais que tentemos, não podemos evitar a conclusão de que o nível de sucesso de um indivíduo é diretamente proporcional ao grau em que ele organiza e aplica de maneira inteligente estes três princípios:

1. Definição de objetivo.
2. Fé aplicada.
3. Autodisciplina sobre força de vontade.

O domínio sobre esses três princípios só pode ser conquistado de um jeito, e é pela *aplicação* constante desses princípios! Força de vontade só responde a motivo perseguido de forma persistente. Ele se torna forte exatamente como um músculo se fortalece: pelo uso sistemático. A mesma lei que desenvolve um músculo forte também desenvolve a força de vontade.

Maestria exige tudo de uma pessoa.

– Albert Einstein

No início de sua história, Chicago foi dizimada por um incêndio. Um grupo de comerciantes se reuniu e ficou olhando para as ruínas do que, algumas horas antes, eram suas lojas no centro da cidade. Um a um, eles meneavam a cabeça com desânimo, depois viravam e iam embora. Tinham perdido a esperança e decidido deixar Chicago para recomeçar em outro lugar.

Um homem não foi embora. Ele olhou diretamente para os destroços fumegantes de sua loja, apontou para eles e exclamou: "Exatamente nesse lugar vou construir a maior loja do mundo!". Seu nome era Marshall Field, e embora ele tenha falecido há muito tempo, a evidência física de sua força de vontade permanece hoje naquele mesmo lugar. Dizem que o espírito do grande comerciante ainda se manifesta na personalidade de cada pessoa que trabalha na famosa loja Field.

Durante a Guerra Civil Americana, um líder humilde encarava um exército que tinha acabado de ser duramente derrotado. Ele tinha motivos para estar desanimado; perdia a guerra, e tinha plena consciência das dificuldades aparentemente insuperáveis que o esperavam. Quando um de seus oficiais mencionou as terríveis circunstâncias, o General Grant levantou a cabeça cansada para o céu, fechou os olhos, cerrou os punhos e exclamou: "Proponho lutarmos nessa linha mesmo que isso se estenda por todo o verão!".

Essa decisão única, respaldada por uma vontade indomável, determinou a vitória que preservou a união dos estados.

Uma escola de pensamento diz: "O certo determina o poder!", enquanto outra diz que "O poder determina o que é certo!". Mas eu digo: "Força de vontade determina o poder!", seja ela certa ou errada, e tenho a história da civilização para me ratificar. Estude empreendedores extraordinários onde os encontrar e vai descobrir evidências de que força de vontade, aplicada de maneira organizada e persistente, é o fator dominante desse sucesso.

Você também vai descobrir que pessoas bem-sucedidas se submetem a um sistema de autodisciplina muito mais austero do que qualquer outro imposto por circunstâncias além de seu controle. Elas trabalham enquanto os outros se divertem ou dormem, e fazem o esforço extra, e se for necessário, fazem um esforço ainda maior, e outro maior, sem parar nunca, até que tenham contribuído com o máximo serviço de que são capazes.

Siga os passos dessas pessoas por um dia só, e você vai ver que elas não precisam de supervisão para seguir em frente:

- Elas podem apreciar elogios, mas não precisam se apoiar neles.
- Elas ouvem as críticas, mas não têm medo delas.
- Elas falham, como os outros, mas as falhas só as induzem a ações maiores.

- Elas encontram obstáculos, como todo mundo, mas os transformam em degraus que usam para subir mais e mais em direção ao objetivo que escolheram.
- Elas encontram motivos para desânimo, como outras pessoas, mas fecham a porta com firmeza para experiências desagradáveis e transmutam suas decepções em energia renovada, com a qual seguem lutando e avançando.
- Quando a morte se abate sobre a família, essas pessoas enterram o morto, mas não sua vontade indomável.
- Elas buscam conselhos de outras pessoas, extraem deles o que podem usar e rejeitam o restante, embora o mundo todo possa criticá-las por suas escolhas.
- Elas sabem que não podem controlar todas as circunstâncias que afetam sua vida, mas controlam o próprio estado mental, mantendo-o livre de influências negativas.
- Elas reconhecem as próprias emoções como fonte de grande poder que precisa ser organizado e guiado por intermédio de autodisciplina, mas colocam esse poder atrás de seus esforços, não à frente deles.
- Elas são testadas pelas próprias emoções negativas, como todas as pessoas, mas se mantêm no controle transformando esses desastrosos estados mentais em servos obedientes.

Lembremos que autodisciplina nos permite fazer duas coisas importantes, ambas essenciais para realizações de destaque. Primeiro, podemos controlar completamente as emoções negativas, transmutando seu poder em esforço construtivo. E segundo, podemos estimular as emoções positivas e dirigi-las para qualquer fim desejado. Assim, controlando emoções negativas e positivas, deixamos a faculdade da razão – e a da imaginação – livre para funcionar.

O controle sobre as emoções é obtido gradualmente pelo desenvolvimento de bons hábitos. Esses hábitos devem ser formados em relação aos pequenos e irrelevantes detalhes da vida diária. Um a um, os seis departamentos da mente podem ser postos sob completa autodisciplina, mas o início se dá pela formação de hábitos de controle sobre as emoções, uma vez que a maioria dos indivíduos é vítima de suas emoções durante toda a vida. Eles são os servos, não os senhores, de suas emoções, porque nunca estabeleceram hábitos definidos, sistemáticos de controle.

Todos aqueles que decidiram controlar os seis departamentos da mente por meio de um sistema rigoroso de autodisciplina devem adotar e seguir um plano definido traçado para manter esse objetivo sempre diante deles e, ao mesmo tempo, desenvolver hábitos diários de autodisciplina. Um estudante dessa filosofia escreveu um credo, que ele seguiu com tanto sucesso, que apresento aqui para benefício de outros que possam querer usá-lo.

Esse credo foi escrito e assinado, e era repetido duas vezes por dia em voz alta – uma vez ao se levantar de manhã e outra ao se recolher à noite. Isso deu ao estudante o benefício do princípio da autossugestão, por meio do qual o propósito do credo era transmitido com clareza à mente subconsciente, que o tomava e punha em ação automaticamente.

O credo era assim:

MEU CREDO DIÁRIO

Força de vontade:

Reconhecendo que força de vontade é a Suprema Corte sobre todos os outros departamentos da minha mente, vou exercitá-la diariamente quando precisar do impulso para agir por qualquer propósito, e vou formar hábitos projetados para pôr em ação a força de vontade pelo menos uma vez por dia.

Emoções:

Percebendo que minhas emoções são positivas e negativas, vou formar hábitos diários que incentivem o desenvolvimento das emoções positivas e me auxiliem a converter as emoções negativas em alguma forma de esforço útil.

Razão:

Reconhecendo que emoções positivas e negativas podem ser perigosas, se não forem controladas e guiadas para fins desejáveis, vou submeter todos os desejos, metas e objetivos à minha faculdade da razão, e vou ser guiado por ela ao expressá-los.

Imaginação:

Reconhecendo a necessidade de bons planos e ideias, se quiser realizar meus desejos, vou desenvolver minha imaginação diariamente para me ajudar na formação de todos os planos.

Consciência:

Percebendo que as emoções frequentemente prejudicam em seu excesso de entusiasmo, e que a faculdade da razão muitas vezes não tem a intensidade de sentimento necessária para me permitir agregar justiça e misericórdia aos meus julgamentos, vou incentivar minha consciência a me guiar sobre o que é certo e errado, mas nunca vou ignorar os veredictos que ela possa emitir.

Memória:

Percebendo o valor de uma memória alerta, vou incentivar a minha a tornar-se alerta, tomando o cuidado de gravar nitidamente todos os pensamentos que desejo recuperar prontamente, e associando *esses pensamentos a assuntos relacionados que trago à mente com frequência.*

Subconsciente:

Reconhecendo a influência da minha mente subconsciente sobre a força de vontade, vou tomar o cuidado de submeter a ela imagens claras e definidas dos meus desejos construtivos, começando sempre com definição de objetivo e respaldando-o com um desejo ardente por sua realização.

(ASSINATURA) _____

Disciplina se conquista pouco a pouco pela formação de hábitos que podemos controlar. Hábitos começam na mente; portanto, uma repetição diária desse credo vai criar um hábito consciente relacionado aos hábitos necessários para desenvolver e controlar os seis departamentos da mente.

A mera repetição do nome desses departamentos tem um efeito importante. Dá ao indivíduo a consciência de que esses departamentos existem; de que são importantes; de que podem ser controlados pela formação de hábitos; e de que a natureza dos hábitos determina o sucesso ou fracasso na questão da autodisciplina.

Quando reconhecemos o fato de que sucesso e fracasso ao longo de toda a vida é uma questão de controle sobre as emoções, esse é um dia afortunado, realmente! Porém, antes de podermos reconhecer essa verdade, temos que reconhecer a existência e a natureza de nossas emoções, uma atitude que muitas pessoas nunca tomam durante toda a vida.

A paz começa com um sorriso.

– Madre Teresa

Qualquer um que reconheça os benefícios da repetição do credo diário vai ver, quase desde o dia em que começa a repeti-lo, que temos emoções – algumas que precisam de incentivo pelo uso e outras que precisam de controle para que seu poder seja encaminhado para fins construtivos. Todos que repetem esse credo diariamente vão descobrir que ele forma, quase certamente, hábitos que se harmonizam com o compromisso nele contido, tanto de maneira consciente, quanto inconsciente.

Estrategistas militares notam que "um inimigo reconhecido é um inimigo meio derrotado". Isso se aplica aos inimigos que operam dentro da nossa cabeça e àqueles que existem fora dela, e se aplica especialmente aos inimigos das emoções negativas. Uma vez reconhecidos esses inimigos, começamos quase automaticamente a estabelecer hábitos para neutralizá-los – hábitos que desviam seu poder para esforço construtivo.

O mesmo argumento se aplica aos benefícios da mente, porque "um benefício reconhecido é um benefício utilizado". As sete emoções positivas são benéficas, mas só se forem organizadas e controladas por meio de estrita autodisciplina. Se não forem controladas, podem ser tão perigosas quanto qualquer uma das sete emoções negativas. Vamos rever as emoções.

As sete emoções positivas:

1. Amor.

2. Sexo.

3. Esperança.

4. Fé.

5. Entusiasmo.

6. Lealdade.

7. Desejo.

As oito emoções negativas:

1. Medo.

2. Inveja.

3. Ódio.

4. Vingança.

5. Ganância.

6. Raiva.

7. Superstição.

Por exemplo, fé só se torna útil quando é expressa por ação organizada voltada para fins construtivos. Fé sem ação é inútil – ela degenera em simples devaneio e sonho. Quando se busca com persistência definição de objetivo, a autodisciplina estimula a fé.

Uma pessoa deve se dedicar a uma vida de disciplina estabelecendo hábitos que estimulem o uso da força de vontade, porque é no ego humano – o local da força de vontade – que todos os desejos têm origem. É onde desejo e fé se unem e, se você estimula um, estimula o outro. Onde quer que se encontre desejo intenso, a fé pode ser encontrada precisamente na mesma intensidade que o desejo dessa pessoa. Controle e direcione um por meio de hábitos organizados, e o outro estará automaticamente controlado. E esse autocontrole é a autodisciplina em sua forma mais elevada!

Grandes líderes em todas as áreas da vida têm seu desejo e sua fé tão perfeitamente organizados e controlados que podem chamá-los a agir a qualquer momento, em qualquer lugar. Desejam sua realização e rapidamente se descobrem de posse da fé necessária para essa conquista, independentemente do propósito em questão, seja saúde, uma descoberta médica, bens materiais, inovação tecnológica ou qualquer outro fim definido.

Encontrar o Hoje

por Agnes Martin
Fechei a porta para o ontem
Suas tristezas e seus erros;
E tranquei entre suas paredes tristes
Fracassos e sofrimentos passados.

E agora jogo a chave fora
Para buscar outro cômodo,
E decorá-lo com esperança e sorrisos,

E todas as flores da primavera.

Não entrará nesta residência nenhum pensamento
Que tenha uma nota de dor,
E toda maldade e desconfiança
Nunca reinarão nela.

Tranquei a porta para o ontem
E joguei a chave fora.
O amanhã não me amedronta
Desde que encontrei o hoje.

Alice Marble é um exemplo de alguém que aplicou autodisciplina e outros princípios dessa filosofia e acabou se tornando campeã mundial de tênis. Sua história impressionante começou em São Francisco, quando, aos dezessete anos, Marble deu o primeiro passo na direção da autodisciplina que traria fama ao seu mundo, pela adoção de seu objetivo principal definido de ter a determinação para se tornar uma campeã mundial de tênis.

A autodisciplina não foi dada a ela em uma bandeja de prata. Antes de alcançá-la, ela foi forçada a testar seu ardor de maneiras que teriam derrotado uma pessoa comum. No início da carreira, Marble chamou a atenção de Eleanor Tennant, a famosa treinadora de tênis, que foi ao Golden Gate Park para vê-la jogar.

Foi um grande dia para a futura campeã mundial.

Quando a partida acabou, ela correu ansiosa para Tennant, esperando receber sua aprovação e aplausos emocionados, mas a famosa treinadora a encarou por alguns momentos em completo silêncio, antes de decidir jogar sobre ela um fardo que revelaria, definitivamente, se a jovem aspirante tinha o que era necessário para alcançar seu objetivo.

"Então, você quer se tornar campeã mundial?", Tennant perguntou. "É uma pretensão muito grande, mas uma ambição admirável. Tem ideia do trabalho duro que vai ter que enfrentar? Está preparada para as tristezas e as decepções envolvidas em sua ambição? Está disposta a sacrificar todas as alegrias que as jovens geralmente valorizam tanto na sua idade para desenvolver a autodisciplina que requer um campeonato mundial?"

"Sim!", Alice exclamou. "Estou disposta a abrir mão de tudo o que for necessário, e farei tudo de boa vontade!"

Tennant notou uma qualidade indescritível nas palavras decididas e nos olhos brilhantes da jovem, e aceitou ser sua treinadora.

"Lembre-se, Alice", Tennant a preveniu, "de que você pode conseguir o que quer, se quiser o bastante. Ambições podem ser realizadas se forem perseguidas com diligência, trabalho, paciência e determinação, mas autodisciplina deve ser sua palavra de ordem."

Durante os quatro meses seguintes, Marble aprendeu o verdadeiro significado de autodisciplina. Às vezes, ela reclamava de que a treinadora a tratava como máquina, não como um ser humano, mas ela se alimentava da confiança de Tennant. Quando Alice acreditava ter feito uma boa partida, sua treinadora só balançava a cabeça e dizia: "Ainda não é bom o bastante".

Finalmente, chegou o dia em que Tennant, psicóloga habilidosa que era, decidiu deixar a aluna andar sozinha. Quando treinadora e aluna se separaram, Tennant disse: "Alice, esqueça que um dia já teve uma aula. Você é naturalmente uma atleta e uma jogadora de tênis. Jogue naturalmente, e vai se tornar grande. Seu único obstáculo será a preguiça mental e física. Uma campeã de tênis é alguém que vence quando não está fazendo seu melhor jogo. Vencer é fácil quando tudo vai bem. Quando as coisas são complicadas, você tem que ser uma grande guerreira para vencer".

Então, a grande oportunidade de Alice chegou: ela foi selecionada para integrar uma equipe de elite e ir para a Europa. Antes de viajar, o time foi convidado para jantares, primeiro em Nova York, depois novamente no navio, e mais uma vez depois da chegada a Paris. E foi aí que a autodisciplina da jovem estrela passou por seu primeiro teste real – um teste a que muitas pretensas estrelas não sobrevivem, já que o primeiro sucesso sempre ameaça a autodisciplina. Finalmente ela era reconhecida, e sua reação a esse reconhecimento revelaria se ela tinha o que era necessário para ser campeã.

Marble jogou sua primeira partida na quadra central de Roland Garros contra Madame Henrotin. A americana sabia que aquele torneio a definiria, por isso se preparou diligentemente para estar em ótima forma física e mental, antes de dar tudo que tinha na partida. Durante o jogo, o esforço foi demais, e Marble desabou.

Quando acordou, Marble se descobriu paciente no American Hospital, em Paris. Aquela parecia ser uma amostra do preço que sua notável treinadora disse que ela teria que pagar por um campeonato. Agonia mental e dor física se juntaram no que parecia ser uma conspiração para testar seu ardor. Pouco tempo depois, o médico informou que ela sofria de pleurisia e nunca mais jogaria tênis.

Que boa desculpa para desistir! Muitos a teriam agarrado sem hesitar, mas os desejos de Marble eram mais importantes que quaisquer opiniões que ela ouvisse ao longo do caminho, mesmo que qualificadas. O médico podia fazer o diagnóstico que quisesse, mas ela voltaria a jogar tênis. Apesar de estar incapacitada, Marble descobriu que seu sonho era mais forte que tudo – uma decisão nascida da autodisciplina. Marble se preparou mentalmente para uma emergência como essa durante meses, e estava pronta para enfrentá-la sem desistir.

Confinada a uma cadeira de rodas, Marble voltou aos Estados Unidos. Um rosto familiar a recebeu no porto em Nova York, e logo Marble e Tennant estavam a caminho da Califórnia.

"A alegria dela na viagem para a Califórnia", Marble contou sobre sua mentora, "me fez perceber que ela se compadecia do meu sofrimento e esperava que eu recuperasse a saúde!"

Médicos renomados em Paris, Nova York, Los Angeles e São Francisco repetiram a mesma coisa. "Você vai ser uma quase inválida e nunca mais jogar tênis", preveniam Marble com seriedade.

Depois de seis meses de orientações desesperadoras, Marble tomou as rédeas da situação. Começou a fazer algo por si mesma, algo que nenhum remédio poderia fazer. Ela chamou Tennant e anunciou sua decisão em termos claros. Marble declarou que estava farta dos médicos e suas opiniões que a tinham confinado à cama pelo resto da vida.

A decisão agradou Tennant. Era essa decisão que ela esperava, mas sabia que teria que partir da própria Alice. Mais uma vez, a autodisciplina a socorreu. Novamente, a falta de esperança foi substituída por uma "vontade de vencer" que operou um milagre.

Marble instruiu Tennant para fazer suas malas e preparar tudo para deixarem o hospital imediatamente. Eram nove da noite, mas isso não fazia diferença, ela partiria imediatamente. Os médicos saberiam de sua decisão no devido tempo, mas a decisão era definitiva, e ninguém poderia mudá-la.

Vamos fazer uma pausa em nossa história para uma reflexão rápida sobre autodisciplina. Alice Marble tinha chegado ao ponto crucial de sua carreira; ou aceitava a derrota prevista pelos médicos, ou ativava a força de vontade e exigia que ela restaurasse sua saúde. Tudo dependia dessa batalha dentro de sua cabeça. Marble tinha jurado fazer todos os sacrifícios necessários para se tornar campeã mundial. Esse era seu motivo para lutar.

Ao deixar o hospital naquela noite, Marble disse: "De agora em diante, vou cuidar eu mesma desse problema. Saúde fraca é luxo de gente rica, e eu não posso ter esse luxo, porque tenho que trabalhar e vou trabalhar.

Imagino que existem duas de mim – a forte e a fraca. De agora em diante, você vai ver minha versão forte, porque a versão fraca eu vou deixar aqui no hospital".

A caminho do carro que a esperava, Alice tinha os joelhos trêmulos, mas a mente firme. A decisão estava tomada, essa era sua vontade, e ela a defenderia com tudo o que tinha. Marble soube naquele momento o que Carnegie e outros grandes empreendedores sabiam: a autodisciplina fornece ao indivíduo a coragem para tomar decisões que mudam a vida, bem como a força de vontade para implementá-las. Seu corpo permanecia o mesmo, mas a mente estava mais determinada que nunca.

Ao chegar em casa, Marble traçou diligentemente um plano para se tornar campeã mundial, e esse plano pedia que ela começasse da maneira mais humilde. Seu plano requeria uma caminhada todos os dias, começando com um ou dois quarteirões e aumentando diariamente até ela andar cinco quilômetros, pelo menos. Depois disso, também passaria a pular corda para fortalecer as pernas. Para manter a atitude mental positiva, ela cantaria todos os dias.

Passo a passo, Marble enviaria à mente subconsciente uma imagem nítida da atleta que tinha um destino muito claro. Um fator importante é que ela nunca permitiu que a ideia deixasse sua mente. A cada limitação, ela revia seu objetivo principal. A cada escorregão, reforçava esse objetivo. Os dias foram passando, e seu corpo foi ficando mais forte, devagar e sempre.

Então, Marble fez algumas revisões. Depois de obter a vitória temporária sobre o corpo, ela começou a trabalhar em um plano sistemático para estender o controle também sobre suas faculdades mentais. Pediu permissão a Tennant para assumir a administração da casa delas, o que significava supervisionar o trabalho da empregada, pedir e planejar refeições, marcar consultas, datilografar cartas, pagar contas e outras coisas. Manter-se tão ocupada com trabalho construtivo a deixava sem tempo para tristeza, o que lhe dava a oportunidade de fechar a porta entre ela e as decepções do passado.

Alguns meses mais tarde, uma curiosa Marble marcou consulta com um médico que, satisfeito com o progresso da paciente, a liberou para voltar a jogar tênis.

Mais tarde, naquele ano, depois de apenas quatro meses de preparação, Alice Marble venceu o campeonato nacional. Em 1939, ela foi classificada em primeiro lugar no ranking mundial. Refletindo sobre a jornada do tipo montanha-russa, ela disse: "Se você realmente se importa, e se tem um objetivo na vida e se dispõe a trabalhar, não existem obstáculos que não possam ser superados".

Esse é o elemento a ser desenvolvido: definição de objetivo, respaldado por um motivo! Sem isso, ninguém pode esperar conquistar autodisciplina. Com isso, autodisciplina é fácil de alcançar.

Também devemos dar o crédito a outro importante princípio que ajudou nessa extraordinária jornada: o poder do MasterMind. Foi a ligação duradoura com sua treinadora, Eleanor Tennant, que deu a Marble a coragem necessária para se apoderar da própria mente. Batalhas como a que a dupla de tênis enfrentou são ainda mais difíceis quando enfrentadas sozinhas.

Depois da recuperação, Marble disse: "Minha doença foi uma bênção disfarçada, porque agora estou mais bem-equipada para enfrentar a vida e seus obstáculos diários; mais bem-equipada, talvez, que alguém que não teve que batalhar por saúde e não teve que viver a protelação de objetivos".

Sim, é útil sermos testados de tempos em tempos! Parece que a natureza planejou as coisas de forma que ninguém jamais possa triunfar em relação a seu objetivo principal na vida sem passar por algum teste severo de determinação. Muita gente que conquista sucesso notável é forçada a passar por muitos testes como esse, mas cada teste deixa o indivíduo mais forte e mais corajoso, se ele os aceitar com a disposição mental acertada.

> *Só vivendo a experiência da provação e do sofrimento a alma pode ser fortalecida, a ambição, inspirada, e o sucesso alcançado.*
> – Helen Keller

"É evidente", disse Marble, "que qualquer sucesso que tive a felicidade de saborear foi, em grande parte, resultado de dois fatores: primeiro, a vontade de vencer; e segundo, o apoio dado por minha amiga, treinadora e companheira, Eleanor Tennant, aos meus esforços. De longe, a mais valiosa contribuição que ela deu à minha vida não foi a arte mecânica de jogar tênis, embora isso seja importante, mas a criação e o incentivo em mim da vontade de vencer."

Nas últimas três palavras você tem o segredo de seu sucesso!

Alice Marble venceu porque tinha *vontade de vencer*. Isso aumenta como resultado de sua autodisciplina, do domínio sobre as emoções, de sua definição de objetivo e da determinação de se apoderar da própria mente e tornar-se senhora dela.

"Na verdade, há pouca diferença entre o campeão e o derrotado", Marble explicou. "A diferença normalmente aparece nos pequenos detalhes, quando a gota extra de energia, a minúscula diferença na determinação incansável determina vitória ou derrota. Há realmente pouca diferença mecânica na eficiência dos vinte melhores jogadores de tênis. Isso também vale para outras áreas da vida, além do tênis. Eu poderia citar centenas de adversários que tinham muita habilidade, o melhor treinamento, mente alerta, mas não tinham aquela pequena centelha – o coração de campeão – quando chegou a hora de mostrar o jogo. Faltava a eles apenas a vontade indomável de vencer."

Habilidade, experiência e educação têm pouco valor, se você não se disciplina com vontade de vencer. Esse é o ponto crucial que determina, mais que tudo, o que você vai ter da vida.

NOTA DO EDITOR:

Esse DNA é replicado em todo campeão, do passado e do futuro, e em todo empreendedor. Para ilustrar esta lição, vamos voltar a 1953, quando dois montanhistas começaram a escalar o Monte Everest, o pico mais alto do mundo. O Everest nunca tinha sido conquistado. Geografia traiçoeira, temperaturas congelantes e altitude extrema conferiam incomensurável complexidade, enquanto a empolgação com a empreitada alcançava o ponto de ebulição na comunidade de montanhismo.

Sete semanas depois do início da temível expedição, a corajosa dupla – o neozelandês Edmund Hillary e o nepalês Tenzing Norgay – chegaram ao cume em uma façanha atlética que ficaria gravada na história por sua coragem, habilidade e aparente impossibilidade.

Depois de uma conquista tão extraordinária, a que os reverenciados montanhistas creditaram seu sucesso? Certamente, preparação, preparo físico e talvez um pouco de sorte? Errado. Eles o atribuíram à força mental: a vontade de vencer. "Não foi a montanha que conquistamos", Sir Edmund Hillary declarou, "mas nós mesmos".

O ícone do boxe Muhammad Ali tinha um ponto de vista semelhante. "Campeões não são criados em academias", disse Ali. "Campeões são feitos de alguma coisa que têm dentro deles, bem no fundo – um desejo, um sonho, uma visão. Eles precisam ter a habilidade e a vontade. Mas a vontade tem que ser mais forte que a habilidade."

Sobre a onipresença da força de vontade que forja hábitos destrutivos com a mesma frequência com que cria hábitos construtivos, o pioneiro do surf de grandes ondas Laird Hamilton avisa: "Certifique-se de que seu pior inimigo não esteja morando entre suas duas orelhas".

Também nessa linha, Serena Williams comenta: "Não gosto de perder, em nada. No entanto, eu cresci, não com as vitórias, mas com os contratempos. Se a vitória é a recompensa de Deus, perder é a lição Dele para nós".

Chega a hora, chega o campeão.

O exame cuidadoso de todos os grandes líderes revela que cada um deles foi inspirado pela vontade de vencer. Além disso, antes de chegarem ao sucesso, eles foram testados repetidamente por algum tipo de obstáculo que pôs à prova sua resolução.

Benjamin Disraeli, que muitos acreditam ter sido o maior primeiro-ministro da história do Reino Unido, alcançou essa posição elevada pelo poder de sua vontade de vencer. Ele começou a carreira como autor, mas não foi muito bem-sucedido nesse campo. Ele publicou uma dezena de livros, mas nenhum causou grande impacto no público. Fracassado como autor, ele aceitou a derrota como um desafio e entrou na política com a mente definitivamente voltada para tornar-se primeiro-ministro.

Em 1837, ele se tornou membro do Parlamento por Maidstone, mas seu primeiro discurso no Parlamento é visto universalmente como um grande fracasso. Mais uma vez, ele aceitou a derrota como um desafio para fazer um esforço ainda maior e ir atrás de ambições maiores. Lutando sem nunca ter um único pensamento sobre desistir, ele se tornou líder da Câmara dos Comuns em 1858, assumindo mais tarde o posto de chanceler do tesouro e, em 1868, de primeiro-ministro e o homem mais poderoso no Império Britânico.

Nesse posto Disraeli encontrou oposição avassaladora que resultou em sua renúncia. Porém, longe de aceitar o fracasso temporário como derrota permanente, o estadista determinado protagonizou um retorno e foi eleito primeiro-ministro pela segunda vez. Durante esse segundo mandato, ele se tornou um grande construtor do vasto Império Britânico, estendendo sua influência em muitas direções. No entanto, talvez a grande realização de Disraeli tenha sido a construção do Canal de Suez, uma façanha destinada a dar ao Império Britânico vantagens econômicas sem precedentes.

O tema central de sua carreira foi *autodisciplina*. Resumindo suas realizações em uma frase breve, Disraeli disse: "O segredo do sucesso é a constância de propósito".

Theodore Roosevelt é outro exemplo do que pode acontecer quando alguém é motivado pela vontade de vencer. No início da juventude, Roosevelt foi seriamente prejudicado pela asma e pela visão deficiente. Os amigos não tinham esperança de que ele recuperasse a saúde, mas Roosevelt não concordava com eles. Ele foi para o Oeste, uniu-se a um grupo de trabalhadores determinados e, trabalhando ao ar livre, colocou-se sob um sistema definido de autodisciplina com o qual construiu um corpo forte. Os médicos diziam que ele não conseguiria, mas ele discordava, e conseguiu!

Na luta para recuperar a saúde, Roosevelt adquiriu uma disciplina tão perfeita sobre a mente, que voltou para a Costa Leste, entrou na política e avançou até sua vontade de vencer fazer dele presidente dos Estados Unidos. Quem o conhecia bem dizia que sua qualidade mais notável era uma vontade que se recusava a aceitar a derrota como algo mais que um degrau. Além disso, Roosevelt não tinha habilidade, educação ou experiência superiores às das pessoas que o cercavam, das quais o público nada sabia.

Quando ele era presidente, alguns oficiais do exército se queixaram de uma ordem que ele deu ao exército para que todos se mantivessem fisicamente em forma. Para mostrar que sabia o que estava dizendo, Roosevelt cavalgou pouco mais de 150 quilômetros em estradas acidentadas na Virgínia. Ele divertia constantemente Washington, DC, com seu hábito de exaurir o pessoal do Serviço Secreto designado para acompanhá-lo quando saía para fazer caminhadas. Em uma ocasião, o presidente se afastou tanto do Serviço Secreto que os despistou completamente no Rock Creek Park.

Por trás de toda essa atividade física havia uma mente ativa determinada a não se deixar prejudicar pela fraqueza física, e essa atividade mental se refletiu em toda a administração Roosevelt. Quando a mente diz, "vá em frente", o corpo físico responde ao comando, provando assim que Andrew Carnegie estava certo quando disse que "nossas únicas limitações são aquelas que impomos à nossa mente".

Poder pessoal vem embalado na vontade de vencer! A vontade de vencer é adquirida apenas pela autodisciplina – é o resultado de hábitos formados intencionalmente que controlam os seis departamentos da mente. Todos os hábitos desempenham um papel na autodisciplina, por mais insignificante que seja o hábito ou a causa de sua adoção. Lembre-se também que hábitos são mais fáceis de formar se tiverem como base motivos atraentes e forem respaldados por definição de objetivo.

Ninguém pode me prejudicar sem minha permissão.
— Mahatma Gandhi

Desde o dia em que nasceu, Robert Louis Stevenson foi uma criança delicada. A saúde frágil o impediu de se dedicar de maneira estável aos estudos até ele completar dezessete anos. Aos 23, sua saúde era tão debilitada que os médicos o mandaram para longe na esperança de que melhorasse.

Na França, Stevenson conheceu a mulher por quem se apaixonou. O amor de Stevenson por ela era tão grande que ele começou a escrever, e embora o corpo físico mal tivesse forças para mantê-lo vivo, ele conseguiu enriquecer o mundo todo com suas obras, hoje aceitas universalmente como obras-primas. Sua força motivadora era o amor. O mesmo motivo deu asas aos pensamentos de muitos outros que, como Robert Louis Stevenson, fizeram o mundo mais rico por terem vivido. Sem esse motivo, Stevenson certamente teria morrido sem contribuir com o amor e as cartas que inspiraram tanta gente. Stevenson transmutou seu amor pela mulher escolhida em obras literárias que o fizeram imortal.

Dessa maneira, ele expressou sua autodisciplina em ações que tornaram o mundo inteiro mais rico, o que nos lembra que não pode haver autodisciplina sem alguma forma de ação apropriada. Apenas esperança e desejo não resultam em autodisciplina. Autodisciplina começa com um motivo respaldado por definição de objetivo, expressado por hábitos definidos que colocam os seis departamentos da mente sob controle.

De maneira similar, Charles Dickens converteu uma tragédia amorosa em obras literárias que enriqueceram o mundo. Em vez de sucumbir ao golpe da decepção do primeiro amor, ele se concentrou em escrever e fez disso uma válvula de escape intensamente criativa. Essa ação deliberada fechou a porta para uma experiência que muitos teriam usado como desculpa para derrota permanente. Por meio da autodisciplina, Dickens transformou sua maior tristeza em seu maior benefício.

Há uma regra imbatível para superar tristeza e decepção: as dificuldades emocionais devem ser transmutadas por meio de trabalho definidamente planejado. Essa é uma regra sem igual! Mas ela requer autodisciplina da mais elevada ordem. Ao longo do caminho, todas as tristezas e decepções podem ser usadas para servir, em vez de destruir.

NOTA DO EDITOR:

Os fãs de Napoleon Hill se lembrarão de uma de suas mais famosas citações, inspirada pela orientação de Carnegie: "Toda adversidade, todo fracasso, todo sofrimento traz em si a semente de um benefício igual ou maior". Essa compreensão tem lançado ao sucesso algumas das pessoas mais bem-sucedidas que já existiram.

Todos conhecemos alguém que, depois do fim de um casamento, de uma dificuldade nos negócios ou de outro infortúnio pessoal segue pela vida arrastando um ressentimento que só faz crescer. No entanto, o ato de reclamar do quanto ele foi prejudicado é o que impede a entrada posterior em sua vida da oportunidade de um bem maior, algo que poderia permitir que essa pessoa finalmente fechasse a porta para o passado. A mesma energia utilizada para se queixar do passado e do que a pessoa não tem poderia ser redirecionada para criar circunstâncias favoráveis no presente.

Essa energia foi o que fez Barbara Corcoran fortalecer sua determinação e construir um império imobiliário depois que seu namorado e sócio a trocou pela secretária dela. Hoje, ela é uma das empreendedoras mais reconhecidas do mundo, tendo vendido o Corcoran Group por US$ 66 milhões, trabalhado como apresentadora do bem-sucedido programa de televisão *Shark Tank* e se associado a dezenas de startups que estão revolucionando indústrias no mundo todo.

Todos nós enfrentamos adversidades, mas não se engane: a maneira como alguém reage à adversidade quando esta acontece é o que separa uma pessoa comum de um empreendedor extraordinário.

A regra para ser capaz de transformar sofrimento emocional em ação útil também se aplica aos hábitos descontrolados com os quais muitos se derrotam. Alcoolismo, por exemplo, que assumiu as proporções de uma tragédia nacional nos Estados Unidos, pode ser dominado apenas com autodisciplina amparada por intensa força de vontade. A cura pela medicina é inútil, provavelmente, a menos que seja acompanhada pela vontade de dominar o mal. A ideia de que se pode afogar as dores em álcool é tragicamente decepcionante. Precisamos educar a sociedade até que todos entendam que as dores só podem ser afogadas se transmutadas em alguma forma de ação útil.

Quando as pessoas se ocupam com o trabalho que gostam de fazer, de forma a dedicarem todo seu tempo a esse trabalho, elas formam hábitos que não deixam espaço para pensamentos de desânimo.

Os que são completamente autodisciplinados nunca fogem de nada que temem. Em vez disso, expõem abertamente o objeto do medo, transmutam o medo em fé e não apenas subjugam ou aniquilam o objeto do medo, mas adquirem grande força mental no processo. Cada vez que usamos nossa força de vontade, acrescentamos algo à sua potência.

Aliás, adquira familiaridade com a palavra "transmutação". Ela é a chave que abre portas para a solução de quase todos os problemas da vida. Para dominar qualquer medo, desapontamento ou preocupação, transmute-o em alguma forma de atividade intensa que mantenha sua mente ocupada, tão ocupada a ponto de formar novos pensamentos e hábitos associados a autoconfiança, fé, esperança e coragem.

É inútil tentar fugir de experiências desagradáveis, não importa para onde vá. É ainda mais inútil tentar afogá-las com substâncias intoxicantes, já que isso só enfraquece a força de vontade sem eliminar aquilo que estamos tentando afogar! Tentar afogar os problemas com álcool ou drogas é tão tolo quanto tentar apagar um incêndio jogando gasolina nele, e é igualmente perigoso.

Força de vontade, expressa em ação, é a única cura conhecida para medo e preocupação. Força de vontade substitui derrotismo por coragem.

Nunca houve um grande atleta que não deva suas conquistas à própria vontade de vencer.

Ontem eu era esperto, por isso queria mudar o mundo. Hoje sou sábio, por isso estou mudando a mim mesmo.
– Rumi

O boxeador Gene Tunney conquistou o título mundial dos pesos-pesados do lendário Jack Dempsey aplicando sua vontade de vencer, não por sua força física. Dempsey era reconhecido como o "batedor" mais forte, mas Tunney o superou no uso do poder mental. Um ano mais tarde, eles se enfrentaram para uma revanche, da qual Tunney saiu novamente vitorioso. Depois do confronto, Dempsey levantou o braço de Tunney e disse: "Você foi melhor. Lutou com inteligência, garoto".

A história do triunfo de Alice Marble sobre a doença física em sua ascensão ao estrelato no tênis é repleta de evidências que demonstram que o segredo de seu sucesso foi a vontade de vencer. Ela enfatiza esse fato em todos os detalhes de sua história. Estude-a, e você vai notar o momento exato em que ocorreu o ponto crucial de sua carreira: foi, quando ela tomou a decisão de deixar o hospital e assumir o controle sobre seu destino.

Há centenas de milhares de verdadeiros campeões em todas as áreas da vida que, como os que foram mencionados aqui, coroaram-se com a vitória por meio da vontade de vencer. Eles conquistaram seu campeonato reconhecendo primeiro sua fraqueza, e depois, pelo poder da vontade de vencer, transmutando essa fraqueza em força. Não há derrota para aqueles que conquistam a arte de transformar suas fraquezas em força, e há muitas evidências de que essas conversões podem ser feitas, seja a fraqueza mental ou física. É uma questão de *autodisciplina*.

Nenhum problema é grande demais para a força de vontade quando esse poder é controlado pela autodisciplina e dirigido para um fim definido.

Se adquirimos o controle sobre nossas emoções mais fortes por meio da força de vontade, pense no que podemos fazer ao dirigir as emoções menores. Quando tivermos o controle sobre essas emoções e aprendermos a transmutar essas grandes forças propulsoras em esforço organizado relacionado à ocupação que escolhemos, não teremos dificuldade para, da mesma maneira, transformar nossas emoções negativas em serviço útil.

Alguns leitores deste capítulo serão capazes de voltar às suas memórias e lembrar experiências de amor não correspondido. Só quem passou por uma experiência como essa vai se impressionar com nossa afirmação de que esse é o tipo de teste que chega ao fundo da alma humana e põe o indivíduo cara a cara com o "outro eu", que só se encontra raramente nas experiências comuns da vida.

Às vezes, a pessoa sobrevive à provação por pura força de vontade e sai dela maior, mais nobre e mais forte, mas isso requer uma autodisciplina que não é exigida em nenhuma outra circunstância da vida.

Fracasso nos negócios, perda financeira, perda de uma posição a que se atribuía grande valor, tudo isso exige muito das reservas de força de vontade, mas nada se compara às exigências feitas pela perda de um grande amor. Mas a compensação para uma perda como essa consiste nas forças espirituais que são mobilizadas e postas à disposição, desde que a pessoa tenha se preparado pela autodisciplina para transmutar emoções feridas em alguma forma de serviço útil. A transmutação acontece por intermédio da força de vontade, nada mais.

Pessoas que amaram profundamente podem ser separadas mental e fisicamente pelas tragédias da vida ou outras razões, mas a união espiritual criada pela aliança entre elas nunca pode ser desfeita. O Criador arranjou dessa forma! Para quê? Não temos o privilégio nem o direito de saber. Mas é nosso direito e nosso dever transmutar o poder espiritual dessa aliança em atividade útil que, se usada, pode nos elevar a níveis muito altos de compreensão e sabedoria.

Portanto, na adversidade do amor insatisfeito, podemos encontrar a semente de uma vantagem equivalente que não descobriríamos de outro jeito. No entanto, essa vantagem é só potencial, até que a autodisciplina nos dê a força de vontade para tornar a vantagem real. Só existe um remédio seguro para um amor interrompido ou insatisfeito, e é a transmutação dessa emoção em outra ação construtiva.

Todos nós temos problemas sobre os quais não temos controle, e exercer o controle sobre nossas reações mentais aos problemas é difícil. Não podemos controlar as ações de terceiros conosco, mas podemos controlar nossas reações mentais a essas ações.

Não podemos eliminar sentimentos positivos ou negativos, mas podemos dominar esses sentimentos e transmutá-los em alguma forma de ação intensa de natureza benéfica.

Nem sempre podemos evitar a derrota, e às vezes não podemos evitar o fracasso temporário, mas podemos organizar de tal forma o sentimento que resulta dessas experiências que ele pode ser transmutado em uma vantagem equivalente.

Entenda essa verdade, e você vai ter um conhecimento prático do que Andrew Carnegie queria dizer quando afirmou que "cada adversidade carrega em si a semente de uma vantagem equivalente". Nessa afirmação, ele expressou uma das mais profundas de todas as verdades, mas ela tem pouco benefício, exceto para aqueles que se disciplinaram tão completamente que podem colocar suas emoções sob a direção da força de vontade.

A vida é tão cheia de tragédias e desapontamentos que ninguém pode ser realmente feliz sem adquirir um conhecimento prático desse princípio da transmutação de energia emocional. Ele é a chave mestra para todas as grandes realizações, que possibilita abrir as portas para a oportunidade e fechar as portas para preocupação, falta de esperança, desânimo, medo e outras coisas desagradáveis.

Não saia deste capítulo até ter se apropriado dessa chave mestra. Com ela, os seis departamentos de sua mente estarão à sua disposição quando você precisar.

Com a ajuda dessa chave, todo pensamento aleatório que conseguir entrar em sua mente pode ser controlado e usado a seu favor. Toda preocupação pode ser convertida em um bem de valor inestimável. Inveja, ganância, raiva e superstição podem ser transmutadas para render dividendos. Inimigos podem ser levados a servir como benfeitores lucrativos sem que estejam em sua folha de pagamento.

E lembre-se, embora tenhamos repetido esse pensamento de várias maneiras, adotar a definição de objetivo respaldada persistentemente por trabalho é o melhor método para transmutar emoções. Não existe substituto conhecido para o trabalho. Não existe bênção que se compare ao trabalho. Não há remédio para preocupação e desânimo que se iguale a ele. Mas para que o trabalho seja uma bênção, ele tem que ser um esforço útil aplicado com uma atitude mental positiva.

Só uma coisa pode tomar o lugar do trabalho, e é o fracasso. Pode-se dizer, ao contrário, que nada pode ocupar o lugar do fracasso, exceto o trabalho. Os dois não se dão bem. Onde um existe, o outro não pode estar. Durante a Grande Depressão, descobrimos que existe uma coisa pior do que ser forçado a trabalhar: ser forçado a NÃO trabalhar. Trabalho é a base da autodisciplina, desde que realizado com uma disposição de desejo sincero de ser útil.

Trabalho é o começo de todas as riquezas materiais. É a única coisa que um indivíduo pobre tem para dar em troca de algum dinheiro. O simples fato de todo o universo ser planejado e mantido de forma que todo ser vivo seja forçado a trabalhar ou perecer é profundamente significativo. É o meio de maior importância para que se possa fazer o esforço extra em todas as formas de autopromoção. É o único jeito de afogar tristezas e decepções sem se prejudicar.

O trabalho concede suas maiores bênçãos àqueles que o desempenham de boa vontade. Suas bênçãos grandiosas só chegam para aqueles que o executam com uma disposição de entusiasmo para Fazer o Esforço Extra. O trabalho é um fardo ou um prazer, de acordo com o motivo que o inspira. Ouvi pessoas experientes dizerem que o maior de todos os prazeres é aquele que se tem fazendo um trabalho que se ama, dedicando-se ao trabalho pelo orgulho da realização, ou a serviço de amigos e pessoas amadas.

Ninguém pode dar ordens com inteligência enquanto não aprende a acatar ordens graciosamente e cumpri-las com eficiência.
– Andrew Carnegie

Nenhum trabalho desse tipo é realizado sem que haja uma compensação. Se a compensação não é material, ela vem na forma de satisfação pessoal que não se pode medir em termos materiais. Também pode vir como um caráter fortalecido, maior autodisciplina ou melhor compreensão de seus associados.

Se pareço estar superenfatizando a importância do trabalho, tenha certeza de que é por reconhecer que a falta de disponibilidade para trabalhar é um dos maiores males dos tempos em que vivemos. As pessoas nos Estados Unidos têm sido amaldiçoadas por alguma estranha influência que levou milhões de homens e mulheres a exigir alguma coisa sem dar nada em troca.

Essa influência tem disseminado o espírito de derrotismo. Ela está destruindo o espírito de iniciativa pessoal que fez dos Estados Unidos o país mais rico e mais livre do mundo. Tem levado um grande número de pessoas a suplantar o tradicional espírito americano de autodeterminação pela disposição para aceitar caridade pública, ou melhor, *exigir* caridade pública! O sinal é patológico.

NOTA DO EDITOR:

Esse trecho me faz lembrar da jornada de altos e baixos que o renomado educador Dr. Dennis Kimbro teve antes de publicar *Think and Grow Rich: A Black Choice*. Kimbro sentia a pressão de todos os lados: não tinha inspiração para o manuscrito, sentia que falhava como provedor para sua jovem família e lutava para se manter positivo sob essa pressão.

Um dia, Kimbro desabou sob a carga implacável. Sem ter a quem recorrer, ele ignorou a cortesia profissional e desabafou com o titã financista Arthur George Gaston na metade da conversa com ele. Gaston opinou com toda clareza, disse que a pessoa aceitável para progredir até a posição de campeão em qualquer campo "precisava antes ser testada na fornalha da adversidade". Mais diretamente, ele disse a Kimbro que, se não estava pronto para o sucesso, deveria sair do caminho e dar espaço para quem estivesse.

O conselho direto de Gaston atingiu Kimbro como um raio. Reformulando sua situação aparentemente sombria, o homem de 39 anos voltou para casa em Atlanta, onde o manuscrito estagnado serviu como via de manifestação para seu entusiasmo renovado. Assim que o concluiu, Kimbro enviou o manuscrito para a Fundação Napoleon Hill, cuja sede, na época, ficava em Chicago, confiante de que dessa vez seus esforços seriam suficientes, mas nervoso, mesmo assim.

Pouco depois, Kimbro estava a bordo de um avião para Chicago, onde participaria de uma reunião com a diretoria da Fundação. Ao entrar, ele percebeu que todos sentados em volta da mesa tinham uma cópia de seu livro diante deles.

O aclamado magnata dos seguros W. Clement Stone aproximou-se e perguntou: "Rapaz, o que aprendeu sobre sucesso e realização?".

"Bem, no balcão do sucesso não tem barganha", Kimbro respondeu. "Você tem que pagar adiantado, e preço cheio."

Em seus momentos mais sombrios, Dr. Dennis Kimbro tinha visto a luz que o acompanharia ao sucesso pelo resto de sua vida.

A condescendência para aceitar alguma coisa sem dar nada em troca, isso sem mencionar a exigência explícita por isso, é o oposto de autodisciplina. Quem tem a mente sob controle não só se dispõe a dar algo de valor por tudo que recebe, como exige esse privilégio para si e dá mais do que é solicitado.

Os que aceitam algo em troca de nada ficam à mercê de todos que querem explorá-los. Liberdade e independência pessoais cabem apenas àqueles que, por esforço próprio, desenvolveram a mente de forma que sirva às suas necessidades, com ou sem o consentimento de terceiros. Não existe forma segura de independência pessoal, exceto aquela que uma pessoa conquista pela própria força de vontade.

Se você não compartilha do pensamento que enfatizo aqui, sugiro que faça uma visita ao abrigo mais próximo e observe aqueles que, por circunstâncias que não podem controlar, são forçados a aceitar caridade pública. Estude o rosto desses desafortunados, observe sua falta de entusiasmo, perceba o desânimo com que se movem, e então você vai entender por que digo que a maior de todas as bênçãos é ter o privilégio de converter seu poder mental em quaisquer valores materiais e espirituais almejados.

Asilos e abrigos são instituições de misericórdia. Um mundo civilizado torna necessária a manutenção desses lugares, mas nunca vimos uma pessoa que preferisse esse tipo de misericórdia à liberdade que a maioria garante para si mesma pelo exercício da iniciativa pessoal. E suspeitamos que poucas pessoas não prefiram viver a vida na mais humilde cabana a aceitar caridade pública, mesmo que, com essa caridade, possam viver na mais bela mansão.

Liberdade, independência e segurança econômica são resultados de iniciativa pessoal baseada em autodisciplina. De nenhuma outra maneira se pode alcançar esses desejos universais da humanidade. Quando a autodisciplina é afrouxada, a liberdade pessoal a acompanha proporcionalmente.

De vez em quando, alguém reclama que, ao apresentar essa filosofia, superenfatizei sua aplicação como um meio de garantir as necessidades materiais da vida. Alguns alegaram que eu deveria ter enfatizado os valores espirituais da filosofia de maneira mais firme. Minha única resposta é citar aos meus críticos o fato de valores espirituais e pobreza não se darem muito bem. Valores espirituais têm a ver com pessoas que conquistaram liberdade pessoal por meio de autodisciplina – não com aqueles que, por qualquer razão, são forçados a aceitar caridade.

Desconfio de que, se você consultasse pessoas que estão desempregadas e sem nenhuma fonte de renda e tentasse despertar nelas o interesse por valores espirituais, elas responderiam rapidamente que sua maior preocupação é garantir uma renda com a qual possam se tornar independentes.

Resumindo, vamos lembrar que o maior benefício da autodisciplina é aquele que podemos obter transmutando emoções (negativas e positivas) nos fins que desejamos atingir. Lembre-se também que todo poder mental é útil se mantido sob estrita autodisciplina e direcionado para fins definidos. Volte sua atenção para esse sujeito de transmutação e domine-o. Então, você pode se tornar o senhor de muitas circunstâncias sobre as quais não teria nenhum controle, de outra maneira.

Não espere tornar-se mestre na transmutação na primeira tentativa – as emoções não podem ser administradas até que sejam dominadas. Dominar é uma questão de hábito. Continue tentando, e nunca ceda um milímetro de terreno que já tenha conquistado.

Pensamento, educação, conhecimento, habilidade natural – todas essas são apenas palavras vazias, a menos que sejam traduzidas em ação.
– Napoleon Hill

O ponto de partida é a definição de um objetivo, amparado por um motivo adequado. Você pode administrar qualquer uma de suas emoções, se o motivo para isso for forte o bastante. Sem um objetivo definido apoiado por um motivo forte, você não vai fazer nenhum progresso para controlar suas emoções.

E não esqueça que um objetivo sem ação não vai servir de nada. O maior de todos os métodos para obter controle sobre as emoções é o da empreitada entusiasmada relacionada ao trabalho no qual podemos investir o coração e a alma.

Autodisciplina é a chave mestra para tomar a atitude que converte motivo e objetivo em sucesso.

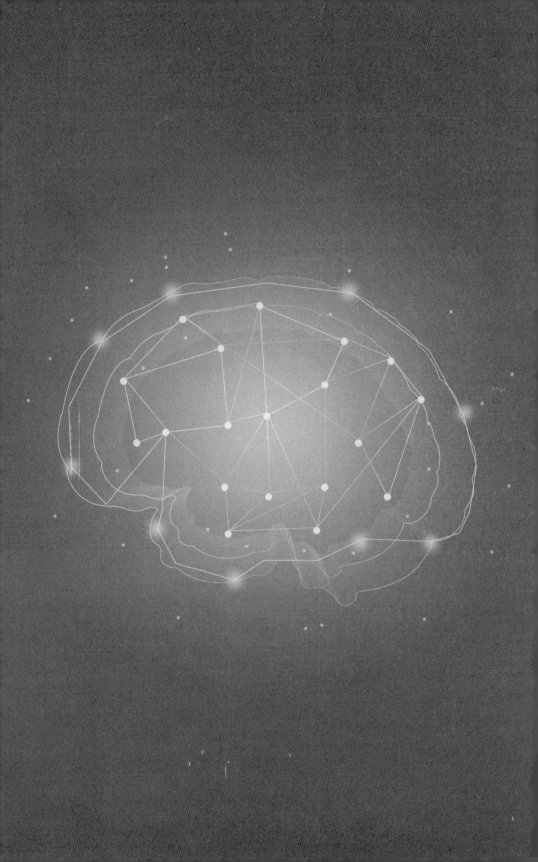

PARTE 2

APRENDER COM A DERROTA: TODA ADVERSIDADE CARREGA EM SI A SEMENTE DE UM BENEFÍCIO EQUIVALENTE

O poder com que pensamos é dinamite mental, e ele pode ser organizado e usado de maneira construtiva para a realização de fins definidos. Se não for organizado e usado por meio de hábitos controlados, ele pode se tornar um explosivo mental que vai destruir esperanças de realização e levar a um inevitável fracasso.

– Andrew Carnegie

APRENDER COM A DERROTA

Toda adversidade carrega em si a semente de um benefício equivalente

Dois fatos importantes se destacam:

- As circunstâncias da vida são tais que todos são, inevitavelmente, atingidos pela derrota em algum momento, de maneiras diferentes.
- Toda adversidade carrega em si a semente de um benefício equivalente!

Procure onde quiser, você não vai encontrar uma exceção para essas circunstâncias, seja em sua própria experiência seja na de outros. Este capítulo, portanto, tem como tema central descrever como se pode obter da derrota a "semente de um benefício equivalente", explicar como transformá-la em um degrau para uma realização maior e afirmar que não é necessário aceitar a derrota como uma desculpa pronta para o fracasso.

Este capítulo começa no escritório particular de Andrew Carnegie. Sente-se e aprenda o que o grande magnata do aço pensava sobre a derrota.

HILL:

Sr. Carnegie, em sua entrevista, já ficou estabelecido que não há limitações para a capacidade mental, exceto aquelas que impomos à própria mente, e você já explicou isso dizendo que a derrota pode ser convertida em um bem de valor inestimável, se o indivíduo tomar a atitude correta em relação a ela. Poderia explicar agora que atitude é essa?

CARNEGIE:

Primeiro, deixe-me dizer que a atitude correta em relação à derrota é se recusar a aceitá-la como qualquer coisa além de temporária, e essa é uma atitude que podemos manter desenvolvendo força de vontade, de forma que olhemos a derrota como um desafio para testar nossa resiliência. Esse desafio deve ser aceito como um sinal, deliberadamente emitido, para informar que nossos planos precisam ser corrigidos.

Derrota deve ser vista exatamente como se encara a desagradável experiência da dor física. A dor física é um meio da natureza para informar que algo em nós precisa de atenção e correção. Dor, portanto, pode ser uma bênção, não uma maldição!

Isso se aplica também à angústia mental que sentimos quando somos atingidos pela derrota. O sentimento, por mais desagradável que seja, ainda é benéfico, uma vez que funciona como um sinal para nos impedir de seguir na direção errada.

HILL:

Entendo sua lógica, mas a derrota é tão definitiva e severa, às vezes, que tem o efeito de destruir a iniciativa e a autoconfiança. O que deve ser feito neste caso?

CARNEGIE:

É aí que o princípio da autodisciplina vem em seu socorro. Pessoas disciplinadas não permitem que nada destrua sua autoconfiança e não deixam nada impedi-las de reorganizar seus planos e seguir em frente quando são derrotadas. Elas mudam seus planos, se as mudanças forem necessárias, mas não mudam seu objetivo.

HILL:

Derrota, presumo, deve ser aceita como uma espécie de tônico mental que pode servir como estimulante para nossa força de vontade. É essa a ideia?

CARNEGIE:

Você está correto. Até uma emoção negativa pode ser transmutada em um poder construtivo e usada para a realização dos fins desejados. Autodisciplina nos permite transformar emoções desagradáveis em uma força propulsora, e toda vez que isso é feito, ajuda a desenvolver a força de vontade.

Você também deve lembrar que a mente subconsciente aceita nossa "atitude mental" e age a partir dela. Se a derrota é aceita como permanente, em vez de ser vista como mero estimulante para uma ação maior, a mente subconsciente age de acordo e a torna permanente. Agora você vê como é importante formar o hábito de procurar o que existe de bom em *toda* forma de derrota? Esse procedimento torna-se a melhor forma de treinamento de força de vontade e serve, ao mesmo tempo, para fazer a mente subconsciente agir em favor do indivíduo.

Não importa quantas vezes é derrotado, você nasceu para a vitória.
– Ralph Waldo Emerson

HILL:

Sim, é claro! Você quer dizer que a mente subconsciente leva nossa atitude mental até sua conclusão lógica, independentemente da circunstância que a faz entrar em ação?

CARNEGIE:

Sim, mas você não abrangeu toda a questão. A mente subconsciente sempre responde aos pensamentos dominantes em nossa cabeça. Além disso, ela tem o hábito de agir depressa a partir dos pensamentos que são repetidos com mais frequência. Por exemplo, se temos o hábito de aceitar a derrota como negativa, a mente subconsciente comete o mesmo engano e forma hábitos similares.

Nossa atitude mental em relação à derrota acaba se tornando um hábito, e esse é um hábito que precisa ser controlado, se queremos transformar a derrota em uma vantagem, em vez de desvantagem. Você certamente já viu pessoas que, por suas reações imediatas, parecem aceitar automaticamente a derrota e que, por isso, tornam-se pessimistas confirmadas.

HILL:

Sim, entendo o que quer dizer. A "semente de um benefício equivalente" que pode ser encontrada em toda adversidade consiste na oportunidade que temos de usar a experiência para desenvolver a força de vontade, aceitando-a como um estimulante mental para ações maiores. É essa a ideia, Sr. Carnegie?

CARNEGIE:

Isso estabelece a ideia em parte, mas você deixou de dizer que, aceitando a derrota com uma atitude mental positiva, influenciamos a mente subconsciente para formar o hábito de fazer a mesma coisa. Com o tempo, esse hábito se torna permanente, e depois disso a mente subconsciente vai relutar em aceitar qualquer experiência com outra atitude que não seja positiva. Em outras palavras, a mente subconsciente pode ser treinada para converter todas as experiências negativas em um impulso inspirador para um esforço maior. É esse o ponto que quero enfatizar.

NOTA DO EDITOR:

O ex-comandante da Navy SEALs dos Estados Unidos, Jocko Willink, usava uma resposta simples para reformular a disposição mental de seus comandados. Sempre que um deles o procurava para desabafar sobre um ferimento, uma adversidade ou circunstância desafiadora, Willink respondia: "Bom!".

"Quando as coisas vão mal", Willink explicou em seu podcast, "sempre vai ter algum bem resultante delas." Uma pequena palavra ajudou a revelar a verdade absoluta de que todo problema é simplesmente uma oportunidade para pensar em uma solução, que é onde o verdadeiro crescimento acontece. Quanto mais soluções você tem à sua disposição, maior é a probabilidade de ter sucesso na missão, seja no campo de batalha, seja na sala de reuniões.

"Se você pode dizer a palavra 'bom', isso significa que ainda está vivo", disse Willink sobre seu estilo de comando. "Significa que você ainda está respirando. E se você ainda está respirando, ainda tem forças para lutar."

Quando encontrar o próximo problema, não ceda à frustração. Em vez disso, considere isso como uma indicação inspiradora de que é hora de se esforçar mais.

HILL:

Aparentemente, não há como fugir da lei que impõe hábitos ao indivíduo. Se entendi corretamente, Sr. Carnegie, o fracasso pode se tornar um hábito.

CARNEGIE:

Não só o fracasso pode se tornar um hábito, como isso também vale para pobreza, preocupação e pessimismo de todo tipo. Qualquer estado mental, seja ele positivo ou negativo, torna-se um hábito no momento em que começa a dominar sua mente.

HILL:

Nunca pensei na pobreza como um hábito.

CARNEGIE:

Bem, pois então pense melhor, porque ela é um hábito! Quando alguém aceita a condição de pobreza, esse estado mental se torna um hábito, e essa pessoa é e permanece pobre.

HILL:

O que quer dizer com "aceitar a pobreza"? Como falamos em aceitar uma condição tão indesejável quanto a pobreza em um país como o nosso, onde existe uma abundância de riquezas de toda natureza?

CARNEGIE:

Aceitamos a pobreza quando deixamos de criar um plano para adquirir riqueza. Nossa atitude pode ser, como normalmente é, inteiramente negativa, resumindo-se a nada mais que a falta de um objetivo definido. Podemos não ter consciência dessa aceitação, mas o resultado é o mesmo. A mente subconsciente age a partir da atitude mental dominante.

> *Fracasso é muito importante. Falamos sobre sucesso o tempo todo, mas é a capacidade de resistir ao fracasso ou usar o fracasso que muitas vezes leva ao sucesso maior. Conheci pessoas que não querem tentar por medo de fracassar.*
> – J. K. Rowling

HILL:

E da mesma maneira, sucesso é um hábito?

CARNEGIE:

Agora você está entendendo! É claro que sucesso é um hábito. É um hábito que formamos adotando um objetivo principal definido, criando um plano para a conquista desse objetivo e trabalhando nesse plano com toda dedicação. Além disso, a mente subconsciente nos socorre e ajuda inspirando-nos com ideias por meio das quais podemos alcançar nossos objetivos.

HILL:

É verdade, então, que aqueles que nasceram em um ambiente de pobreza onde não veem nada além de pobreza, não ouvem falar sobre nada que não seja pobreza e associam-se diariamente com quem aceitou a pobreza já "começam com o pé esquerdo"?

CARNEGIE:

Isso é absolutamente correto, mas não presuma que não há nada que se possa fazer nessa situação! Porque é fato estabelecido que a maioria das pessoas bem-sucedidas na América começou exatamente nessa condição que você acabou de descrever.

HILL:

Bem, o que se pode fazer para superar uma condição que traz muitas crianças ao mundo em um ambiente de pobreza em um país como o nosso, onde há o bastante para todos? Não existe alguém responsável por ajudar a corrigir essa condição? Crianças indefesas devem ser deixadas entregues ao próprio destino, só porque nasceram no ambiente errado?

CARNEGIE:

Agora está chegando na essência do que eu tinha em mente quando dei a você a missão de organizar essa filosofia da realização, e fico feliz por ver que está se entusiasmando em relação a esse assunto vital. O que proponho que se faça em relação à pobreza estou fazendo agora, preparando você para ajudar as pessoas a superar a pobreza.

Como já lhe disse, estou doando o dinheiro que acumulei, mas isso não resolve nenhuma parte do problema que você mencionou. As pessoas não precisam de uma doação na forma de dinheiro, mas sim de uma doação na forma de conhecimento com que possam se tornar autodeterminantes, não só para acumular dinheiro, mas, mais importante, para aprender como encontrar felicidade nos relacionamentos com outras pessoas.

Os Estados Unidos são o país mais desejável que a civilização já criou, mas ainda há muito trabalho a ser feito antes de se tornar o paraíso que pode ser. Paraíso e pobreza não se misturam! A alma das pessoas não pode crescer enquanto o estômago delas está vazio. A marcha do progresso humano não pode acelerar enquanto a maioria do povo sofre com complexos de inferioridade que derivam do medo da pobreza.

E também preciso chamar sua atenção aqui e agora para o fato de não haver possibilidade de felicidade duradoura para os poucos que têm riquezas, enquanto a maioria de seus vizinhos tem menos que as necessidades básicas da vida.

Mas não conclua erroneamente que estou defendendo um sistema no qual nos tornemos todos socialistas e dividamos nossos bens com os vizinhos. Isso não mudaria a condição de pobreza, porque você deve lembrar que pobreza é um estado mental, um hábito! Presentes materiais não vão salvar ninguém da pobreza. O lugar para começar a mudar a pobreza é na mente do indivíduo, e o jeito para começar é inspirando-o a usar a mente: tornar-se criativo e prestar serviço útil em troca daquilo que deseja.

Esse é um tipo de presente que não pode prejudicar ninguém, e é precisamente o tipo de presente que estou preparando você para levar ao povo norte-americano.

HILL:

Então, você acredita que não podemos tirar proveito máximo de nossa riqueza material, a menos que façamos por merecê-la. Essa é a ideia, Sr. Carnegie?

CARNEGIE:

Exatamente! A meta mais elevada do ser humano é um estado mental conhecido como felicidade. Nunca ouvi falar de ninguém que tenha encontrado felicidade duradoura, exceto por alguma forma de ação pessoal que beneficie outras pessoas. É que o negócio de acumular riqueza, se conduzido com a disposição certa, não só provê as necessidades e os luxos que nossa natureza requer, mas também inspira felicidade em nossas atividades. É parte da natureza inerente da humanidade querer construir, criar e se dedicar a expressão pessoal, ter riqueza material que ultrapasse as reais necessidades da vida e conquistar felicidade proporcional à medida do serviço desempenhado.

HILL:

Você está me levando a águas muito profundas, Sr. Carnegie, mas entendo seu ponto de vista. Está dizendo que a aquisição e a posse de coisas materiais não podem, por si só, causar felicidade, mas o uso dessas coisas, sim. É nisso que acredita?

CARNEGIE:

Não só acredito, como isso é um fato! E eu sei, porque estive dos dois lados da cerca. Comecei na pobreza e trabalhei para chegar à riqueza. Portanto, falo por experiência própria quando afirmo que a riqueza verdadeira consiste não em possuir coisas materiais, mas no uso que se faz dessas coisas. Por isso estou me desfazendo da maior parte de minha riqueza material.

Mas saiba que não a estou distribuindo para indivíduos, eu estou colocando essa riqueza onde ela pode inspirar indivíduos a *se ajudarem*.

HILL:

Sua ideia, então, é dar ao povo norte-americano uma filosofia prática que ajude as pessoas a adquirir riquezas da mesma forma que você as adquiriu, por esforço próprio?

CARNEGIE:

Esse é o único jeito seguro de se adquirir alguma coisa!

Minha meta é fornecer ao povo norte-americano uma filosofia que o torne consciente do sucesso. Esse é o único jeito, até onde eu sei, de superar a consciência da pobreza que você mencionou. Certamente, ela não pode ser eliminada por nenhum sistema que doe coisas materiais. Esse tipo de sistema só amoleceria as pessoas e as tornaria mais dependentes.

Os Estados Unidos precisam de uma filosofia parecida com aquela dos pioneiros que desbravaram o país – uma filosofia de autodeterminação que dê a cada indivíduo um incentivo para adquirir riqueza por si mesmo e um meio prático de alcançar esse fim.

HILL:

Quer dizer que não acredita em caridade, Sr. Carnegie?

CARNEGIE:

É claro que acredito em caridade, mas não se esqueça que a melhor forma de caridade é aquela que ajuda a pessoa a se ajudar. Essa forma de auxílio começa ajudando a pessoa a organizar a própria mente. Toda mente normal tem dentro dela a semente do sucesso e do fracasso. Minha ideia de caridade é um sistema que incentive o crescimento do sucesso e desencoraje o crescimento do fracasso.

Acredito em dar presentes pessoais e materiais apenas quando o indivíduo é incapaz, por deficiência física ou mental, de se ajudar. Mas muitas vezes cometemos erros nesse tipo de caridade gratificando a incapacidade com doações, enquanto ignoramos as possibilidades de incentivar aqueles que são fisicamente incapacitados a começar a usar a mente. Conheço muitas pessoas cujas aflições físicas são suficientes para justificar sua expectativa por caridade, mas elas recusam esse tipo de ajuda, porque encontraram meios de ganhar a vida usando a mente. Assim, elas escapam da humilhação de aceitar ajuda de terceiros.

O único dia fácil foi ontem.
– Navy SEALs dos Estados Unidos

HILL:

Mas você acredita na manutenção de instituições para indigentes e idosos que não conseguem se sustentar?

CARNEGIE:

Não, definitivamente não! A expressão "asilo para pobres" traz conotações que levam ao desenvolvimento de complexos de inferioridade.

Mas acredito em um sistema de compensação para idosos e indigentes, desde que ele permita que o indivíduo viva a própria vida no ambiente de sua escolha.

O jeito apropriado de lidar com esses casos é por meio de um sistema cuidadosamente supervisionado de pensão semanal ou mensal que permita ao indivíduo manter o próprio ambiente doméstico. Não acredito que o sistema deva se limitar à mera doação de dinheiro. Ele deve oferecer algum tipo de atividade mental, se o indivíduo for mentalmente saudável, nem que seja apenas leitura. A maior de todas as maldições é aquela que priva a pessoa de "alimento mental" e as condena ao ócio eterno. Sempre que ouço alguém falar em "se aposentar" da vida ativa eu sinto pena, porque sei que as pessoas não foram criadas para ficarem estagnadas, enquanto tiverem uma mente com a qual pensar. Também sei que nenhuma pessoa ociosa é feliz.

HILL:

Então, não acredita no sistema penitenciário que priva as pessoas de liberdade sem dar a elas uma oportunidade adequada para usar o corpo e a mente de maneira construtiva?

CARNEGIE:

Não, eu não acredito! Esse sistema é brutal, porque algumas pessoas têm tendências criminosas e não são dignas de confiança. Toda prisão deve prover ampla atividade para o corpo e a mente. Os detentos não podem ser recuperados por punição ou ócio. A recuperação só pode acontecer por meio de atividade devidamente orientada, pela força, se necessário, que resulta no desenvolvimento do tipo certo de hábitos.

A maldição do nosso sistema penitenciário é que, geralmente, ele é conduzido como uma forma de "punição", não como um sistema de recuperação! Se você recupera alguém à normalidade, faz isso mudando seus hábitos de pensamento. E isso se aplica tanto para quem está fora da prisão, quanto para quem está dentro dela.

Há milhões de pessoas em uma prisão imaginária, sem terem sido condenadas por nenhum crime. São prisioneiras da própria mente, confinadas por limitações autoimpostas, pela aceitação da pobreza e da derrota temporária. É esse tipo de prisioneiro que espero libertar com a filosofia da realização.

HILL:

Nunca pensei em pessoas livres como prisioneiras, mas sua análise me faz ver que muitas realmente são.

CARNEGIE:

Sim, e a pior parte da história é que milhões desses desafortunados são crianças que nasceram nesse aprisionamento – crianças que não pediram para vir ao mundo, mas se encontram aqui, em uma prisão tão fechada e tão mortal quanto qualquer outra construída com barras de ferro e paredes de pedra. Esses pequenos prisioneiros precisam ser resgatados! O resgate deve começar despertando-os para a percepção do poder da própria mente.

> *Vamos inventar o amanhã, em vez de nos preocuparmos com o que acontectu ontem.*
> – Steve Jobs

HILL:

Onde e como esse despertar começa, Sr. Carnegie?

CARNEGIE:

Ele deve começar em casa e ser realizado também como parte do sistema público de ensino. Mas nada nesse sentido vai acontecer até que alguém apareça com um plano prático que tenha apoio público.

HILL:

E você acha que existe uma necessidade nacional por esse tipo de treinamento suplementar para ensinar às crianças os elementos fundamentais da realização individual com base na iniciativa pessoal?

CARNEGIE:

Essa é uma das maiores necessidades do país. Lembre-se do que eu disse: se um sistema assim não for introduzido, muito em breve vai chegar a hora em que o país deixará de ser a nação de pioneiros que foi no passado. As pessoas se tornarão indiferentes à oportunidade; deixarão de agir por iniciativa própria; passarão a ser vítimas fáceis até da mais branda forma de derrota.

HILL:

Você acredita, então, que parcimônia e espírito de autodeterminação são qualidades que devem ser ensinadas nas escolas públicas?

CARNEGIE:

Sim, e em casa também. Mas o problema com a maioria dos lares é que os pais precisam desse tipo de treinamento tanto quanto as crianças. Na verdade, pais são os piores infratores quando se trata de ensinar crianças a aceitar a pobreza, porque é natural os filhos aceitarem quaisquer condições que os pais aceitem.

HILL:

Então, você acredita que autodisciplina deve começar em casa, e que ela deve ser demonstrada pelos pais na forma de parcimônia, ambição e autossuficiência?

CARNEGIE:

Sim, o lar é o primeiro lugar onde uma criança tem uma impressão da vida, e é onde a criança frequentemente adquire hábitos de fracasso que duram a vida toda. Pesquise o histórico de qualquer pessoa bem-sucedida, e você vai descobrir que em algum lugar, provavelmente na infância, ela teve a influência de alguém com consciência de sucesso, talvez um membro da família ou parente próximo.

Quem desenvolve uma consciência de sucesso dificilmente permite que ela seja sufocada pela derrota. Pode-se dizer que consciência de sucesso confere uma espécie de imunidade contra todas as formas de derrota.

HILL:

Então, Sr. Carnegie, deve ter aprendido a partir de sua ampla e variada experiência com pessoas quais são as maiores causas de fracasso.

CARNEGIE:

Sim, eu ia chegar a isso em alguns minutos, porque é essencial que uma filosofia prática de realização individual inclua as causas de sucesso e fracasso. Você pode se surpreender por saber que existem quase duas vezes mais causas de fracasso do que de sucesso.

HILL:

Pode citar as causas em ordem de importância?

CARNEGIE:

Não, isso não seria prático, mas vou mencionar algumas e colocá-las no topo da lista as mais comuns de todas as causas de fracasso:

1. O hábito de vagar pela vida sem um objetivo principal definido. Essa é uma das principais causas de fracasso, na medida em que leva a outras causas de fracasso.
2. Base hereditária desfavorável desde o nascimento. A propósito, essa é a única causa de fracasso que não é passível de eliminação, e até ela pode ser superada, com a ajuda do princípio do MasterMind.

3. O hábito de bisbilhotar assuntos de outras pessoas, com o qual se acaba desperdiçando tempo e energia.

4. Preparação inadequada para o trabalho a que o indivíduo se dedica, especialmente escolaridade inadequada.

5. Falta de autodisciplina, geralmente manifesta por excessos com comida, álcool e sexo.

6. Indiferença diante de oportunidades de avanço pessoal.

7. Falta de ambição para querer mais que a mediocridade.

8. Falta de saúde, frequentemente causada por pensamento errado, dieta inadequada e exercícios insuficientes.

9. Influências ambientais desfavoráveis durante a infância.

10. Falta de persistência para terminar aquilo que se começa (devido, na maioria das vezes, à falta de objetivo definido e autodisciplina).

11. O hábito de manter uma atitude mental negativa em relação à vida de maneira geral.

12. Falta de controle sobre as emoções por meio de hábitos intencionais e benéficos.

13. Desejo de ganhar algo sem dar nada em troca, normalmente expresso por jogo e prática mais ofensiva de desonestidade.

14. Indecisão e indefinição.

15. Um ou mais dos sete medos básicos: pobreza, crítica, falta de saúde, perda do amor, velhice, perda de liberdade e morte.

16. Escolha errada de um parceiro no casamento.

17. Excesso de cautela nos negócios e nas relações profissionais.

18. Deixar coisas demais ao acaso.

19. Escolha errada de parceiros de negócios e associados na profissão.

20. Escolha errada de vocação ou total fracasso para fazer uma escolha.

21. Falta de concentração, levando à perda de tempo e energia.

22. Hábito de gastar indiscriminadamente, sem um controle de orçamento sobre renda e despesas.

23. Deixar de programar e usar o tempo apropriadamente.

24. Ausência de entusiasmo controlado.

25. Intolerância – mente fechada com base particularmente em ignorância ou preconceito em relação a religião, política e economia.

26. Deixar de cooperar com os outros em espírito de harmonia.

27. Busca desenfreada por poder ou riqueza que não são conquistados por mérito.

28. Falta de espírito de lealdade onde ela é devida.

29. Egocentrismo e vaidade descontrolados.

30. Egoísmo exagerado.

31. O hábito de formar opiniões e construir planos sem baseá-los em fatos conhecidos.

32. Falta de visão e imaginação.

33. Deixar de fazer uma aliança MasterMind com pessoas cuja experiência, educação e habilidade natural são necessárias.

34. Deixar de reconhecer a existência da força da Inteligência Infinita e os meios de se adaptar a ela.

35. Profanidade de fala, refletindo, como é de fato, a evidência de uma mente suja e indisciplinada e de vocabulário inadequado.

36. Falar antes de pensar. Falar demais.

37. Cobiça, revanchismo e ganância.

38. O hábito da procrastinação, muitas vezes baseado em simples preguiça, mas geralmente resultante da falta de um objetivo principal definido.

39. Falar com maldade de outras pessoas, com ou sem causa.

40. Ignorância da natureza e do poder do pensamento e falta de conhecimento sobre os princípios de funcionamento da mente.

41. Falta de iniciativa pessoal devido, de maneira geral, à falta de um objetivo principal definido.

42. Falta de autossuficiência devido também à falta de um motivo obsessivo baseado em um objetivo principal definido.

43. Falta de fé em si mesmo, no futuro, em seus semelhantes, em Deus.

44. Falta de uma personalidade atrativa.

45. Deixar de desenvolver a força de vontade por hábitos de pensamento os voluntários e controlados.

Essas não são todas as causas de fracasso, mas representam a maior parte delas. Todas essas causas, exceto a número dois, podem ser eliminadas ou controladas pela aplicação do princípio de definição de um objetivo principal e domínio de força de vontade. Pode-se dizer, portanto, que a primeira e a última dessas causas de fracasso controlam todas as outras, menos uma.

NOTA DO EDITOR:

Sou constantemente surpreendido por como Carnegie e Hill conseguem chegar ao xis das questões de maneira eficiente com uma lista simples. Leia todos esses itens, e tenho certeza de que você vai conseguir pensar em pessoas na sua vida que personificaram uma ou mais dessas causas que levam a algum tipo de fracasso. Talvez você possa refletir sobre momentos em sua vida em que não estava alcançando os resultados que desejava, no plano pessoal ou profissional, e fazer um diagnóstico exato do que aconteceu.

A melhor parte? A solução para cada fraqueza é, geralmente, seu oposto – isso é o que faz essa lista tão poderosa. A estrada para a realização pode ser simples, como mostra a lista, mas não é fácil. A aplicação da força de vontade consistente orientada para um fim definido é o que nos permite alcançar nossos objetivos conferindo-nos o espírito para enfrentar a adversidade, quando ela inevitavelmente surgir.

HILL:

Quer dizer que se a primeira e a última dessas 45 causas de fracasso forem dominadas, pode-se afirmar que o indivíduo está adiantado na estrada para o sucesso?

CARNEGIE:

Sim. Se alguém está trabalhando pela conquista de um objetivo principal definido e tem sua força de vontade tão organizada que está dirigindo as forças da mente, eu diria que essa pessoa já tem o sucesso em seu campo de visão.

HILL:

Mas só esses dois princípios não são suficientes para salvar o indivíduo da derrota, são, Sr. Carnegie?

CARNEGIE:

Não, mas são suficientes para permitir que ele se recupere e siga com os planos. Como já disse, autodisciplina significa que um indivíduo não vai aceitar nenhuma circunstância de derrota como algo maior que uma experiência temporária que serve como impulso para um esforço maior.

O jeito mais certo de ter sucesso é sempre tentar só mais uma vez.

- Thomas Edison

HILL:

Suponha que a derrota seja de tal natureza que prejudique seriamente o uso do corpo físico – por exemplo, a perda das pernas ou das mãos, ou um evento que limite o uso do corpo ou o impeça completamente. Isso não seria um prejuízo sério?

CARNEGIE:

Certamente, seria um prejuízo, mas não teria que ser necessariamente aceito como uma derrota permanente. Algumas das pessoas mais bem-sucedidas que o mundo já viu alcançaram seu maior sucesso depois de terem sofrido uma aflição física. Mais uma vez, quero lembrar que o princípio do MasterMind é suficiente para garantir ao indivíduo todo tipo de conhecimento disponível à humanidade, e ele pode ser usado para ocupar o lugar de todo esforço físico.

HILL:

Sim, é claro! Então, se a pessoa deixa de aplicar o princípio do Master-Mind, ela pode ser derrotada por causa da própria negligência, uma vez que existe uma solução disponível para ela?

CARNEGIE:

Você entendeu a ideia corretamente. O princípio do MasterMind pode ser usado como um substituto para tudo, sendo a única exceção o uso do cérebro. Enquanto a pessoa pensar, ela pode usar esse princípio. E às vezes acontece que a pessoa não descobre as possibilidades de sua mente até ser privada do uso de alguma função importante do corpo. Nesses casos, pode-se dizer, de maneira geral, que o prejuízo físico se torna uma bênção disfarçada.

Conheço um homem cego que é um dos mais bem-sucedidos professores de música nos Estados Unidos, senão no mundo todo. Antes de ser acometido por sua aflição, ele ganhava apenas um salário modesto como membro de uma orquestra. A enfermidade teve o efeito de apresentá-lo a um campo maior de oportunidades com uma renda muito maior.

Helen Keller usou sua aflição para se tornar uma das grandes mulheres da América.

HILL:
A adversidade foi sua bênção disfarçada?

CARNEGIE:
Sim, e acontece de tal forma que, às vezes, o disfarce não é tão grande. Se um prejuízo físico tem o efeito de fazer as pessoas se armarem com maior força de vontade, ele pode ser, e normalmente é, uma bênção óbvia. Tudo depende da atitude que as pessoas adotam em relação a seu prejuízo físico. Se elas são realmente autodisciplinadas, vão transformar essa aflição em vantagem de um jeito ou de outro.

NOTA DO EDITOR:
Vários anos atrás, entrevistei o veterano do exército Todd Love, cuja capacidade para transformar adversidade em bênção era extraordinária. Durante o serviço no Afeganistão, com uma carabina M4 na mão direita e um detector de metais na esquerda, Love, então com vinte anos, conduzia os companheiros fuzileiros para um complexo vazio para escapar de ameaças. Todd pisou em um artefato explosivo improvisado (IED), e a explosão o arremessou cinco metros para trás. O IED era feito de cobre com reduzido teor metálico, o que impediu a ação do detector de metais.

A primeira lembrança de Love depois do incidente era de acordar em um hospital na Alemanha dois dias depois. Com muita dor, ele deduziu que devia ter pisado em um IED, mas como estava sob efeito de forte medicação, não se deu conta da extensão de seus ferimentos.

Vários dias mais tarde, depois de ser levado aos Estados Unidos para continuar o tratamento, Love disse: "Comecei a ficar curioso e fui tocar minha perna, mas ela simplesmente não estava lá. Tudo o que senti foi a cama do hospital". Pouco depois ele percebeu que tinha perdido as duas pernas na explosão.

Uma das mãos estava coberta por curativos, e tinha sido tão terrivelmente destruída que os médicos recomendaram amputação na altura do cotovelo. Love concordou com a recomendação médica, e depois da amputação ele ficou com apenas um membro inteiro. Seu corpo tinha sido literalmente dilacerado.

Não teria sido compreensível se Love odiasse o mundo e passasse o resto da vida mergulhado em autopiedade? Com toda certeza seria, mas Love não permitiria que fosse assim. Aquele que se autodenominava viciado em adrenalina tornou-se fã de paraquedismo e até completou a Spartan Race, uma tenebrosa pista de obstáculos, em cinco ocasiões. Uma simples busca por "Todd Love" em imagens da internet apresenta um mosaico de inspiração e coragem.

Love descreve o incidente como uma "bênção". Ele me explicou: "Aquilo fez me apaixonar pela vida novamente. Embora tenha que enfrentar esses obstáculos, comecei notando de verdade todas as pessoas que realmente amo e com quem me importo. A vida é isso. Todo mundo está enfrentando alguma coisa na vida agora. Minhas lesões são óbvias, mas todos temos diferentes dificuldades com que lidar na vida. O importante é se manter positivo e focar no que pode controlar".

Embora seu corpo tenha sido danificado, Love conseguiu manter um ponto de vista que abrangia mais que suas circunstâncias. Como Carnegie nos lembrou antes: "Às vezes a pessoa não descobre as possibilidades da própria mente até ser privada do uso de alguma parte essencial do corpo físico. Nesses casos, pode-se dizer que o prejuízo físico se torna uma bênção disfarçada".

Seja qual for a narrativa que contamos a nós mesmos, nunca há uma desculpa válida para a derrota permanente.

HILL:

É verdade, no entanto, Sr. Carnegie, que muitas pessoas que sofrem graves danos físicos aceitam sua aflição com uma atitude negativa, usando essa dificuldade como desculpa para o fracasso, em vez de um desafio para se apoderar da própria mente?

CARNEGIE:

Infelizmente, sim, isso é verdade. Mas aquele que desiste vai encontrar uma desculpa para o fracasso, seja qual for a condição de seu corpo. E imagino que haja mais desistentes fisicamente aptos do que pessoas que desistem por causa de um problema físico.

Em um país como o nosso, onde oportunidade para progresso pessoal é abundante em todas as áreas de serviço útil, não pode haver desculpa satisfatória para o fracasso completo, exceto a que pode resultar de prejuízo mental. Helen Keller provou que a perda de dois dos mais importantes dos cinco sentidos não precisam condenar ninguém ao fracasso. Pelo uso da força de vontade, ela superou suas deficiências físicas de maneira muito definitiva. Com a ajuda do princípio do MasterMind, ela prestou um serviço útil ensinando ao mundo todo a necessária lição de que a mente não precisa permanecer aprisionada, apesar de o corpo físico ser muito deficiente. Beethoven deu uma demonstração semelhante depois de perder a audição.

Às vezes, a perda de qualidades físicas tende a fortalecer as qualidades mentais, e ainda não conheço ninguém que tenha alcançado grande sucesso sem ter enfrentado e superado grandes dificuldades na forma de derrota temporária. Toda vez que alguém se ergue de uma derrota, torna-se mentalmente e espiritualmente mais forte. Assim, com o tempo, é possível encontrar o verdadeiro eu interior por meio da derrota temporária.

> *Se a Grã-Bretanha não tivesse sido derrotada pelas colônias na Revolução Americana, talvez não tivesse se beneficiado da cooperação amigável dos Estados Unidos na Segunda Guerra Mundial.*
> – Napoleon Hill

HILL:

Desde que assumam a correta atitude mental em relação à derrota?

CARNEGIE:

É claro! Isso é evidente. Nada pode ajudar a pessoa que desiste no momento em que é derrotada. E vale o oposto, nada pode deter a pessoa que aceita a derrota como um desafio para fazer um esforço maior. A vontade de viver e vencer, apesar da derrota, promove uma força estranha e desconhecida que auxilia o indivíduo e tem confundido a ciência ao longo de eras.

Esse tipo de vontade influencia todo tipo de circunstâncias desfavoráveis, e oferece ao indivíduo um aliado misterioso, invisível, que parece não reconhecer circunstâncias como obstáculos, mas as transforma em degraus. Toda pessoa observadora já notou isso, mas até o momento ninguém isolou sua causa.

HILL:

Seria benéfico para a pessoa nunca ter conhecido nenhum tipo de derrota, ou isso seria prejudicial?

CARNEGIE:

Meu palpite é que o ego humano não poderia suportar ser tão inflado em uma pessoa que nunca fracassasse em nada. Sempre pensei que a derrota pode ser uma associada bem próxima da Lei da Compensação, sobre a qual Emerson escreveu: "Ela ajuda a manter o homem mentalmente equilibrado, na medida em que prova que ele é só um homem, afinal!".

Ao mesmo tempo, também parece que a derrota pode ser um plano arranjado com sabedoria para testar as pessoas. Tiro essa conclusão do fato de grandes líderes sempre darem a impressão de terem sido forçados a suportar mais que o número mediano de derrotas pessoais. No mundo industrial, onde conheço melhor as reações às experiências pessoais de derrota, tenho observado que ninguém é líder por muito tempo, a menos que desenvolva a autodisciplina necessária para transformar a derrota em um desafio para um esforço maior.

Minha teoria é que cada vez que uma pessoa se recusa a aceitar a derrota como algo temporário, essa pessoa adquire uma porção proporcional e maior de controle sobre sua força de vontade. Portanto, pode-se, com o tempo, realmente desenvolver uma vontade indomável por meio do efeito estimulante da derrota. Então, também não se pode escapar do fato de que a superação da derrota desenvolve maior capacidade de fé, aquele estado mental que remove todas as limitações da mente.

HILL:

Então, você acredita que não podemos usar o poder da fé até superarmos o hábito de aceitar a derrota como fracasso permanente?

CARNEGIE:

Sim, é nisso que acredito. Fé é um estado de espírito em que a pessoa parece ter sido tão guiada em seus pensamentos, que os fins não alcançados são claramente revelados, embora ela possa não ter evidência material para sustentar essa crença. É óbvio que, enquanto a mente for limitada pela aceitação da derrota como algo permanente, ela não se abre para a influência da fé.

Você pode dizer, portanto, que autodisciplina em relação à nossa atitude diante da derrota é uma parte essencial da preparação necessária para a aplicação da fé.

A fé nos permite acreditar em fins inalcançados, embora tenhamos sido temporariamente derrotados em nossos esforços para alcançar esses fins.

HILL:

Derrota, então, deve ser aceita como uma espécie de treinamento preliminar necessário para fazer a aplicação prática da fé. É essa a ideia?

CARNEGIE:

Sim, esse é um jeito de colocar, mas muita gente confunde confiança e fé. Confiança é um estado mental no qual acreditamos em alguma coisa por causa de evidência material ou uma hipótese razoável de fatos relacionados à sua realidade. Fé é um estado de espírito em que acreditamos em alguma coisa mesmo sem ter a menor forma de evidência material de sua realidade presente. Confiança é o produto da faculdade da razão. Fé passa por cima da faculdade da razão, ignora toda evidência material e nos capacita a acreditar no inatingível e no invisível.

A fé provavelmente opera pela parte subconsciente da mente, que, de acordo com a teoria mais aceitável, é o elo entre a mente finita e a Inteligência Infinita. Se essa teoria é correta, a fé é, então, a luz revelada da Inteligência Infinita brilhando forte na mente consciente.

Tentaram nos enterrar.

Não sabiam que éramos sementes.

– Provérbio grego

HILL:

Acho que entendo o que quer dizer. Por exemplo, quando Edison criou a primeira máquina falante [fonógrafo], não tinha evidência material da viabilidade de tal máquina, já que ninguém havia aperfeiçoado uma, mas ele concebeu uma ideia tão clara, que teve fé em sua existência como uma teoria plausível e fé na própria capacidade de produzir a máquina. É isso?

CARNEGIE:

Não, eu colocaria de outra maneira. Foi revelada a ele, por meio de sua capacidade de fé aplicada, a teoria existente da máquina falante, e ele teve confiança na própria capacidade de aperfeiçoar o aparato físico necessário para dar àquela teoria uma aplicação prática. Sua invenção foi, portanto, uma combinação de autossuficiência ou confiança e fé. A confiança nele mesmo tinha por base sua conhecida capacidade e experiência na criação de equipamentos mecânicos. Obviamente, sua fé não era resultado de confiança na própria capacidade, baseada em sua experiência, porque ele nunca tinha tido a experiência de construir uma máquina falante.

Quando as pessoas acreditam em fatos materiais conhecidos ou prováveis, ou o que presumem ser fatos existentes, nenhuma fé é necessária para a crença, porque elas são guiadas pela razão. Mas quando a pessoa acredita no desconhecido, no que não foi comprovado, e no que pode ser improvável – por enquanto, pelo menos – sua crença se torna fé. A diferença entre confiança e fé é difícil de explicar, mas é importante que se entenda essa distinção.

A lâmpada incandescente foi inventada pelo Sr. Edison por uma combinação de confiança e fé. Ele tinha confiança em sua capacidade de produzir luz aplicando energia elétrica a um fio e aquecendo-o, porque tinha evidências, na experiência de outros antes dele, de que isso podia ser feito.

Mas ele descobriu que só confiança não era suficiente para obter uma lâmpada perfeita. Ele precisava de alguma coisa para poder controlar o calor do fio, de forma que o fio fornecesse luz sem queimar. Ele não tinha evidência de que o fator necessário para o controle existia, mas tinha *fé*, e essa fé o conduziu por milhares de derrotas temporárias até ele encontrar esse fator. Nada além de fé poderia ter sustentado alguém em tantas derrotas.

Você pode dizer, portanto, que a lâmpada elétrica incandescente foi concebida pela confiança de Edison e aperfeiçoada por sua fé.

Agora ficou clara a diferença entre confiança e fé?

HILL:

Sim, Sr. Carnegie, perfeitamente clara. Confiança é a filha da razão, baseada em evidência material. Fé é a luz revelada da Inteligência Infinita, trabalhando sem evidência material.

CARNEGIE:

Bem, vamos ser conservadores e dizer que fé é luz revelada trabalhando sem evidência material. Não podemos provar que ela é a luz projetada da Inteligência Infinita, embora possamos ter fé que ela seja. Não podemos chegar mais perto de estabelecer a verdadeira origem do poder da fé do que de provar a verdadeira origem da eletricidade, mas podemos fazer uso prático das duas forças, então, não vamos ser minuciosos demais nas definições.

Na verdade, não sabemos o que é a vida ou de onde ela se origina, mas podemos fazer uso sensato da vida nos adaptando às leis conhecidas da natureza. Podemos ter fé no poder infinito que cria vida.

HILL:

A partir de sua análise da derrota, tenho a impressão de que acredita que há benefícios em todas as formas de derrota.

CARNEGIE:

Sim, não só acredito nisso, como é verdade. O benefício consiste na atitude mental que se adota diante da derrota. Uma atitude negativa pode transformar derrota em fracasso permanente e fazer dela, portanto, um dano. Uma atitude mental positiva em relação à derrota a transforma em um meio benéfico de autodisciplina pelo qual se obtém maior controle sobre a força de vontade.

Portanto, é fácil entender sob quais condições a derrota pode se tornar uma ajuda ou um prejuízo. A escolha é inteiramente da preferência do indivíduo, porque ela está sob o controle do indivíduo. Nem sempre posso controlar as origens da derrota, mas posso controlar minha atitude em relação à derrota quando ela me atingir. Isso é claro para você?

HILL:

Muito claro! A partir de sua análise da derrota entendo que se deve desenvolver voluntariamente o hábito de aceitá-la como um desafio para tentar de novo.

CARNEGIE:

Sim, mas você não enfatizou o suficiente a palavra "hábito". Isso é o mais importante. Derrotismo, a maldição de tanta gente, é resultado do hábito de aceitar a derrota como final. É preciso reverter esse hábito substituindo-o por seu oposto. A atitude de alguém em relação a uma única experiência de derrota não é importante, mas é a atitude *repetida* dessa pessoa em relação a essa experiência que conta, porque repetição cria o hábito.

NOTA DO EDITOR:

"Repetição cria o hábito." Adoro como essa frase é sucinta. Pare um pouco e pense em como você passou o dia, ou, se está lendo este livro de manhã, reflita sobre ontem. Faça uma lista de três atos que o levaram mais perto de seus objetivos e três atos que o afastaram deles. Do lado positivo, pode ter sido ir a uma aula de ioga e ler um livro como este; do lado negativo, pode ter sido e assistir à TV durante duas horas, comendo bobagens.

Agora veja algumas das citações mais famosas sobre hábito, algumas de milhares de anos atrás:

"Uma jornada de mil milhas começa com um único passo." - Provérbio chinês

"Como você faz alguma coisa é como você faz tudo." - Provérbio budista

"Excelência não é um ato isolado, mas um hábito". - Frequentemente atribuído a Aristóteles

"Roma não foi construída em um dia." - Provérbio francês

"Cuide dos centavos, e as libras cuidarão delas mesmas." - Lorde Chesterfield

"Um grama de prevenção vale um quilo de cura." - Benjamin Franklin

"Pessoas bem-sucedidas não nascem assim. Elas se tornam bem-sucedidas estabelecendo o hábito de fazer coisas que pessoas malsucedidas não gostam de fazer." - William Makepeace Thackeray

"Progresso da melhor espécie é relativamente lento. Grandes resultados não podem ser conquistados imediatamente; e devemos ficar satisfeitos por avançar na vida à medida que andamos, passo a passo." - Samuel Smiles

"Não existe outro caminho para a genialidade senão o do esforço voluntário." - Napoleon Hill

"A qualidade da vida de uma pessoa é diretamente proporcional ao seu compromisso com excelência, independentemente da área de atuação que ela escolheu." - Vince Lombardi

"Ocupe-se vivendo ou ocupe-se morrendo." – Andy Dufresne (*Um sonho de liberdade*)

"Sinfonias começam com uma nota; incêndios, com uma chama; jardins, com uma flor; e obras-primas, com uma pincelada." – Matshona Dhliwayo

Tenho certeza de que você consegue pensar em mais algumas. Essas citações ressaltam que sucesso não é mais que o acúmulo de pequenas vitórias, como o fracasso é o acúmulo de perdas progressivas – e em muitos casos inconsequentes, aparentemente. A decisão de viver com propósito não só nos capacita a adquirir clareza sobre que tarefas devemos cumprir, como também nos dá um empurrão mental para concluir essas tarefas antes de encerrar cada dia.

Repetição cria o hábito, e uma estrutura diária cuidadosamente projetada facilita essa repetição. Se ainda não fez isso, use *The Napoleon Hill Success Journal* para se manter focado e responsável. Ele foi criado com um propósito em mente: garantir seu sucesso em longo prazo.

CARNEGIE:

Se Edison não tivesse entendido que toda derrota é temporária e não precisa ser aceita como nada além disso, ele não teria prosseguido, mediante milhares de derrotas, até encontrar o princípio desconhecido de que precisava para fazer da lâmpada elétrica incandescente um sucesso.

Veja, portanto, que essa atitude em relação à derrota significa a diferença entre sucesso e fracasso. Ele apenas usou cada derrota como um tijolo no muro da fé, e quando esse muro ficou alto o bastante para elevá-lo acima das limitações do conhecimento que estavam em seu caminho, ele olhou por cima do muro, viu a resposta para seu problema, apropriou-se dela e a usou!

O mundo tem evidências muito convincentes de que não precisamos parar só porque fomos atingidos pela derrota. Chamamos essa qualidade de *engenhosidade*. A pessoa engenhosa nunca é permanentemente derrotada.

Não me lembro de ter assumido alguma grande operação na indústria do aço em que não tenha encontrado a derrota de uma forma ou de outra. No início de minha carreira nessa indústria, o preço do aço era de cerca de US$ 130 por tonelada, e algumas das pessoas mais capazes da área diziam que o preço não podia ser materialmente reduzido.

Eu não aceitava essa crença.

Tinha fé na possibilidade do aço a US$ 20 por tonelada. Chamo meu estado mental de fé porque não tinha evidência de que o aço podia ser produzido por um preço tão baixo. Guiado pela fé, fui trabalhar para baixar o preço do aço, e não preciso lhe dizer que, antes de alcançar meu objetivo, enfrentei diversas derrotas. Se eu tivesse aceitado a derrota como permanente, o preço do aço provavelmente ainda estaria em torno de US$ 130 por tonelada.

HILL:

Qual seria o maior benefício que podemos receber com a derrota, Sr. Carnegie?

CARNEGIE:

Bem, há tantas lições que podemos aprender com a derrota, que é difícil dizer qual pode ser a mais valiosa, mas posso responder à sua pergunta de outro jeito, dizendo que o maior benefício em potencial que recebemos dessa experiência está no fato de ela poder servir para fortalecer nossa força de vontade. Isso nos torna engenhosos.

Digo benefício em *potencial*, porque a maioria das pessoas permite que a derrota enfraqueça sua força de vontade, em vez de fortalecê-la. A derrota torna-se um benefício apenas por intermédio de autodisciplina suficiente para nos permitir transformar a experiência em um desafio para avançar com um esforço renovado e maior.

HILL:

Você acredita que essa questão sobre nossa atitude em relação à derrota é o maior fator determinante de sucesso ou fracasso?

CARNEGIE:

Bem, eu não iria tão longe a ponto de chamar de fator mais importante, mas certamente é uma das causas mais comuns do fracasso. Toda vez que aceitamos a derrota como final, enfraquecemos nossa faculdade da vontade e a desestimulamos a nos servir. Se permitirmos que essa atitude se instale, com o tempo ela destruirá completamente o uso prático da vontade.

HILL:

Então, você acredita que se deve tomar uma atitude apropriada em relação a toda derrota, mesmo quando é de tal natureza que as perdas causadas por ela não podem ser inteiramente recuperadas? É essa a ideia?

CARNEGIE:

Sim, é isso! Não existe forma de derrota que não possa render algum benefício, mesmo que não seja mais que uma oportunidade para provar que temos força de vontade para nos recusarmos a reconhecer a derrota como fracasso permanente. Isso não só fortalece nossa força de vontade, mas também desenvolve a autoconfiança. Se criarmos o hábito de aceitar a derrota facilmente, é só uma questão de tempo até não termos nenhuma autoconfiança, e esse tipo de fraqueza é fatal para a realização individual.

HILL:

A idade tem alguma coisa a ver com nossa atitude em relação à derrota? Por exemplo, é verdade que uma pessoa mais velha é mais propensa a aceitar a derrota como permanente do que um jovem, que não foi esgotado por repetidas derrotas?

CARNEGIE:

Em alguns casos, talvez isso seja verdade. Mas não precisa ser verdade, e não deve, porque, com a idade, vem a sabedoria. A pessoa mediana que alcança o sucesso financeiro raramente começa a realmente caminhar para o acúmulo de coisas materiais até que tenha passado dos quarenta anos.

Agora, quando digo que sabedoria vem com a idade, quero dizer, é claro, que ela chega para aqueles que adquirem consciência da real natureza da mente e formam o hábito de se recusar a aceitar a derrota como permanente.

Rugas deveriam indicar apenas onde estiveram os sorrisos.
– Mark Twain

HILL:

Então, não é a idade o fator determinante em nossa atitude em relação à derrota. São os hábitos com os quais disciplinamos a mente, ou talvez a ausência de hábitos controlados?

CARNEGIE:

Agora você foi preciso. Mas nenhuma atitude mental ou hábito de pensamento pode mudar o fato de a sabedoria ser adquirida com a maturidade dos anos e a experiência prática. Os jovens raramente têm o equilíbrio de julgamento e razão que vem com a idade e a experiência. Por isso tenho dois tipos de pessoas no meu grupo MasterMind:

- Planejadores: os que têm uma experiência madura, cujo julgamento é confiável.
- Batalhão de ação: os que põem em prática os planos criados pelas pessoas mais experientes. Em alguns casos, é claro, os planos são produto mental dos dois grupos, mas a decisão do mais experiente prevalece quando há uma diferença de opinião.

HILL:

Então, você não acredita em mandar as pessoas se aposentarem quando elas começam a envelhecer?

CARNEGIE:

Isso depende inteiramente das pessoas. Algumas precisam se "aposentar" por causa da atitude mental e dos hábitos. Minha política sempre foi colocar as pessoas em posições de supervisão, desde que as condições permitam, quando elas chegam a uma idade em que têm menos capacidade que os jovens para desempenhar o trabalho físico. Assim, a experiência delas é preservada para o benefício daqueles que ainda não conquistaram uma experiência equivalente.

HILL:

Suponho que sua política em relação aos funcionários mais velhos não se baseie apenas em motivos filantrópicos.

CARNEGIE:

A indústria moderna não pode ser operada apenas por motivos filantrópicos! Quem tenta administrar seus negócios empregando somente quem precisa de emprego, ou por motivo de simpatia, logo enfrentará dificuldades econômicas. Os negócios modernos são muito competitivos. Para ter sucesso, um negócio precisa ser administrado pela razão, não pela emoção. As pessoas devem ser caridosas, mas não precisam acabar com o próprio negócio a fim de praticar atos de caridade.

HILL:

Então, você considera um ato de bom senso empresarial encontrar meios de preservar os benefícios da experiência de pessoas idosas?

CARNEGIE:

Exatamente! Nenhum negócio de grandes proporções poderia operar de maneira bem-sucedida sem a influência orientadora da experiência. A aquisição de experiência é custosa e requer tempo. Os negócios modernos não podem esperar a necessária passagem do tempo para que as pessoas ganhem experiência, nem suportar a perda que resulta da inexperiência. Portanto, um negócio bem-sucedido requer a mão orientadora da experiência na supervisão do inexperiente. Só assim uma empresa pode evitar e assimilar os erros dos principiantes.

HILL:

Você acredita, então, que bons conselhos podem ser tão úteis quanto a ação física enérgica na administração de uma indústria?

CARNEGIE:

Ambos são necessários. Bom aconselhamento evita erros e falhas que custam caro. Aquele velho ditado que diz que "um grama de prevenção vale um quilo de cura" é mais que um axioma. É uma boa filosofia empresarial. E ela se aplica tão bem a indivíduos quanto à administração de uma indústria. Se as pessoas parassem para se informar devidamente antes de agirem, sofreriam menos derrotas. Julgamento imediato, impaciência e indiferença em relação a fatos estão na raiz de muitas derrotas.

Toda indústria bem administrada deveria ter uma fonte de checagem de fatos formada por pessoas experientes. Temos essas pessoas em nosso departamento de pesquisa. Elas não oferecem opiniões pessoais e não expressam sentimentos emocionais. Seu trabalho é apenas organizar os fatos essenciais para a produção e a venda de aço. Sem a ajuda dessas pessoas, não poderíamos operar de maneira lucrativa.

Temos outro grupo que reúne fatos em planos funcionais. Ali é possível encontrar muita emoção, visão criativa, entusiasmo, imaginação e todas as outras qualidades necessárias para dar vida e ação aos fatos. Esse grupo projeta o trabalho de nossas fábricas.

Temos ainda mais um grupo conhecido como estafe operacional. Eles transplantam os planos do estafe de planejamento para a ação. Cada movimento que fazem foi cuidadosamente planejado para eles. Isso economiza tempo e esforço e evita erros custosos.

Pela coordenação entre esses três grupos, conseguimos operar a indústria do aço de forma lucrativa, garantindo assim emprego estável para todos nós. Os erros que evitamos são diretamente proporcionais à extensão em que coordenamos nossos esforços de forma harmoniosa. Se cada indivíduo faz sua parte e a faz bem, nossos erros são poucos. Eles consistem principalmente em acidentes que não podem ser antecipados.

HILL:

Então é possível planejar um negócio de tal forma que ele opere com lucro?

CARNEGIE:

Oh, sim, é possível, mas o histórico de negócios geralmente mostra que o negócio mediano não é cientificamente administrado como descrevi. A emoção humana desempenha um papel muito importante na maioria dos negócios. Há uma falta de planejamento, uma falta de coordenação de esforços entre as pessoas que operam a empresa.

Talvez não seja uma má ideia lembrar que o índice de fracasso entre indivíduos pode ser atribuído, em grande parte, à mesma causa. Uma vida individual cuidadosamente planejada é o único tipo que tem mais que uma chance média de sucesso. Por isso me preocupo tanto com dar ao povo norte-americano uma filosofia confiável de realização individual. Quero que os indivíduos possam administrar a vida pessoal tão economicamente quanto são administradas as indústrias bem-sucedidas, e isso é possível!

HILL:

Quer dizer que derrotas individuais podem ser reduzidas com uma compreensão adequada das principais causas de derrota e dos princípios de realização bem-sucedida?

CARNEGIE:

Sim, e também quero dizer que a derrota propriamente dita pode ser convertida em um bem de valor inestimável com o tipo certo de atitude mental em relação à derrota. Há derrotas inevitáveis, mas não existe nenhuma forma de derrota que não possa render benefícios de valor inestimável com o desenvolvimento de autodisciplina.

É só por meio de autodisciplina que se pode tomar plena posse da mente. Derrota é, ou pode ser, um poderoso construtor de autodisciplina. Ela pode ser usada como alimento para o desenvolvimento da força de vontade, pela qual toda autodisciplina é administrada.

HILL:

Entendo seu ponto de vista. A derrota pode se tornar combustível para o fogo da força de vontade ou água para apagar o fogo, de acordo com a atitude mental do indivíduo em relação a ela.

CARNEGIE:

Seu exemplo coloca a questão claramente. Poderia ser mais impressionante se você tivesse dito que a derrota se torna combustível para o fogo da força de vontade ou água para apagar o fogo, de acordo com os hábitos de atitude mental com os quais ela é aceita. Hábito é o que importa. Você pode dizer que autodisciplina é o ato de desenvolver e controlar hábitos de pensamento e ação.

HILL:

Entendo o que quer dizer. Autodisciplina é a ferramenta da força de vontade, porque só pelo exercício da força de vontade esses hábitos são voluntariamente formados e controlados?

CARNEGIE:

Esse é o princípio que eu tinha em mente. Queria garantir que você compreendesse que a autodisciplina é um método, um meio para um fim, na formação e no controle de hábitos de pensamento e ação, que é sujeita inteiramente à força de vontade. Pode-se resumir tudo isso em poucas palavras dizendo que a autodisciplina é a força de vontade em ação.

HILL:

Não é verdade, Sr. Carnegie, que a derrota temporária resultante de doença ou aflição física tem o efeito, às vezes, de promover maior força espiritual?

CARNEGIE:

Já vi acontecer. Sempre acreditei que a tremenda capacidade de Thomas A. Edison para superar a derrota derivava do poder espiritual que ele adquiriu com a autodisciplina relacionada à perda de audição. É fato conhecido que a perda ou o prejuízo de qualquer um dos sentidos físicos tende a fortalecer um ou mais dos outros sentidos. Esse é o caminho natural para compensar o indivíduo pela perda inevitável.

Quando fortalecemos a vontade para superar qualquer enfermidade física, acrescentamos força permanente a ela. Portanto, a natureza nos deu um meio com o qual podemos compensar deficiências físicas. Mas a força de vontade pode ser fortalecida por qualquer forma de ação baseada em seu uso. Ação é o importante aqui – não aquilo que inspira a ação.

HILL:

Se entendi corretamente sua teoria, você acredita que todo mundo deve se dedicar a algum tipo de ação mental e física como meio para desenvolvimento mental.

CARNEGIE:

Sim, isso é verdade, e minha crença se baseia em observações de pessoas que cresceram pelo esforço e daqueles que, por causa de sua independência econômica, não precisaram se esforçar. A necessidade obriga a iniciativa.

É perigoso ser inteiramente poupado da necessidade de usar a mente, porque ela, como o corpo físico, só permanece forte e alerta com o uso.

> *O que quer que eu tenha tentado fazer na vida, tentei fazer bem com todo o meu coração; a tudo que me dediquei, dediquei-me completamente.*
> – Charles Dickens

HILL:

Acha que as pessoas são, por natureza, propensas a adotar o caminho de menor resistência, e que isso as leva ao hábito da procrastinação, se hábitos contrários não forem desenvolvidos?

CARNEGIE:

Sim, toda empreitada humana é baseada em motivo! Às vezes o motivo é negativo, às vezes é positivo, mas nenhum esforço é feito sem motivo. É muito mais benéfico para qualquer pessoa iniciar seus motivos voluntariamente, porque ela fará melhor aquilo que gosta de fazer.

HILL:

Acredita, então, que aqueles que são motivados pelo desejo de expressão pessoal em resposta ao orgulho da realização farão um trabalho melhor do que aqueles motivados apenas pela necessidade de ganhar o sustento?

CARNEGIE:

Sem dúvida nenhuma. Por essa razão, todo mundo deve se dispor a fazer grandes sacrifícios, se for necessário, para seguir a profissão de que mais gosta.

NOTA DO EDITOR:

Steve Jobs, cofundador e ex-CEO da Apple, foi um dos inovadores da moderna tecnologia da informação. Nas décadas de 1970 e 1980, ele foi fundamental para o desenvolvimento dos computadores pessoais e para a evolução da indústria da tecnologia de informação. Em 1985, a estrutura corporativa da Apple o obrigou a sair, e ele foi forçado a seguir outros interesses.

Mas como Carnegie afirmou, "Nada pode parar a pessoa que aceita a derrota como um desafio para exercer um esforço maior". Em vez de se ater ao infortúnio, Jobs aprendeu com a derrota. Ele começou um novo empreendimento, a adequadamente nomeada NeXT, que se tornou tão valiosa que, em 1997, foi comprada pela Apple por US$ 429 milhões e mais de um milhão de cotas de ações da Apple. Alguns meses mais tarde, Jobs foi novamente nomeado CEO da Apple.

Seu mandato, desse ponto até seu triste falecimento em 2011, revolucionou o mundo de formas incontáveis. A respeito de sua aclamada produção criativa, Jobs disse: "O único jeito de fazer um ótimo trabalho é amar aquilo que você faz. Se você ainda não encontrou isso, continue procurando. Não se acomode".

HILL:

E quanto à "habilidade natural"? Algumas pessoas não são naturalmente adequadas apenas para alguns tipos de trabalho?

CARNEGIE:

Em certa medida, isso é verdade, mas há muita falsa argumentação sobre esse assunto. Minha experiência tem demonstrado que muita gente é boa naquilo que quer fazer. A atitude mental em relação ao trabalho é muito mais importante que as qualidades inerentes do indivíduo, e atitude mental é algo que se pode controlar.

HILL:

Existe um velho ditado que diz: "Vendedores nascem, não são formados". Concorda com esse ponto de vista, Sr. Carnegie?

CARNEGIE:

Sem dúvida, existem pessoas que têm certas características de personalidade que as ajudam na hora de vender, como flexibilidade, entusiasmo, imaginação aguçada, iniciativa pessoal, autoconfiança e persistência. Mas cada uma delas é uma característica adquirida. Conheci pessoas tão tímidas que fugiam da responsabilidade de conhecer estranhos sempre que podiam. Porém, por causa de um motivo propulsor, esses indivíduos se tornaram vendedores habilidosos.

Não, eu inverteria esse axioma e diria: "Vendedores são formados, não nascem prontos". Qualquer um pode se tornar um vendedor eficiente, se dedicar tempo a aprender tudo sobre o produto ou serviço que deseja vender e adquirir um desejo obsessivo de vender esse produto. O mesmo princípio vale para quase todos os outros tipos de trabalho.

HILL:

Bem, você chegaria a dizer que todas as pessoas nascem iguais?

CARNEGIE:

É claro que não! O homem que promoveu essa ideia queria dizer que na América todos nascem com direitos iguais. Ele não tinha a intenção de dizer que todas as pessoas nascem física e mentalmente iguais, porque é óbvio que isso não é verdade.

Pela mesma razão, é óbvio que nem todas as pessoas têm a mesma capacidade que outras teriam para um determinado tipo de trabalho. Por exemplo, há pessoas cuja herança física e mental as impede de dominar a matemática, ou os idiomas, ou outros assuntos. Essas pessoas são, por necessidade, limitadas aos tipos de trabalho nos quais podem ser competentes, seja qual for seu motivo ou o tipo de trabalho que possam preferir.

Frequentei a escola com um rapaz que tinha o dobro da minha idade, mas ele nunca foi além do quinto ano, porque não tinha a capacidade mental para avançar além disso. Esse tipo de pessoa nunca poderia ser bom em um tipo de trabalho que exigisse uma mente alerta.

Quando disse que minha experiência demonstra que a maioria das pessoas é boa naquilo que quer fazer, eu estava me referindo, é claro, a pessoas com capacidade mental normal. Existem os mentalmente deficientes por natureza, e nenhum estímulo aplicado jamais poderá fazer deles outra coisa. Eles são naturalmente limitados em suas realizações.

HILL:

Então existe uma forma de derrota sobre a qual a pessoa não pode fazer nada, e que não pode ser convertida em algo favorável. É a derrota sofrida por genética pobre. Isso está correto?

CARNEGIE:

Eu concordaria apenas com parte de sua afirmação. As pessoas com capacidade mental limitada ou prejuízo físico sempre podem superar essas deficiências por meio do princípio do MasterMind, tomando emprestada a escolaridade, a experiência e a capacidade natural de outras pessoas. É claro, nem todos que sofrem essas deficiências têm força de vontade, ou iniciativa, ou visão para usar o MasterMind, mas a possibilidade de seu uso está disponível para eles mesmo assim. É que a natureza forneceu um meio para compensar todo ser humano pelas coisas das quais foi privado.

É melhor examinar-se antes da derrota, de forma a evitá-la; mas é absolutamente essencial fazer esse exame depois da derrota, de forma a evitar uma repetição.

– Andrew Carnegie

HILL:

Falando de maneira geral, você acredita, então, que a derrota só é prejudicial quando a aceitamos como permanente e a usamos como uma desculpa para não começar de novo?

CARNEGIE:

No momento, não consigo pensar em nenhuma circunstância de derrota que não possa ser transformada em um bem pelo tipo certo de atitude mental em relação a ela.

Thomas A. Edison tinha uma das desculpas mais convincentes que se pode imaginar para o fracasso, se ele houvesse escolhido usá-la. Ele praticamente não estudou. Era praticamente surdo. Não tinha dinheiro nem amigos influentes. Portanto, quando começou a fazer experiências com a lâmpada elétrica incandescente e passou pela primeira dezena de fracassos, se tivesse abandonado a ideia por completo e desistido, ele teria feito o que é mais comum.

O fato de ele não ter desistido, mas mantido seu trabalho apesar de milhares de derrotas temporárias – algumas pessoas as teriam chamado de fracassos – indica a principal diferença entre Edison e milhares de outros pretensos inventores cujos nomes nunca se tornaram conhecidos fora das pequenas comunidades onde eles viviam. Essa também é a maior diferença entre sucesso e fracasso em todas as áreas da vida – simplesmente essa ideia de continuar, diante da derrota temporária. As pessoas chamam isso de persistência ou engenhosidade, mas sua origem está na força de vontade.

HILL:

Não é difícil continuar trabalhando quando a razão diz que nossos esforços são inúteis?

CARNEGIE:

Muitas pessoas têm uma ferramenta muito conveniente na faculdade da razão, mas a utilizam como um *conspirador*, em vez de um auxiliar para a realização. Treinam a razão pelo hábito de aceitar a derrota como permanente. Desistem matando a força de vontade. Ainda estou para ver a pessoa cujos inimigos externos lhe causem sequer uma fração do mal que ela causa a si mesma por meio de seus hábitos mentais.

Nem todos os inimigos do mundo podem se equiparar àquele que instalamos em nossa mente deixando, por qualquer motivo, de usar a força de vontade para a realização de nossos desejos. Esse é um inimigo que pode derrotar qualquer pessoa, por mais inteligente que seja ou por mais habilidades que tenha.

HILL:

Sr. Carnegie, me parece que você rastreou de maneira tão definida as causas de sucesso e fracasso do esforço individual que não resta nenhum espaço para desculpas para aqueles que fracassam.

CARNEGIE:

Bem, isso seria colocar a maioria das pessoas em posição vulnerável, mas eu modificaria ligeiramente sua afirmação dizendo que resta pouco espaço para o fracasso justificável em um país como os Estados Unidos, exceto no caso daqueles que nasceram com deficiência física ou mental. Praticamente todas as outras desculpas devem ser descartadas.

HILL:

Ouvi dizer que a pessoa comum nunca usa mais que 50% de sua capacidade inerente. Concorda com isso?

CARNEGIE:

Sim, mas essa sua porcentagem estimada é alta. Eu diria que a pessoa comum nunca usa mais que uma pequena fração de sua capacidade inerente. Até as exceções a essa regra – aqueles que chegam à liderança e se tornam aquilo que o mundo chama de um "sucesso" – provavelmente nunca usam nem 50% de sua capacidade inerente, com algumas raras exceções.

HILL:

E quanto à pessoa que diz: "Eu faria isso ou aquilo, se tivesse tempo"? Como é que a pessoa bem-sucedida tem todo o tempo que é necessário para realizar estupendas empreitadas individuais, enquanto o que não alcança o sucesso se queixa de falta de tempo?

CARNEGIE:

Agora você abordou um dos meus temas preferidos. Em minha experiência, vi pessoas bem-sucedidas que não têm um segundo de tempo a mais que pessoas sem sucesso, mas a diferença é esta: pessoas bem-sucedidas aprenderam a programar seu tempo e usá-lo com eficiência, enquanto pessoas que não têm sucesso desperdiçam seu tempo explicando e executando seus fracassos.

A menos que a pessoa organize seus esforços e o trabalho de acordo com uma programação de tempo definida, é quase certo que ela vai acabar parecendo não ter tempo suficiente. A aparência é enganosa – isto é, ela engana as pessoas que usam essa desculpa, mas não as outras.

Quando escuto alguém dizer: "Não tive tempo", sei imediatamente que estou ouvindo alguém que não se dedica adotando o princípio do esforço organizado. Nunca me permito estar em uma posição em que não possa desviar meus esforços, nem mesmo um minuto do dia, daquilo que estou fazendo para o que precisa ser feito. Estude pessoas bem-sucedidas em qualquer lugar, e você vai se surpreender com a quantidade de tempo disponível que elas têm para usar como quiserem.

O princípio do MasterMind é o meio pelo qual pessoas bem-sucedidas "esticam" seu tempo. Por meio desse princípio, elas delegam detalhes a outras pessoas, mantendo-se livres para os esforços maiores. Mostre-me qualquer pessoa que realmente não tenha tempo para fazer o que é necessário para promover os próprios interesses, e eu lhe mostro uma pessoa que não faz o melhor uso de seu tempo.

Ninguém é realmente livre, a menos que seja tão bem-organizado que disponha de tempo suficiente para fazer uso de sua iniciativa pessoal como bem entender. Por falta de organização, qualquer um pode se tornar prisioneiro da própria mente.

Sucesso é dar 100% de seu esforço, corpo, mente e alma à luta.
– John Wooden

HILL:

Você me deu uma perspectiva inteiramente nova dessa questão do tempo, e receio que tenha posto em risco uma de minhas principais desculpas, Sr. Carnegie. Estava mesmo me perguntando como encontraria tempo para entrevistar as quinhentas ou mais pessoas de cuja cooperação vou precisar para organizar a filosofia da realização, mas sua análise do assunto tempo chamou minha atenção.

CARNEGIE:

Sim, imagino que sim. Bem, se um escritor pudesse rascunhar uma filosofia prática de realização individual sem fazer pesquisas, essa filosofia teria sido escrita há muito tempo. Você tem uma vantagem compensatória muito grande em relação ao tempo que será necessário para reunir as informações necessárias para essa filosofia: você tem poucos concorrentes, se é que os tem.

Suspeito que a principal razão para o mundo nunca ter recebido uma filosofia de realização individual adequada às necessidades das pessoas é que a organização dessa filosofia requer pelo menos vinte anos de esforço contínuo e a análise de milhares de pessoas, tanto as que alcançaram o sucesso, quanto as que falharam, além do fato de que esse tipo de pesquisa não é remunerada enquanto se está trabalhando nela.

HILL:

Entendo seus pontos de vista, e os aprecio plenamente, embora eles tragam tanto a base da esperança quanto uma boa razão para o desânimo.

CARNEGIE:

Vejo muitas razões para esperança, mas absolutamente nenhuma para desânimo, porque você abraçou um trabalho no qual, provavelmente, não terá nenhuma concorrência real, considerando o quanto de perseverança esse trabalho vai exigir. Por sua vez, a promessa que o aguarda lá na frente é proporcional ao risco que está assumindo ao iniciar essa tarefa. Está arriscando tudo, mas tem em troca a promessa de tudo que qualquer ser humano pode desejar por ter assumido esse risco.

No seu caso, derrota temporária se tornará duplamente benéfica, porque será parte de sua responsabilidade aprender tudo sobre derrota e como convertê-la em um bem. Esse é o maior fardo da filosofia em que você está trabalhando. E acho que preciso preveni-lo de que suas reações à derrota vão determinar, mais que todo o resto, a qualidade e a viabilidade dessa filosofia de realização individual. Você não pode ensinar aos outros como usar a derrota até aprender essa lição. Mantenha isso em mente, e esse pensamento o sustentará quando a derrota o atingir, e ela certamente o alcançará.

HILL:

E pelo que você disse, tenho a impressão de que uma das primeiras coisas que preciso aprender é aceitar a derrota com elegância!

CARNEGIE:

Essa é a primeira coisa que todo mundo deve aprender em relação à derrota. Mas isso não significa que devemos aceitar a derrota facilmente. Ela deve ser aceita com uma disposição militante de determinação para não permitir que ela afete nossa vontade de vencer, mas nunca com uma disposição de medo ou ressentimento.

HILL:

Qual deve ser nossa atitude em relação aos inimigos que promovem nossa derrota? Deve ser desafiante? Devemos contra-atacar esses inimigos?

CARNEGIE:

Agora quero lhe dizer uma coisa sobre os supostos inimigos que pode ser de grande benefício, se prestar atenção ao que digo. Inimigos – e aqui me refiro aos que se opõem a nós e às vezes nos derrotam – podem ser úteis de várias maneiras distintas. Primeiro, eles podem nos impedir de dormir no emprego. Segundo, fazem com que nos disciplinemos com mais atenção, o que nos protege contra sermos culpados de algum ato pelo qual poderíamos ser justamente criticados.

HILL:

Mas Sr. Carnegie, alguns inimigos são cruéis e destrutivos e devem ser tratados de maneira mais drástica, em vez de só nos ressentirmos contra seus esforços para nos prejudicar. A resistência passiva pode ser suficiente quando lidamos com aqueles que apenas se opõem a nós com cavalheirismo, mas e a pessoa que está decidida a nos destruir? O assassino de reputação! O artista da "campanha sussurrada" que começa a espalhar calúnias! Devemos apenas sorrir e esquecer, quando atingidos por esse tipo de pessoa?

CARNEGIE:

Não, há algo que pode ser feito para derrotar esse tipo de inimigo, mas você pode se surpreender quando souber o que é. Não tem absolutamente nada a ver com os inimigos. Mas tem tudo a ver com você mesmo.

O tempo que muita gente investe em retaliações contra inimigos pode ser empregado de maneira mil vezes mais benéfica se utilizado para melhorar a si mesmo, de forma que nada que os inimigos possam dizer contra nós tenha algum efeito. Acho que você não entende completamente a força da resistência passiva, porque esse tipo de resistência contribui com a força do caráter, com a faculdade da vontade e com o peso de todos os esforços que podemos direcionar para revidar o ataque de inimigos.

Resumindo, o que recomendo é: lide com os inimigos não lidando com eles! Lide com eles usando-os como incentivo para melhorar – para colocar-se além do poder que eles têm para prejudicar você. Ignore-os completamente, exceto no aspecto em que eles o incitam a se apossar completamente de sua mente.

Dessa maneira, você pode se cobrir com um manto de proteção espiritual que nenhum inimigo pode penetrar! Lembre-se do que eu digo sobre isso, porque vai chegar o momento em que poderá testar a qualidade desse conselho a partir de sua experiência.

Agarrar-se ao ressentimento é deixar alguém que você despreza morar na sua cabeça sem pagar aluguel.
– Ann Landers

HILL:

Isso é difícil de aceitar, Sr. Carnegie. Fui criado em uma área do país onde a primeira coisa que um menino aprende é a arte da defesa pessoal pela força física. Tenho a impressão de que deixar de se defender pela força física faz o indivíduo amolecer e submeter-se à derrota diante de qualquer um que queira atropelar seus direitos.

CARNEGIE:

Sim, entendo o que quer dizer, e também conheço muitas pessoas que foram criadas na sua região. Na verdade, um de seus vizinhos faz parte da equipe operacional de uma das minhas fábricas mais importantes. Quando ele foi trabalhar conosco, muitos anos atrás, estava tão imbuído da ideia da defesa pela força física que nunca saía de casa sem levar uma pistola no bolso.

Mas ele não se importa mais com a pistola! Andar armado quase custou a ele a liberdade anos atrás, e teria custado, se eu não o tivesse ajudado. Ele estava prestes a usar a pistola para se defender diante de um inimigo, quando a atitude mental o teria ajudado muito mais. Eu o convenci a me entregar a arma, prometendo ensinar a ele um jeito melhor de resolver desavenças, se ele nunca mais a carregasse. Esse foi o começo de uma mudança em sua carreira que fez dele, finalmente, um de nossos funcionários mais importantes.

Esse homem estava tentando realizar pela força física aquilo que poderia ser feito com muito mais facilidade pela força mental. Ele aprendeu a se apoderar da própria mente, e essa vitória sobre si mesmo deu a ele a vitória sobre muitas outras coisas. Agora, ele raramente tem um inimigo, mas quando tem que lidar com algum, ele usa a mente em vez da força física, e o resultado é que melhorou a mente de tal forma pelo uso, que ela hoje o capacita a ganhar um salário de US$ 12 mil ao ano [US$ 300 mil anuais atualizados para hoje], em vez dos US$ 3 por dia que ele ganhava na época do episódio da pistola.

Não acha que ele fez uma descoberta valiosa ao aprender que podia fazer com a mente aquilo que não podia fazer com a pistola?

HILL:

Sim, é claro! Mas não existem várias circunstâncias na vida que só podem ser resolvidas pela força física?

CARNEGIE:

Talvez haja algumas na vida de quem não aprendeu sobre uma força maior à sua disposição, mas sobre isso não posso falar por experiência própria, porque nunca recorri à força física para resolver um mal-entendido com alguém.

HILL:

Bem, está me dizendo uma coisa inteiramente nova. Agora, fale mais sobre esse "manto de proteção espiritual" que disse que podemos usar para nos proteger. O que é, e como é usado?

CARNEGIE:

Você faz uma pergunta abrangente demais ao questionar o que é isso. Mas posso lhe dizer *como* usá-lo. Você o utiliza apropriando-se completamente de sua mente por meio da autodisciplina. Vai descobrir que, ao fazer isso, você pode resolver com palavras e com sua atitude mental desavenças que antes era propenso a solucionar pela força física.

HILL:

Oh, entendo o que quer dizer! Quando adquirimos um controle sobre a mente de tal magnitude que podemos tomar uma atitude passiva em relação aos nossos inimigos, nos tornamos conscientes de nosso poder mental superior e começamos a respeitá-lo?

CARNEGIE:

Agora você está entendendo a ideia! Muitas vezes durante minha carreira, fui assediado por homens furiosos que tinham algum ressentimento real ou imaginário que queriam resolver pela força física, mas nunca aceitei a provocação de nenhum homem que quisesse resolver uma desavença comigo dessa maneira.

Se tenho que duelar, prefiro escolher minhas armas, e sempre as escolhi. Nos velhos tempos, os homens resolviam diferenças pessoais com pistolas de duelo, mas eu não teria a menor chance nesse tipo de combate, já que não sei nada sobre pistolas. Mas sei algo sobre o poder da mente. Portanto, ao ser desafiado por alguém, sempre consegui levar a discussão para um território da minha escolha, onde pudesse me defender com uma arma que conhecesse.

Geralmente, o homem que só conhece a força física não é rival para alguém que entende o poder da mente, e é derrotado no momento em que entra no combate armado apenas com ela.

HILL:

Mas Sr. Carnegie, força espiritual não seria páreo para força física, se o indivíduo fosse atacado por um assaltante que apontasse uma arma para suas costelas e exigisse todo seu dinheiro, certo?

CARNEGIE:

Sua pergunta me faz lembrar de uma coisa que aconteceu em um de nossos moinhos há muitos anos. Uma tarde, quando os empregados estavam na fila para receber os envelopes de pagamento, um homem aproximou-se da janela, apontou uma grande pistola para o tesoureiro e exigiu que ele entregasse os envelopes. O tesoureiro não atendeu à ordem, mas ficou sentado e quieto, olhando diretamente para o assaltante.

Um dos guardas viu o que estava acontecendo e, sem sacar sua arma, aproximou-se do pistoleiro bem devagar e pelas costas. Nenhuma palavra foi dita por nenhum dos dois homens, mas o assaltante virou e apontou a pistola para o guarda. O guarda não hesitou, continuou andando na direção do outro até estar a uma distância de um braço dele. Então, para surpresa de todos, o assaltante abaixou a arma, dizendo, "Por favor, não atire. Eu me entrego", e levantou as mãos.

Ele teve medo de levar um tiro. Não de uma pistola, porque não havia nenhuma à vista, mas de alguma coisa que, de alguma forma, ele associou a uma arma. Porém, reconheceu essa coisa como mais poderosa que uma pistola. Foi a coragem do guarda, que demonstrou claramente que não tinha medo de armas. Eu digo que há um "manto de proteção" em torno de qualquer pessoa que conte com a força de vontade, e ninguém pode dizer em que condições ela pode ou não servir para dominar a força física.

HILL:

Você descobriu por que o guarda agiu de modo tão descuidado, Sr. Carnegie?

CARNEGIE:

Descuidado? Ora, não penso que ele tenha sido descuidado. Pelo contrário, ele fez um julgamento sensato, porque o bom senso lhe dizia que não teria nenhuma chance se começasse uma luta contra um assaltante armado que tinha uma pistola apontada para ele, a menos que lidasse com o assaltante usando um poder que o homem armado conhecia menos que ele.

O ato psicológico de um homem desarmado que caminha ao encontro do cano de uma pistola sem hesitar, sem dizer uma palavra, sem fazer nenhuma tentativa de sacar sua arma foi suficiente para desconcertar o assaltante e fazê-lo perder a coragem.

HILL:

Então, foi a perda da coragem por parte do assaltante, não o "manto de proteção espiritual" que salvou o guarda?

CARNEGIE:

Quanto a isso, nem eu nem você poderíamos determinar os fatos com precisão, porque o poder espiritual trabalha em silêncio. É um poder intangível. Como ele trabalha, ou por que trabalha, ninguém sabe. Neste caso, só sabemos que um homem sem uma arma dominou um homem que apontava uma pistola diretamente para ele. Podemos apenas supor o que aconteceu na cabeça de cada um dos dois homens. Talvez nenhum deles pudesse nos dar a resposta real.

Depois que tudo acabou, o guarda me disse que não sentiu medo, até se abaixar e pegar a arma que o assaltante havia soltado no chão. Então, ele relatou, se deu conta de que tinha feito uma coisa muito tola. "Mas", ele disse, "algo dentro de mim me dizia que, se eu sacasse a pistola, alguém seria morto", e isso foi o mais perto que já cheguei de saber por que o guarda escolheu abordar o assaltante com coragem, em vez de força armada.

HILL:

Acha, então, que as pessoas podem desenvolver poder espiritual adquirindo controle sobre elas mesmas?

CARNEGIE:

Não só força espiritual, mas força mental e física também. Quem adquire controle sobre si mesmo não é mais vítima do medo. Não é mais vítima das próprias emoções, mas direciona sua força emocional para o fim que desejar. A derrota não incomoda mais essa pessoa, porque ela a transforma em vitória por meio de esforço renovado e força de vontade aumentada.

Sinta o medo e faça mesmo assim.

– Susan Jeffers

HILL:

Depois que as pessoas se apropriam desse tipo de poder, existe algum perigo de perdê-lo por conta de alguma forma de derrota sobre a qual elas não têm controle?

CARNEGIE:

É improvável que pessoas que assumiram o controle sobre a própria mente e aprenderam a usá-la sofram alguma forma de derrota sobre a qual não tenham controle. Mas se isso acontecer, elas vão controlar suas reações, pelo menos, sem perder a coragem. É que pessoas que foram libertadas de suas autolimitações entram em um relacionamento com seu ser espiritual que dá a elas imunidade contra a maioria das causas de derrota.

HILL:

Quer dizer que a grande angústia decorrente de causas que estão além do controle não pode destruir o espírito das pessoas que conquistaram o domínio sobre si mesmas?

CARNEGIE:

Sim. As pessoas que se dominaram sabem como fechar a porta para todas as formas de dor. Essa é uma das primeiras coisas que elas aprendem.

HILL:

Esse é um poder estranho, Sr. Carnegie. Portanto, espero que me perdoe se minhas perguntas parecem elementares.

CARNEGIE:

O poder com o qual as pessoas adquirem domínio sobre si mesmas é estranho para muitos. Se não fosse, não haveria tanta gente no mundo que aceita a derrota facilmente sem lutar. E não haveria pobreza em um país como o nosso, onde há uma abundância de tudo que se pode usar ou de que se pode precisar.

HILL:

Acredita, então, que toda pessoa normal tem a seu dispor suficiente poder mental para resolver todos os problemas e garantir todas as suas necessidades. É essa a ideia?

CARNEGIE:

Essa é exatamente minha ideia, e demonstrei sua viabilidade. Agora, meu problema é encontrar um jeito de despertar o povo norte-americano para uma plena percepção da existência de um poder que ele tem, mas não usa. Esse é todo o fardo da filosofia da realização. Ninguém que se apropria dessa filosofia e faz uso prático dela vai precisar de alguma coisa que não possa assegurar com um esforço mínimo. Lembre-se, porém, de que a filosofia não promete algo em troca de nada, porque isso não existe.

HILL:

Acredita, então que "Compensação", o ensaio de Emerson, foi muito mais que uma simples obra literária?

CARNEGIE:

Sim, muito mais! Emerson descreveu uma grande lei universal que tem relação direta com o nosso assunto. Pela operação dessa lei, tudo tem seu valor equivalente em outra coisa. Se isso não fosse verdade, não haveria como transformar derrota em um bem.

Mas apesar da Lei da Compensação, a derrota não pode se tornar um bem sem esforço por parte do indivíduo. O benefício consiste no uso que fazemos da derrota mediante nossa reação a ela. O esforço que colocamos na reação é o preço que pagamos pelos benefícios que ela pode render. Assim, claramente, a derrota não promete algo em troca de nada.

HILL:

Quer dizer, é claro, que se deixamos de agir quando somos atingidos pela derrota, os possíveis benefícios da experiência se perdem?

CARNEGIE:

É exatamente isso que quero dizer, e muita gente perde os benefícios da derrota dessa maneira. As pessoas simplesmente aceitam a derrota com uma atitude negativa, muitas vezes permitindo que isso enfraqueça sua força de vontade, em vez de aumentá-la. Não se pode correr o risco de contemporizar com a experiência da derrota, porque, se não for transformada em alguma força de ação construtiva, ela se torna uma força destrutiva, e cada experiência dessa afasta o indivíduo mais um passo do controle de sua mente.

HILL:

Então, é correto dizer que a derrota é sempre um benefício ou prejuízo, uma bênção ou maldição, de acordo com a forma como reagimos a ela?

CARNEGIE:

Sim, não há "lacunas" relacionadas à experiência da derrota. Ela sempre ajuda ou prejudica, mas seu efeito nunca é neutro.

HILL:

Em outras palavras, sempre avançamos ou regredimos depois da derrota?

CARNEGIE:

Isso mesmo! Felizmente, a escolha sobre o que vai ser está nas mãos do indivíduo. Existe alguma lei desconhecida da natureza que acrescenta à personalidade da pessoa cada reação de pensamento e cada ato físico que ela realiza, seja qual for a causa. Se a maioria de nossos pensamentos e atos é negativa, você pode ver o que vai acontecer com nosso caráter.

HILL:

Quer dizer que nunca liberamos um pensamento sem acrescentar seu equivalente ao nosso caráter?

CARNEGIE:

Sim, é exatamente isso que quero dizer! Você pode ver, portanto, por que hábitos controlados de pensamento precisam ser estabelecidos, se quisermos construir ordenadamente nosso caráter. Se não o construirmos ordenadamente, ele será construído para nós, e será por essa lei de que falo. Os tijolos dessa construção serão influências aleatórias que chegam à nossa mente.

HILL:

Então, nosso caráter nunca é o mesmo que foi no dia anterior, se cada pensamento que liberamos for adicionado a ele?

CARNEGIE:

Você pode dizer que nosso caráter não é o mesmo nem por dois minutos consecutivos. Cada pensamento que liberamos o faz mais forte ou mais fraco, de acordo com a natureza desses pensamentos.

HILL:

Tempo, então, é o bem valioso ou o prejuízo da humanidade, de acordo com o modo como o utilizamos?

CARNEGIE:

É isso mesmo. Cada ser humano que atingiu a idade da compreensão literalmente armazena bens ou prejuízos, cada segundo da vida, por meio dos hábitos de pensamento que adquire. Se controlarmos os pensamentos expressando os mais importantes em ação apropriada, construtiva, o tempo se tornará nosso amigo. Se deixarmos de assumir o comando da mente dessa maneira, o tempo se tornará nosso inimigo.

Não há como escapar dessas conclusões.

HILL:

Sua teoria me leva a pensar se isso não explica parcialmente por que as pessoas raramente começam a alcançar sucesso no sentido mais amplo até passarem dos quarenta anos, como você colocou.

CARNEGIE:

Essa é uma conclusão lógica. Antes de ter sucesso em qualquer empreitada, temos que nos tornar "conscientes do sucesso". E o que quero dizer com isso? Quero dizer que nos tornamos conscientes do sucesso limpando a mente de todos os pensamentos de fracasso e a alimentando constantemente com pensamentos de sucesso. Dessa maneira, vendemos a nós mesmos a ideia de sucesso e aprendemos a acreditar em nossa capacidade de conquistar sucesso; então, nossa crença nos leva naturalmente a oportunidades de sucesso.

Cada pensamento se torna uma parte da nossa personalidade. Portanto, no devido tempo, removemos todas as limitações autoimpostas, e então chegamos à estrada para a realização, sem nada em nosso caminho.

HILL:

Mas podemos vender a nós mesmos a ideia de pobreza ou fracasso da mesma maneira?

CARNEGIE:

A mente age a partir dos pensamentos dominantes que projetamos nela e, por todos os meios naturais e lógicos disponíveis, leva esses pensamentos à sua conclusão. Ela nos leva a uma oportunidade de fracasso tão depressa e definitivamente quanto nos leva a uma oportunidade de sucesso.

A parte subconsciente da mente capta nossos pensamentos dominantes depois que eles se tornam habituais e os realiza, seja qual for sua natureza. Os indivíduos não têm controle sobre a ação da mente subconsciente, mas temos o privilégio de controlar os pensamentos dominantes e, dessa maneira, podemos dispor dos *benefícios* da mente subconsciente.

> *O que você pensa, você se torna.*
> – Bruce Lee

HILL:

Algumas pessoas questionam a existência de uma mente subconsciente. Existe alguma prova sólida de sua existência?

CARNEGIE:

Algumas pessoas questionam a existência da Inteligência Infinita. Depois que limitamos a mente por meio do medo, da dúvida e da indecisão, até que esses pensamentos se tornem uma parte fixa de nossa personalidade, passa a ser natural questionarmos muitas coisas que poderíamos usar em proveito próprio, se tivéssemos a capacidade de acreditar.

Existe tanta evidência da existência de uma parte subconsciente da mente quanto da existência de eletricidade! Pois bem, eu não vou tentar descobrir o que é eletricidade ou qual é a origem de seu poder, mas vou continuar usando eletricidade sempre que ela me for útil – e posso dizer a mesma coisa sobre minha mente subconsciente.

Não sei em qual porção do cérebro ela está localizada ou o que a faz funcionar como funciona, mas sei que ela trabalha precisamente como descrevi e que vou continuar a usá-la como um meio para traduzir meus planos e desejos em seu equivalente material, como fiz no passado.

Só existe um jeito de as pessoas se convencerem da existência de uma mente subconsciente, e é pela experimentação, aplicando as instruções que mencionei ao longo desta filosofia.

O poder disponível por meio da parte subconsciente da mente é um poder intangível. Não se pode isolá-lo; nem se pode explicar sua origem. Mas essa é uma fonte de grande poder disponível a qualquer ser humano. Aqueles que, por ceticismo ou indiferença, deixam de usar esse poder, nunca alcançarão o sucesso no sentido mais amplo.

HILL:

Entendo o que disse em relação ao preço da incredulidade, mas, Sr. Carnegie, estamos preparando esta filosofia para ajudar os incrédulos. Queremos ajudar pessoas que nunca foram adequadamente informadas sobre as possibilidades da mente, e tenho feito perguntas de tantos ângulos distintos quanto é possível, não por causa de minha incredulidade, mas para garantir que não deixamos passar nenhuma oportunidade de conduzir outras pessoas para uma compreensão de como se servir do poder do pensamento.

As pessoas têm muita dificuldade para acreditar em algo que não entendem. Portanto, eu o incentivei a reafirmar muitas de suas ideias sobre a mente subconsciente na esperança de que em cada reafirmação você revelasse alguma ideia ou inspirasse algum pensamento que pudesse ajudar os estudantes desta filosofia a adquirir suas crenças sólidas nessa estupenda fonte de poder.

CARNEGIE:

É claro. Entendo o motivo para a repetição de suas perguntas, e ele é válido. E concordo sobre ser difícil as pessoas acreditarem naquilo que não entendem. É por isso que sugiro que todo estudante dessa filosofia siga as sugestões que ofereci, adquirindo assim a crença no poder da mente subconsciente da mesma maneira que adquiri a minha – pela experiência pessoal! A crença adquirida pela experiência pessoal tem mais probabilidade de se tornar permanente.

HILL:

Se entendi corretamente, crença e incredulidade são tendências que se desenvolvem naturalmente a partir de hábitos de pensamento?

CARNEGIE:

É isso mesmo. O cínico tem dificuldade para acreditar em qualquer coisa que não ofereça a prova mais convincente, e normalmente ele requer uma prova tangível. É claro, o cínico nunca se torna construtor de um império, ou líder em um campo, ou um sucesso que se destaca em qualquer área, porque cinismo é só mais um nome para a mente fechada. O cínico tranca a porta da mente e joga a chave fora.

O cinismo, não é uma característica natural. Ele é adquirido pelo acúmulo de pensamentos negativos, cada um deles adicionado à personalidade, até que, finalmente, a capacidade de acreditar é minada.

HILL:

Como um cínico pode ser libertado de suas limitações autoimpostas?

CARNEGIE:

Normalmente, por meio de alguma catástrofe que derruba a parede de pensamento negativo que o cínico construiu em torno dele mesmo. Alguma doença, ou a perda de alguma coisa considerada muito importante pode ter o efeito de dar ao cínico uma compreensão melhor do poder das coisas intangíveis.

Certa vez conheci um cínico que se encheu de incredulidade até se tornar ateu. Ele não acreditava em ninguém além da esposa. Ela adoeceu e morreu, e ele esteve bem perto de sucumbir à mesma enfermidade. Passou quase um ano entre a vida e a morte, mas finalmente se recuperou. Ao passar pelo choque de perder a esposa e ficar tão doente, ele "nasceu de novo". Convenceu-se de que a esposa foi tirada dele para libertá-lo da incredulidade no Criador.

Depois de recuperar-se, ele entrou para o ministério, e hoje é um dos homens mais influentes nesse campo. Sua capacidade para a incredulidade foi transformada em uma capacidade igual para a crença.

HILL:

Então, seu infortúnio foi uma bênção disfarçada!

CARNEGIE:

Sim, se isso pudesse ser chamado de infortúnio. Pessoalmente, eu diria que a experiência desse homem foi uma bênção sem disfarce, porque é óbvio para todos que conheciam esse homem, e para ele mesmo, que ele se encontrou – encontrou seu "outro eu" positivo – pela experiência do luto e da dor.

HILL:

Você acredita, então, que a dor pode ter efeitos benéficos?

CARNEGIE:

Sim; algumas pessoas parecem nunca descobrir o poder intangível da própria mente, exceto por alguma experiência pessoal que atinja profundamente suas emoções e rompa hábitos de pensamento estabelecidos.

Você nunca sabe o quão forte é, até que ser forte seja sua única opção.
– Bob Marley

HILL:

Você fala de uma lei natural pela qual seus hábitos de pensamento se fazem permanentes. É possível que a natureza também forneça um meio pelo qual os efeitos dessa lei, quando negativos, possam ser interrompidos?

CARNEGIE:

Sem dúvida, essa provisão foi feita. Ela seria necessária, a fim de dar a todos os benefícios da Lei da Compensação. Talvez a Lei da Compensação em si mesma forneça um meio de libertação de limitações adquiridas. Mas seja como for, não há dúvida de que um grande sofrimento oriundo de fracasso, derrota e decepções tem sempre o efeito de devolver à pessoa o sentimento de fé, dando a ela, portanto, um recomeço e revelando as bênçãos que estão disponíveis através da fé.

Se é verdade que a salvação da alma depende da fé, deve ser igualmente verdadeiro que o Criador deu aos seres humanos os meios para corrigir os danos que eles causam a si mesmos pela incredulidade. Talvez eles sejam forçados a se valer desses meios por alguma catástrofe que derrube a parede de incredulidade que construíram em torno deles mesmos.

NOTA DO EDITOR:

A Lei da Compensação determina que, na vida, somos compensados por nossas contribuições, positivas e negativas. O motivo pelo qual muitas pessoas negligenciam essa grande lei natural é que, erroneamente, as pessoas associam seus méritos à eficácia em curto prazo; se a reconhecem e não recebem o resultado imediato que procuram, elas a abandonam. No entanto, elas esquecem que, quanto mais longo o prazo, mais regressamos à média – isso vale para qualquer lei universal. Com o tempo, recebemos aquilo que merecemos, e que muitas vezes pode não ser o que queremos.

Talvez você tenha ouvido falar que "a banca sempre ganha", uma expressão usada, justificadamente, para dissuadir as pessoas de gastar dinheiro com jogo. Luzes ofuscantes, fontes extravagantes e mobília luxuosa são pagas com as perdas acumuladas de jogadores, e esses elementos são então usados para atrair outros à mesa. O jogador tenta enganar a Lei da Compensação, muitas vezes de maneira inconsciente, mas a única aposta certa é que os cassinos são especialistas em acompanhar as probabilidades; eles sabem que você pode ter uma vitória temporária por sorte, mas quanto mais o mantiverem ali, maior é a probabilidade de a banca ficar com seu dinheiro.

Isso também pode ser visto em relação aos gastos com cartão de crédito, em que o poder dos juros funciona contra quem não administra seu dinheiro adequadamente. Se o dinheiro não está prontamente disponível na conta-corrente, muita gente recorre ao valor que parece estar prontamente disponível no limite de crédito. Quando a fatura chega, essas pessoas recebem sua compensação na forma de juros exorbitantes.

No entanto, investidores sábios usam o mesmo poder para conquistar liberdade financeira. Todos os meses, usam uma parcela fixa de seu salário, que aumenta de acordo com suas habilidades e remuneração, para construir um portfólio diversificado de ativos de qualidade que valorizam.

Isso resulta em um portfólio sempre crescente que vai render uma grande recompensa pela autodisciplina.

É a mesma lei, mas com resultados totalmente diferentes. Albert Einstein uma vez disse: "Juros compostos são a oitava maravilha do mundo. Quem os entende, ganha. Quem não entende, paga". Essa afirmação ecoa a Lei da Compensação. Você pode tentar enganá-la no curto prazo, mas com o passar do tempo ela sempre vence – em todas as áreas de sua vida. Cada pensamento que liberamos ou ação que praticamos torna-se parte do nosso caráter e, dependendo de sua natureza, nos fortalece ou enfraquece.

HILL:

É claro! Sua teoria é obviamente sólida. E me dá uma perspectiva inteiramente nova sobre fracasso, sofrimento e as experiências que fazem as pessoas sofrer. Às vezes, esse é o único meio pelo qual a pessoa pode conhecer seu "outro eu". É animador saber que o Criador deu à humanidade meios para que as pessoas possam se redimir das tolices provocadas por sua própria ignorância!

CARNEGIE:

Agora você está captando a ideia que eu queria transmitir. Ninguém deve jamais se tornar cínico quando atingido por fracasso, doença ou catástrofe, porque pode ser na hora da maior provação que se encontra a maior força. Foi assim para muitos que o mundo chamou de "grandes". Talvez tenha sido assim para todas essas pessoas.

Derrota e dor física são dois grandes benefícios. Eles nos avisam que alguma coisa precisa de correção, e se respondemos ao alerta investigando, com o tipo correto de atitude mental, normalmente descobrimos o que precisa de nossa atenção.

HILL:

Essa lição foi uma grande revelação para mim, a ideia de que fracasso, derrota e sofrimento podem desviar o indivíduo de hábitos que podem levar a problemas econômicos, mas ainda mais importante, que essas experiências podem revelar o caminho para a salvação da alma.

CARNEGIE:

Para concluir, eu gostaria de alertá-lo sobre a importância de pôr em prática o conhecimento adquirido nesta lição. Não se contente apenas com saber! Em vez disso, ponha esse conhecimento em uso de forma ativa por intermédio de seus hábitos de pensamento. Ele só pode se tornar seu permanentemente sob a condição de que você faça o mais pleno uso dele.

ANÁLISE:
APRENDER COM A DERROTA

por Napoleon Hill

Talvez nenhum outro princípio da filosofia do sucesso forneça tanta esperança de realização pessoal quanto este. Aqui temos a evidência convincente de que "toda adversidade carrega em si a semente de um benefício equivalente".

Essa afirmação é definitiva! Ela não contém "se", "mas" ou "talvez".

Além disso, vem de alguém que provou além de toda dúvida razoável que nenhuma experiência humana é perdida; que a derrota pode se tornar um grande benefício; e fracasso raramente é mais que uma forma de derrota temporária que pode ser convertida em sucesso equivalente.

No mundo como é hoje, esse insight chega em um momento em que há muitas oportunidades para sua aplicação. Milhões de pessoas sofreram derrota econômica na década passada – elas precisam de meios práticos para planejar uma recuperação. Outros milhões encontraram a derrota na forma de perda da liberdade por causa da Segunda Guerra Mundial. Por todo o planeta, existe uma necessidade de melhor compreensão do *modus operandi* para que as pessoas convertam derrota em meios práticos de recuperação de suas perdas.

Fracasso e sofrimento são dois métodos para a natureza falar com toda coisa viva quando algo está errado e precisa de atenção.
– Andrew Carnegie

Não tenho a intenção de tentar melhorar a análise do Sr. Carnegie sobre a filosofia de aprender com a derrota, mas vou oferecer o que acredito ser um bom testemunho para apoiar a tese dele sobre o assunto.

Em nenhum lugar de toda esta filosofia encontrei uma promessa mais animadora do que a apresentada nesta lição. É aqui que temos a garantia de uma das pessoas mais práticas que o mundo jamais conheceu, que explica que a experiência da derrota, que temos encarado como um obstáculo, pode ser transformada em um degrau para subirmos em direção ao nosso objetivo escolhido.

Para usar uma metáfora simples, podemos dizer que essa filosofia de aprender com a derrota nos permite dizer à vida: "Se você me der um limão azedo por qualquer tipo de experiência desagradável, eu o transformarei em limonada, em vez de permitir que ele me azede".

É encorajador olhar para o fracasso como uma linguagem comum na qual a natureza fala com todas as pessoas e desperta nelas o espírito de humildade, de forma que possam adquirir sabedoria e compreensão. Quando elas aceitam o fracasso e a derrota com esse tipo de atitude, essas ocorrências, antes vistas como negativas, tornam-se ativos de valor inestimável, porque levam quase invariavelmente à descoberta de poderes ocultos que todos possuem.

Há pouco tempo, tive o privilégio de conversar com um homem que perdeu uma fortuna durante a Grande Depressão, que começou em 1929. Ele foi generoso o bastante para enumerar os benefícios que extraiu dessa perda financeira.

Aqui vai a história nas palavras dele:

Com a perda da minha fortuna material, encontrei uma fortuna intangível de tão imensas proporções que ela não pode ser estimada só em termos de coisas materiais. A Grande Depressão foi, de uma vez só e ao mesmo tempo, a causa da minha grande derrota e da minha mais nobre vitória, porque me apresentou uma filosofia de vida que vai eliminar o ardor de todas as derrotas no futuro.

A Depressão tirou meu dinheiro, mas me ensinou que independência individual absoluta é só uma teoria; que todo mundo é dependente de outras pessoas de um jeito ou de outro, ao longo da vida. Ela me ensinou que:

- Preocupação com coisas que não se pode controlar é fútil.
- Medo é um estado mental que geralmente não tem causa que possa ser curada.
- A citação bíblica "Aquilo que um homem plantar, certamente ele vai colher" é mais que uma frase poética; é filosofia sensata.
- Qualquer coisa que obrigue o indivíduo a usar iniciativa com definição de objetivo é benéfica.
- Dinheiro, imóveis, investimentos e coisas materiais em geral podem se tornar inúteis por causa do medo e de uma atitude mental negativa em relação ao público em geral.
- Os pensamentos dominantes têm um jeito definido de se vestirem de seu equivalente físico, sejam esses pensamentos positivos ou negativos.
- Não existe uma realidade no reino da lei natural ou nas relações entre pessoas em que se obtenha algo em troca de nada.
- Existe uma Lei da Compensação que paga a todos os seres humanos em moeda comum mais cedo ou mais tarde.
- Há algo infinitamente pior do que ser forçado a trabalhar, e é ser forçado a NÃO TRABALHAR!
- A posse física e legal de propriedades não garante nem sua permanência, nem seu valor.
- Um negócio que é conduzido de acordo com o princípio da Regra de Ouro vai sobreviver a uma crise com mais facilidade que outro que não é.

- A fome segue o banquete tão certamente quanto a noite segue o dia, e o banquete segue a fome.
- Uma coleção de roupas pode ser usada por mais que uma temporada, e o carro não precisa ser trocado todo ano.
- O medo pode ser disseminado, como uma epidemia, por pensamento de massa e discurso de massa.
- É mais abençoado e mais lucrativo prestar serviço útil do que exigir alguma coisa em troca de nada por meio de subsídios.
- Derrota temporária não precisa ser aceita como fracasso permanente.
- Tanto o sucesso quanto o fracasso se originam na mente como resultado dos pensamentos dominantes do indivíduo.
- Riqueza material sem riqueza do espírito pode ser mais uma maldição do que uma bênção.
- A maior bênção de uma pessoa consiste em seu maior sofrimento.
- Há verdade nesses grandes paradoxos: as bênçãos da adversidade, a companhia da solidão e a voz do silêncio.
- Riqueza econômica sem humildade pode ser perigosa.
- Há uma pessoa de quem se pode depender, sem decepção, no momento da adversidade, e é você mesmo.
- O sol nasce e se põe, a água flui colina abaixo, as estações do ano vêm e vão com regularidade, as estrelas conservam seus locais de costume no céu noturno, e a natureza se move de maneira organizada durante uma crise econômica, como em qualquer outro tempo. Nada muda por causa de uma crise, exceto a mente das pessoas!
- As pessoas respondem à voz da derrota quando não ouvem nenhuma outra.
- Todas as pessoas se tornam parentes próximos, em espírito e em atos, quando são atingidas por uma catástrofe comum.

- A posse de grande riqueza atrai muita gente que professa amizade que não sente realmente, e a perda financeira revela a verdadeira identidade de todos que se proclamam amigos.

Resumindo em uma frase, a Grande Depressão me mostrou meu "outro eu" – o eu positivo que eu estava negligenciando; o eu que não aceita uma realidade em que há derrota permanente ou perdas que não podem ser recuperadas quando são aceitas como um desafio para se dedicar a um esforço maior.

NOTA DO EDITOR:

Que história incrível! O que mais amo nas palavras de Carnegie e Hill e na aceitação que Hill expressou nessa história é como elas podem chegar à raiz dos problemas atuais, apesar de terem sido escritas há mais de três quartos de um século.

A jornada acidentada desse homem contém temas que podemos ver repetidos muitas décadas depois de terem sido escritos. Suas lições são mais evidentes na crise econômica de 2007, depois da dívida subprime provocar o colapso do mercado imobiliário e do mercado de ações, levando a uma volatilidade mundial sem precedentes.

No entanto, nem tudo foi desgraça e tristeza. Alguns investidores competentes reconheceram que o mercado é conduzido por duas coisas: medo e ganância. Estes são os elementos que transformam perda no papel em perda real, criando ruína para alguns e oportunidade sem precedentes para outros. Esses outros arremataram companhias de ponta, em muitos casos nomes locais que tinham enormes perspectivas de crescimento, apesar de terem enfrentado instabilidade de curto prazo (e pública).

O lendário investidor Warren Buffett faz isso há décadas. A cada queda, recessão ou crise financeira, Buffett escolhe não levantar as mãos em desespero ou se encolher embaixo da mesa. Em vez disso, ele trata a situação como uma oportunidade para consolidar sua riqueza; ele compra companhias profundamente desvalorizadas e introduz eficiências e sinergias operacionais que levam a enormes retornos com o tempo. Falando sobre essa estratégia, ele uma vez disse: "Tenha medo quando outros forem gananciosos, e ganancioso quando outros estiverem com medo".

Você pode apostar que Buffett sofreu perdas significativas, mas a experiência conquistada com essas perdas é o que o capacita a fazer os grandes movimentos que promovem retornos significativos. Embora possamos sofrer perda significativa em curto prazo, nossa experiência, se adequadamente canalizada, nos faz capazes de ganhar muito mais do que perdemos.

Em contraste, os que se concentram no medo promovido pelas notícias catastróficas publicadas por veículos que se beneficiam diretamente da histeria que criam descobrem que suas ações e subsequentes posições financeiras permanecem inversas àquelas de investidores experientes como Buffett.

Não pode haver derrota permanente para pessoas que aceitam a adversidade com a disposição descrita por esse homem. Suas perdas materiais foram substanciais. Atingiram somas maiores do que uma pessoa mediana jamais possui durante uma vida inteira. Porém, por intermédio da perda financeira, esse homem encontrou algo infinitamente maior que todo dinheiro do mundo. Ele descobriu que tinha uma mente capaz de ganhar mais dinheiro do que ele havia perdido. Suspeito de que ele tenha feito outras descobertas de maior importância pessoal que essa, entre elas que pessoas ricas de dinheiro "só" são pobres de coisas que trazem a felicidade.

Esse homem se beneficiou da perda financeira porque a aceitou como um teste para o espírito. Por meio do teste, ele descobriu que existe em toda mente um poder oculto que é capaz de lidar com toda emergência humana. Agora ele tem uma relação melhor com ele mesmo, com seus associados comerciais e com o público a quem serve com sua profissão.

No entanto, o sócio desse homem adotou uma atitude diferente diante da perda de sua fortuna material. Ele viu a perda como irrecuperável, desistiu sem lutar e resolveu o problema pulando de um edifício alto. Uma investigação posterior de sua situação revelou que ele tinha o hábito de sucumbir à derrota nas experiências diárias de sua vida. Portanto, quando se viu diante de uma emergência maior que exigia grande força de caráter, ele não tinha nada a que recorrer.

Como o Sr. Carnegie colocou tão bem, são nossos hábitos diários de pensamento que nos fornecem um forte "manto de proteção" ou nos deixam suscetíveis às forças negativas da vida que trazem a derrota.

Então, quais são esses hábitos de pensamento negativo que levam ao fracasso? São os hábitos de:

- Aceitar a pobreza como algo que não se pode evitar.
- Deixar de reconhecer que questões externas e circunstâncias externas não têm influência sobre pensamento interno, exceto que se permita essa influência.
- Querer uma coisa ou esperar resignadamente para tê-la sem decidir com firmeza adquiri-la pela definição de objetivo.
- Tolerar medo e sentimento de inferioridade.
- Procrastinar, decorrente da falta de um objetivo maior definido.
- Esperar derrota antes de começar uma tarefa.
- Deixar de levar adiante planos depois de os ter iniciado.
- Permitir que as emoções tenham o total controle sobre a força de vontade.
- Associar-se com pessoas que aceitam a derrota como inevitável.

- Ler notícias negativas nos jornais e aceitá-las como indicativas de condição pessoal do indivíduo.
- Não ter hábitos controlados.
- Permitir que outras pessoas pensem por ele.
- Esperar da vida nada além das necessidades de sobrevivência.
- Desejar algo em troca de nada.
- Aceitar a derrota temporária como fracasso permanente.
- Escolher o caminho mais fácil onde e quando a iniciativa pessoal é necessária.
- Preocupar-se com os efeitos das circunstâncias, em vez de procurar a causa e removê-la.
- Pensar nos planos que não vão dar certo e nas coisas que não se pode ter, em vez de procurar planos que vão funcionar e concentrar a mente em coisas que se pode adquirir.
- Olhar para o lado negativo de toda situação: ver o buraco na rosquinha, mas não a rosquinha.
- Falar apenas em fracasso, derrota e no lado negativo da vida em conversas diárias comuns.
- Ter consciência da pobreza, em vez de ter consciência do sucesso.
- Reclamar de falta de oportunidade, em vez de agarrar as oportunidades que surgem ou, melhor ainda, criar oportunidades.
- Procurar a causa do fracasso em todo lugar, exceto em um espelho.
- Invejar quem tem sucesso, em vez de aprender com o exemplo dessas pessoas.
- Fazer julgamentos intempestivos; pressupor, em vez de buscar os fatos.
- Perder a cabeça, em vez de dominá-la e colocá-la para trabalhar.

Esses são alguns hábitos diários de pessoas que, por força dos próprios hábitos, condenaram-se ao fracasso. Esses são os hábitos que preparam a mente para aceitar a derrota como permanente. Esses são os hábitos que colocam a mente subconsciente para trabalhar em marcha à ré, trazendo fracasso em vez de sucesso. Esses são os hábitos que minam a força de vontade e deixam as pessoas abertas à influência de todas as formas de derrota.

Dizem que "quando você está realmente pronto para alguma coisa, ela aparece". Os hábitos que foram mencionados comprovam a precisão dessa afirmação, porque preparam o indivíduo para o fracasso, e é exatamente isso que aparece.

Não chore porque acabou;
sorria porque aconteceu.
– Autor desconhecido

Quando você ouvir falar de pessoas que "transformam tudo que tocam em ouro", o que significa que elas tiveram sucesso em tudo que fizeram, pode ter certeza de que elas se prepararam para esse tipo de boa sorte condicionando a mente com uma consciência de sucesso.

Andrew Carnegie não criou a grande United States Steel Corporation com autolimitações; ele também não a criou com nenhum dos hábitos de pensamento que mencionamos. Ele a criou se apoderando da própria mente desde cedo na vida, decidindo o que queria e tornando-se determinado a conseguir isso. Embora as coisas muitas vezes tenham dado errado, ele aprimorou suas reações às derrotas e as colocou para trabalhar em seu favor como recomendou neste capítulo.

Henry Ford não se tornou o líder do grande império industrial Ford por mero acaso; nem alcançou essa posição por sua escolaridade superior ou origem influente, ou por dinheiro. Ele a alcançou condicionando a mente pela autodisciplina, de tal forma que ela o fez esperar e exigir de si mesmo a construção de seu império. A ideia era inteiramente dele. Ele a criou pensamento a pensamento, embora tenha conhecido a derrota de uma forma ou de outra quase a cada passo do caminho.

Toda vez que permanecemos positivos diante da derrota, recusando-nos a reagir de maneira negativa, adquirimos maior poder mental. Com o tempo, esse hábito se torna a base de nossa força.

Podemos pensar e falar sobre qualquer coisa até ela aparecer, porque é verdade, como afirmou o Sr. Carnegie, que "todo pensamento tem uma tendência para se vestir de seu equivalente físico". Aqui, então, está o âmago dessa lição sobre aprender com a derrota: a experiência da derrota torna-se um bem ou um prejuízo, de acordo com as crenças do indivíduo sobre ela.

George Washington não venceu a Revolução Americana por causa de armas melhores, ou soldados mais bem-treinados, ou por exércitos mais numerosos. Ele era inferior em todos esses quesitos. Mas havia um ponto em que ele superava os outros: ele se recusava a aceitar a possibilidade de derrota. Washington acreditava que venceria, e transferiu essa crença para seus soldados, que a aceitaram. Foi essa crença, e nada mais, que venceu a Revolução Americana. E o mais importante, essa mesma atitude em relação à derrota pessoal permite que se converta a derrota em um bem.

Quando membros de qualquer grupo estão unidos por uma causa comum e expressam sua força combinada pelo princípio do MasterMind, eles só podem ser derrotados por um grupo mais forte aplicando o mesmo princípio. Até quando uma aliança MasterMind consiste apenas em duas pessoas, elas têm à sua disposição, por meio dessa aliança, uma forma de poder suficiente em todos os sentidos para salvá-las da maioria das causas comuns de derrota. Mas a aliança precisa ser baseada naquela vontade decidida de vencer que não aceita nenhum fracasso como derrota permanente.

Uma vez me falaram sobre um sistema único para converter derrota em um bem prático útil. O sistema é tão simples, que qualquer pessoa pode adotá-lo e usá-lo seguindo essas etapas:

- Providencie um diário e descreva nele a história completa de todas as derrotas que viveu, por menores que sejam.
- Registre os fatos como ocorreram, ainda que seu relato possa demonstrar que você foi derrotado pela própria negligência.
- Todo mês, reveja seu diário. Abaixo do registro de cada derrota, escreva um benefício derivado ou o benefício que espera extrair dela.

O homem que primeiro me falou sobre esse sistema o segue há vários anos. Desde que o adotou, ele nunca sofreu uma derrota que, com o tempo, não rendesse um benefício igual ou maior que a perda temporariamente imposta pela derrota. Ele explicou que uma vez a derrota foi de tal natureza que, se não a tivesse sofrido, seus negócios teriam sido arruinados, e ele teria sofrido grande perda financeira.

Pois bem, esse é um homem imune à derrota. Ele aprendeu como responder de maneira positiva, e reconhece que seu sistema funciona tão bem que as derrotas foram se tornando menos numerosas com o tempo. Isso se deve, é claro, ao fato de ele ter se tornado consciente do sucesso, e por causa dessa consciência ele antecipa as causas de muitas possíveis derrotas e as evita antes que aconteçam.

Seu sistema tem outra grande vantagem – fornece evidência tangível de que a "adversidade carrega em si a semente de um benefício equivalente". Esse homem não precisa ser convencido disso por ninguém; ele comprovou essa máxima por experiência própria. Essa é uma prova a que nenhum cínico resiste.

Esse mesmo homem criou outro sistema para se tornar consciente do sucesso, um sistema que recomendo muito. Para usá-lo, siga esses passos:

- Pegue um pedaço grande de papel-cartão e escreva (ou imprima) uma lista de todas as principais causas de fracasso relacionadas nas páginas 207-208.

- Ao lado de cada uma, adicione 31 quadradinhos, representando os dias do mês.

- Então, a cada dia, calibre seu desempenho atribuindo a si mesmo uma classificação em cada uma das causas de fracasso. Para isso, coloque apenas um (✗) ou um (✓), simbolizando se negligenciou ou dominou cada item.

O homem então compara esse gráfico com o diário mencionado anteriormente. No fim de cada mês, os dois sistemas mostram com exatidão quais das causas para a derrota ele não dominou completamente. É claro, o objetivo do plano é tornar-se consciente do sucesso instalando na mente uma atitude de alerta em relação às causas de derrota.

Seu sistema se tornou tão interessante que todos os membros da família o supervisionam cuidadosamente para garantir que ele atribua a si mesmo as classificações precisas, e ele admitiu que, uma vez, um dos filhos pequenos o advertiu por ter deixado de registrar corretamente uma experiência de derrota! Esse homem não só está condicionando a própria mente para se tornar consciente do sucesso, ele está beneficiando cada membro da família com seu sistema.

Todos precisamos de um sistema prático para fazer um inventário de nós mesmos. Se o inventário é feito com honestidade, ele mostra nossas maiores fraquezas e revela os poderes ocultos que foram negligenciados. Um sistema como esse deve se tornar uma espécie de autoconfissão diária.

NOTA DO EDITOR:

Uma oportunidade para autorreflexão honesta é essencial no caminho para o sucesso, e essa é a razão exata para termos criado o *The Napoleon Hill Success Journal*. Você vai descobrir que ele oferece uma oportunidade para declarar seu objetivo principal definido ao lado de sua intenção diária. A clareza sobre que resultados precisam ser obtidos nos permite canalizar esforços para as áreas mais importantes. Afinal, é impossível vencer no fim do dia sem ao menos saber que cara tem a vitória.

Outro componente importante é a capacidade de administrar tempo, energia e resultados. Essa análise introspectiva destaca quanto suas ações são efetivas, enquanto oferece uma estrutura que o ajudará a obter sucesso na semana seguinte.

Você não precisa dedicar horas a isso. O diário requer alguns minutos de autodisciplina, com recompensas fartas para aqueles que assumem esse compromisso. Ele vai dar asas à sua imaginação, restaurar o foco, destravar a hiperprodutividade, ajudar a criar equilíbrio e despertar a consciência sobre o que é mais importante em sua vida. Dedicar-se a dominar a vontade significa que a cada dia você vai se tornar mais eficiente, e isso irá trazer melhoras significativas na felicidade e em todos os relacionamentos de sua vida.

Inúmeros CEOs, empreendedores e atletas falaram sobre os benefícios da introspeção e da intenção. Agora é sua vez!

Um dos maiores vendedores de seguro de vida nos Estados Unidos tem um sistema inteiramente diferente para se garantir contra a derrota. Esse homem vendia em média o equivalente a US$ 250 mil em seguros por ano, antes de descobrir esse sistema e colocá-lo em prática. Ele agora integra o Million Dollar Club, uma organização de profissionais de vendas de seguros de vida que, para permanecerem no clube, precisam vender o mínimo de US$ 1 milhão em seguros por ano. Esse homem foi membro por nove anos consecutivos, e ele agora vende mais de dez vezes o que costumava vender no mesmo período.

Seu sistema consiste em escolher um objetivo principal definido, que ele escreve, cola no espelho (onde o vê todas as manhãs ao se barbear), depois lê em voz alta com tanta frequência que o grava na memória. Ele então o repete três vezes por dia, uma vez após cada refeição. É assim:

O OBJETIVO PRINCIPAL DEFINIDO DE UM VENDEDOR DE SEGURO DE VIDA:

1. Meu principal objetivo na vida é emitir no mínimo US$ 1 milhão em apólices de seguro de vida anualmente.

2. Para alcançar meu objetivo, vou trabalhar com uma lista de cem possíveis compradores de seguro apropriadamente qualificados que será mantida comigo o tempo todo, e manterei essa lista cheia acrescentando um novo nome a cada vez que um cliente em potencial se tornar dono de uma apólice de seguro de vida.

3. Farei dez contatos, no mínimo, todo dia útil, mesmo que tenha que trabalhar até tarde da noite para isso.

4. Tornarei todas as entrevistas lucrativas, independentemente de concretizar uma venda, induzindo os clientes em potencial a me apresentarem pelo menos um novo comprador em potencial entre seus amigos cada vez que os entrevistar.

5. Abordarei meus possíveis compradores não como representante da minha empresa, mas como representante pessoal deles, cujo trabalho é aconselhá-los e protegê-los, bem como a seus beneficiários.

6. Quando entrevistar possíveis compradores, vou pensar em uma resposta negativa não como definitiva, mas como mera decisão adiada, e darei essa informação aos compradores em potencial, e permanecerei com cada possível comprador enquanto eles indicarem que não tomaram uma decisão, mesmo que tenha que ficar lá a noite toda.

7. Cada pessoa a quem eu vender um seguro será transferida para minha lista de "cooperação de cortesia", e ligarei para ela regularmente (uma vez por mês, pelo menos), de forma que possa atender a seus amigos vendendo seguro para eles por meio de sua influência.

8. Vou lembrar sempre que "não" pode significar "sim", e vou negociar com todos os meus compradores em potencial baseado nisso.

9. Não aceitarei a derrota como realidade, porque meu sistema pode converter cada entrevista em uma venda – se não para a pessoa entrevistada, para um de seus amigos.

10. Acredito em meu sistema porque ele é sinceramente projetado para beneficiar a todos que afeta, e acreditando nisso, vou trabalhar com ele com todo poder ao meu dispor.

(ASSINADO) _____

Se você ler esse compromisso cuidadosamente, vai observar que ele não admite a derrota como uma realidade. A melhor evidência de sua qualidade está no fato de esse homem que o criou ter aumentado suas vendas em mais de 1.000%, sem trabalhar mais que antes! Ele trabalha com mais inteligência, com maior determinação, e sob o princípio do esforço organizado.

A parte mais importante de seu "esforço organizado" é a atitude mental positiva. Ele *espera* vender mais apólices de seguro agora do que vendia antes, e tem um *plano* para vender mais e o está colocando em prática com uma disposição que não admite espaço para derrota.

Não existe derrota, na verdade, exceto a que vem de dentro;
A menos que seja derrotado aí, você certamente vai vencer.
– Henry Austin

Mais de seis mil vendedores de seguros de vida foram treinados para usar essa filosofia em sua profissão, e nenhum deles, até onde sei, deixou de aumentar sua capacidade de vendas, embora o caso que menciono seja uma exceção em relação ao aumento de sua capacidade de vendas.

O treinamento desses vendedores começou com uma análise completa de personalidade, durante a qual foi divulgado a eles um inventário preciso de seus bens e prejuízos mentais. Eles foram examinados ponto a ponto em relação às principais causas de fracasso descritas nessa lição. De início, muitos protestaram vigorosamente quando suas fraquezas foram mostradas, e seus protestos foram sinceros. Eles haviam se enganado, como a maioria das pessoas se engana, sobre características de personalidade e caráter que permaneciam entre eles e suas maiores realizações em vendas.

Quero enfatizar a importância de usar uma autoanálise franca e honesta baseada em uma verificação ponto a ponto que usa as principais causas de fracasso descritas neste capítulo como régua de medição. Uma cuidadosa autoanálise é necessária para que você possa descobrir por si mesmo como pode ter desenvolvido hábitos prejudiciais.

Há outro erro fundamental que leva à derrota, e é um erro comum a muitas pessoas. Vou descrevê-lo aqui relatando a experiência de dois irmãos que moravam em uma área montanhosa do país.

Um dos garotos tinha dezoito anos, e o outro, apenas doze. O pai deu um rifle Winchester novo a cada um deles. Empolgados, eles saíram para caçar, procurando ursos que tinham visto no bosque perto de sua fazenda. Depois de um tempo, eles encontraram um urso, mas começaram a discutir sobre quem o tinha visto primeiro e quem daria o primeiro tiro. Finalmente, eles chegaram a um acordo e decidiram que, provavelmente, tinham visto o urso ao mesmo tempo, e que era justo que os dois apontassem e disparassem ao mesmo tempo.

Eles atiraram no urso, e ele caiu. Os meninos correram para pegar a caça, e o mais velho chegou primeiro. Ele olhou para baixo e viu o animal, que ainda esperneava no chão. O garoto mais novo chegou nervoso, temendo ser privado da honra de ter ajudado a matá-lo, por isso gritou para o irmão: "Fala, companheiro! Nós matamos um urso, não é?".

O mais velho virou para trás com uma expressão contrariada e gritou para o irmão: "Nós, coisa nenhuma! VOCÊ ATIROU EM UM BEZERRO DO PAI!".

Bom, isso é característico da natureza humana: quase todo mundo é propenso a buscar as honras quando as coisas vão bem, mas a maioria recusa a responsabilidade quando tudo dá errado.

Essa característica priva o indivíduo de toda possibilidade de liderança sempre que existe uma chance de se impor. Como o Sr. Carnegie afirmou de maneira tão apropriada, "um inimigo descoberto é um inimigo quase dominado". Todo mundo tem inimigos escondidos em seus traços de caráter, nos hábitos e na personalidade, mas essas características não podem ser controladas até que sejam reconhecidas.

O Sr. Carnegie relacionou quarenta e cinco desses principais inimigos. O primeiro da lista: o hábito de vagar pela vida sem um objetivo principal definido. Esse deve ser o *primeiro* inimigo a ser descoberto em sua análise, se você não tem esse objetivo. A menos que domine esse inimigo, é melhor nem se incomodar com o restante, porque ele é a chave para os outros. Análises de mais de 25 mil pessoas, com uma amostra cruzada de todas as origens, mostrou claramente que 98% das pessoas fracassam porque não têm um objetivo definido na vida. Esse é um fato chocante! É chocante porque a falta de um objetivo principal definido é algo que qualquer um pode corrigir com facilidade.

Formular um objetivo principal definido assume a primeira posição nos princípios da realização individual porque esse objetivo leva ao desenvolvimento de hábitos de definição em relação aos objetivos se-cundários do indivíduo. É sensato analisar-se com muito cuidado nesse ponto, porque o hábito de andar à deriva e a falta de um objetivo principal definido carregam consigo uma coleção de hábitos de indefinição em outras questões importantes relacionadas à sua vida diária. Tanto os hábitos bons quanto os maus têm parentes – nunca existem sozinhos.

Estude a lista das 45 principais causas de fracasso nas páginas 145-148 e observe como trabalhar com um objetivo principal definido pode eliminar muitas delas, inclusive:

5. Falta de autodisciplina.
7. Falta de ambição para querer mais que a mediocridade.
10. Falta de persistência.
11. O hábito de manter uma atitude mental negativa.
14. O hábito da indecisão.
15. O hábito do medo.
21. Falta de esforço concentrado.
23. Deixar de programar e usar o tempo apropriadamente.
24. Ausência de entusiasmo controlado.
25. Intolerância.
31. O hábito de formar opiniões que não se baseiam em fatos.
32. Ausência de visão e imaginação.
33. Deixar de fazer uma aliança MasterMind.
38. O hábito da procrastinação.
41. Deixar de agir a partir de iniciativa pessoal.
42. Falta de autoconfiança.
44. Ausência de uma personalidade atrativa.
45. Deixar de desenvolver a força de vontade.

Das 45 principais causas de fracasso, dezoito desaparecem como que por um toque de mágica quando se adota e começa a executar um objetivo principal definido. Melhor ainda, essas dezoito causas são as mais importantes da lista – importantes por serem as causas mais comuns de fracasso. E esses "inimigos" podem ser dominados com um único movimento!

Toda vez que tropeça e cai, mas levanta, você ganha sabedoria. Sabedoria vem muito mais do fracasso que do sucesso.
– Andrew Carnegie

Portanto, se você está criando um sistema de consciência do sucesso como o que mencionamos na página 211, sugiro que realce essas dezoito causas com um marcador de texto para poder dar mais atenção a elas quando começar a executar seu objetivo principal definido. Não espere que elas desapareçam automaticamente: em vez disso, trabalhe nelas de maneira proativa, desenvolvendo hábitos de uma natureza contrária a elas.

Ao dominar esses dezoito inimigos, você vai ver que outros na lista desaparecem automaticamente, porque todo hábito formado incentiva outros hábitos relacionados. A principal causa de fracasso é o hábito de vagar pela vida sem um objetivo principal definido. Tire esse hábito do caminho e você terá pouca dificuldade para dominar os hábitos relacionados que mencionamos.

A vida consiste em uma grande variedade de problemas humanos. Ninguém é forte, esperto ou sábio o suficiente para resolver todos os problemas com um só movimento. Portanto, esses problemas devem ser abordados um de cada vez, e a coisa sensata a fazer é começar com o problema principal e dominá-lo, porque problemas maiores controlam problemas menores.

Por exemplo, se um homem é ameaçado por uma gangue de bandidos, ele não se dedica a lutar contra a gangue toda ao mesmo tempo, mas, se for sábio, ele reconhece o líder da gangue e lida com ele primeiro. Se o líder for derrotado, os outros perdem a coragem e lutam mal, se é que lutam. Da mesma maneira, essas dezoito causas de fracasso representam inimigos que podem ser derrotados pelo domínio do principal de todos eles – o hábito de vagar pela vida sem um objetivo principal definido.

Como afirmou o Sr. Carnegie, a primeira e a última das 45 principais causas de fracasso controlam todas as outras, exceto uma. Dê primeiramente sua atenção, portanto, a essas duas, desenvolvendo uma intensa força de vontade e colocando-a bem atrás de um objetivo principal definido. Comece, exatamente onde você está, a colocar esse objetivo em ação.

Pensar e falar não será suficiente. *Aja.* Continue agindo até seu objetivo ter sido alcançado. Sua força virá da ação. Ela vai:

- Dar autoconfiança.
- Dar entusiasmo.
- Dar uma imaginação mais aguçada.
- Conduzir ao uso de sua iniciativa pessoal.
- Eliminar as limitações que você instalou em sua mente.
- Dar persistência.
- Dar definição de decisão em todos os assuntos.
- Dar uma intensa força de vontade.

Com essas qualidades controladas, você não terá dificuldade para converter a derrota em uma força construtiva que vai servir como um desafio para empreender um esforço maior.

IN MEMORIAM

por Lorde Alfred Tennyson

Eu confirmei, com aquele que canta
Com uma harpa clara em tons diversos,
Que os homens podem subir os degraus
De suas versões mortas para coisas superiores.

Recomendo que você comece seus hábitos de ação seguindo o hábito de Fazer o Esforço Extra! Você pode iniciar esse hábito exatamente onde está, sem preparação ou cerimônia. Comece com os membros de sua família. Depois, prossiga com as pessoas com quem trabalha.

As regras da empresa podem limitar seus horários, mas elas não podem, e não vão limitar a qualidade do trabalho que você faz. Conheça a satisfação pessoal que deriva de fazer mais e melhor do que esperam de você, e observe a atenção favorável daqueles para quem trabalha, e você nunca interromperá esse hábito.

Ação, portanto – o tipo de ação que mais o beneficiará – resume-se a quatro hábitos que você deve formar e seguir com regularidade:

1. O hábito de definir um objetivo principal.
2. O hábito de Fazer o Esforço Extra.
3. O hábito de seguir em frente a partir de sua força de vontade.
4. O hábito de aceitar a derrota como incentivo para um esforço maior.

Esses quatro hábitos estão na lista de "necessidades" de todos que querem evitar as consequências da derrota. Sozinhos, são insuficientes para fornecer o benefício completo, mas suficientes para proporcionar um bom começo. Uma vez que se começa, continuar fica mais fácil.

Ao longo deste capítulo, duas palavras foram usadas com mais frequência que quaisquer outras: "ação" e "hábito". Todo sucesso se baseia em hábitos de ação! Derrota é convertida em bem por meio de hábitos de ação. Como o Sr. Carnegie colocou de maneira tão impressionante, o conhecimento em si mesmo não tem valor prático. O conhecimento torna-se valioso somente quando é expresso em ação apropriada. Uma pessoa pode ser uma enciclopédia ambulante e ainda morrer de fome. Por sua vez, uma pessoa de conhecimento limitado pode, pela expressão habitual desse conhecimento, adquirir todas as coisas materiais de que precisa.

NOTA DO EDITOR:

Uma das minhas citações favoritas de Hill é: "Ação é a medida real da inteligência", reforçada pela consistência. Infelizmente, muitas pessoas que veem o título *Quem pensa enriquece*, o maior bestseller de autoajuda de todos os tempos, acreditam erroneamente que ele se concentra quase de maneira exclusiva a usar pensamentos para proporcionar resultados abrangentes. Porém, em todos os capítulos e em quase todas as páginas, Hill enfatiza a importância da ação com propósito, que Carnegie reiterou neste livro. Só pensamentos são insuficientes para remeter alguém aos domínios da grandeza.

Como lemos, somos recompensados ou punidos, dependendo de nossos hábitos de ação, então, vamos explorar como isso pode funcionar de um jeito prático, usando os criadores de conteúdo como exemplo. Hoje, os smartphones deram a muita gente uma oportunidade de compartilhar sua voz com o mundo e monetizar sua paixão; isso significa que qualquer um com um smartphone pode se tornar um criador de conteúdo, se quiser. Apesar da empolgação inicial com o novo hobby, a maioria dos aspirantes de conteúdo:

- Deixa de publicar conteúdo, porque não acredita que sejam suficientemente bons; ou
- gasta muita energia comparando seu progresso com o de outras pessoas que começaram a jornada há muito mais tempo. Isso é feito, normalmente, com o uso de uma variedade de métricas de vaidade, como o número de assinantes do YouTube, seguidores no Instagram ou curtidas no Facebook.

Quando essas pessoas chegam aos trinta ou quarenta anos, embora possam ter tido as maiores aspirações ou começado diversos empreendimentos, têm bem poucos resultados tangíveis para comprovar seus esforços, se é que os têm.

Por sua vez, aqueles que vivem com uma mentalidade de crescimento – e aplicam as lições que Hill e Carnegie oferecem – reconhecem que todos os seus empreendedores favoritos começaram de baixo. Para ter a mesma influência e as mesmas recompensas de seus ídolos, eles precisam reproduzir sua ação deliberada à sua maneira ao longo do tempo. Como disse Zig Ziglar: "Você não precisa ser grande para começar, mas tem que começar para ser grande".

Muita gente se dedica a muita ação física, mas o ponto fraco dessa atividade é não ser uma ação *planejada*. Ela não é direcionada para a conquista de objetivos definidos. Usa energia física sem obter resultados desejáveis.

O tempo desperdiçado pela falta de ação planejada seria suficiente para assegurar mais sucesso material do que uma pessoa precisa, se esse tempo fosse apropriadamente organizado e direcionado para um fim definido.

BENEFÍCIOS POTENCIAIS DE FRACASSO E DERROTA

Pessoas que deixam de analisar as circunstâncias de sua vida – pensando de fato nessas experiências, da causa ao efeito – são propensas a ignorar os benefícios potenciais de fracasso e derrota. O resultado é que elas perdem a oportunidade de lucrar com o fato de "toda adversidade carregar em si a semente de um benefício equivalente".

Para ajudar, vamos considerar alguns benefícios em potencial dessas experiências conhecidas como fracasso e derrota.

- Derrota pode romper algum hábito negativo formado pelo indivíduo, libertando assim sua energia para a formação de outros hábitos mais desejáveis. Doença física, por exemplo, é como a natureza rompe hábitos estabelecidos do corpo e o liberta para formar hábitos melhores que são mais condutivos à boa saúde. No processo de reajustar a saúde física, muita gente descobriu o poder da própria mente. Portanto, a doença foi uma bênção.

- Derrota pode ter o efeito de substituir arrogância e vaidade por humildade, pavimentando assim o caminho para a formação de relacionamentos humanos melhores.

- Derrota pode levar o indivíduo a adquirir o hábito da autoanálise (coisa que todo mundo deveria fazer sem derrota, mas a maioria não faz) com o propósito de descobrir as fraquezas que acarretaram essa derrota.

- Derrota pode levar ao desenvolvimento da força de vontade mais intensa, desde que aceita pelo indivíduo como um desafio para fazer um esforço maior, não como um sinal para desistir. Esse é, talvez, o maior benefício em potencial de todas as formas de derrota, porque a "semente de um benefício equivalente" reside inteiramente na atitude mental do indivíduo, ou em como ele reage à derrota.

Não se pode controlar sempre os efeitos externos da derrota, por exemplo, quando ela envolve a perda de coisas materiais ou prejudica outras pessoas, além do próprio indivíduo, mas pode-se controlar a reação à experiência.

- Derrota pode romper relacionamentos indesejáveis com outras pessoas, pavimentando dessa forma o caminho para a formação de relacionamentos mais benéficos. De fato, após anos de apego prejudicial e habitual, o relacionamento muitas vezes só pode ser rompido por alguma forma de derrota.

- Derrota pode levar o indivíduo ao poço mais profundo do sofrimento por experiências como a perda de uma pessoa amada, o rompimento de uma aliança amorosa, ou a destruição de uma amizade profunda. Há experiências que nos forçam a buscar consolo em nossa própria alma e, nessa busca, às vezes encontramos a porta que se abre para uma imensa reserva de poder oculto que nunca teria sido descoberto, sem a derrota.

O tipo de derrota mencionado no fim da lista muitas vezes serve para desviar nossa atenção e nossas atitudes dos valores materiais para os valores espirituais da vida. Assim, pode-se presumir que o Criador deu à humanidade a capacidade do sofrimento profundo por um objetivo definido.

Muitos disseram que só o sofrimento profundo forma um grande artista, e o motivo para isso, é claro, é que o sofrimento traz humildade e leva o indivíduo a buscar dentro dele a força criativa necessária para curar as feridas. Quando essa força é encontrada, é possível descobrir que ela pode ser transmutada em muitas maneiras de esforço criativo, além de curar as feridas do coração. Essa força pode levar a pessoa ao topo do esforço criativo individual em uma disposição de humildade, o que, por si só, pode fazer a pessoa realmente grandiosa!

Sucesso sem humildade pode ser temporário e insatisfatório. Isso é demonstrado em muitos casos em que as pessoas conquistam o sucesso de repente, sem passar por dificuldade, luta e derrota. Sucesso conquistado pelo caminho mais curto e fácil é, provavelmente, temporário.

Nada na vida deve ser temido. Deve ser apenas compreendido.
– Marie Curie

Aqueles que conseguem superar a derrota que esmaga suas mais delicadas emoções sem permitir que os sentimentos sejam destruídos pela experiência podem se tornar *mestres* em seu campo de atuação, se converterem dor e decepção em um impulso de ação criativa. Dessa maneira, o mundo descobriu seus grandes músicos, poetas, artistas, construtores de impérios, inovadores da tecnologia e gênios literários. A história é repleta de evidências de que os mais admirados nesses campos chegaram à grandiosidade por meio de alguma tragédia que os apresentou a forças espirituais escondidas.

No entanto, não precisamos recorrer ao passado para provar que derrota pode se tornar um bem de grande valor. Examine o histórico daqueles que alcançaram o sucesso em qualquer campo, e vai se convencer de que eles formaram o hábito de aceitar a derrota como impulso para uma ação maior e mais bem planejada. E se você analisar todos os fatos com cuidado, onde quer que encontre pessoas bem-sucedidas, pode descobrir que esse sucesso é exatamente proporcional à medida que elas dominaram suas reações à derrota.

A pessoa que fracassa e continua lutando, normalmente descobre uma fonte de visão criativa que a capacita a transformar fracasso em sucesso duradouro. Em seu poema "Opportunity", Walter Malone expressa esse pensamento com precisão:

Opportunity

Walter Malone

Enganam-se aqueles que dizem que não volto mais,

Quando bato uma vez e não consigo encontrar você;

Pois todo dia paro diante de sua porta,

E o chamo a acordar, e levantar para lutar e vencer.

Não chore por preciosas chances perdidas!

Não chore por eras douradas em declínio!

Cada noite eu queimo os registros do dia –

Ao nascer do sol, todas as almas nascem de novo!

...

Ria como um menino dos esplendores que se foram,

Para as alegrias desaparecidas, seja cego, surdo e mudo;

Meus julgamentos selam o passado que se foi com seus mortos,

Mas nunca limitam um momento que ainda está por vir.

Esse poema inspira esperança, coragem e vontade de tentar de novo, depois de ter sido atingido pela derrota. Além disso, ele combina perfeitamente com as experiências daqueles que foram alçados à fama, ao poder e à fortuna nas asas da derrota. Malone tinha uma visão clara de seu poder em potencial, que expressou no verso "Ao nascer do sol, todas as almas nascem de novo".

Andrew Carnegie capturou a ideia inimitavelmente quando disse: "Toda adversidade carrega em si a semente de um benefício igual ou maior". Essa afirmação indica claramente que tem alguma coisa que deve ser feita a fim de beneficiar-se da derrota: é preciso descobrir a natureza da "semente de um benefício equivalente" e fazê-la germinar e crescer com alguma forma de esforço organizado.

O Sr. Carnegie não disse que a adversidade carrega em si a flor desabrochada de um benefício equivalente, só a semente. A natureza arranjou de tal forma o princípio da derrota que o indivíduo que se beneficia da dela deve contribuir com alguma forma de esforço individual tanto para descobrir quanto para fazer germinar a semente do benefício em potencial que a derrota carrega em si. Aqui, como em qualquer outra parte da natureza, não existe uma realidade em que se obtém alguma coisa em troca de nada.

Se você reconhece o pleno significado dos pensamentos transmitidos neste capítulo (e isso só se consegue com meditação e reflexão), só ele pode ser visto como o ponto crucial no qual você é apresentado ao seu "outro eu", aquele eu que reconhece que derrota não é nada além de uma experiência que deve servir como inspiração para se adotar uma ação maior e mais determinada.

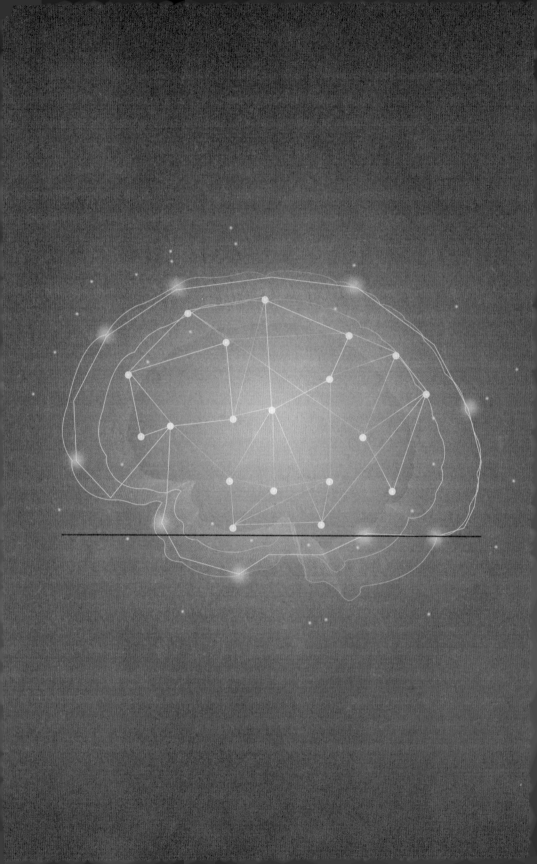

PARTE 3

A REGRA DE OURO APLICADA: O QUE VOCÊ FAZ AO OUTRO, FAZ A SI MESMO

Não existe um bem cujo valor se compare
ao de um caráter sólido, e isso é algo
que um indivíduo precisa construir por si
mesmo, por meio de pensamentos e atos.
Caráter é algo de valor definido, prático.
– Andrew Carnegie

A REGRA DE
OURO APLICADA

Este capítulo começa no escritório particular do Sr. Carnegie, com ele conduzindo a conversa.

CARNEGIE:

Chegamos agora ao princípio da Regra de Ouro aplicada – o princípio em que quase todo mundo afirma acreditar, mas poucas pessoas praticam, suspeito que pelo fato de tão poucas pessoas entenderem a profunda psicologia que embasa esse princípio. Muitas pessoas interpretam a Regra de Ouro como se seu significado não fosse fazer aos outros como elas fariam a si mesmas, mas fazer aos outros e fazer muito antes que os outros façam a elas.

É claro, essa falsa interpretação dessa importante regra de conduta humana não pode trazer nada além de resultados negativos!

Os verdadeiros benefícios da Regra de Ouro aplicada não vêm daqueles em cujo favor ela é aplicada, mas chegam àquele que aplica a regra na forma de uma consciência fortalecida, paz de espírito e outros atributos de um bom caráter – os fatores que atraem as coisas mais desejáveis da vida, inclusive amizades duradouras, fortuna e felicidade.

Para extrair o máximo da Regra de Ouro é preciso combiná-la com o princípio de Fazer o Esforço Extra, no qual reside a porção aplicada da

Regra de Ouro. A Regra de Ouro fornece a atitude mental certa, enquanto Fazer o Esforço Extra provê o componente de ação dessa grande regra. Combinar as duas confere ao indivíduo o poder de atração que induz cooperação amigável de terceiros, além de fornecer oportunidades para acumulação pessoal.

HILL:

Pelo que disse, presumo que haja poucos benefícios a serem adquiridos da mera crença na Regra de Ouro.

CARNEGIE:

Bem poucos! A crença passiva nessa regra não resulta em nada. É a *aplicação* da regra que traz benefícios, e são tão numerosos e variados que tocam a vida por meio de quase todo relacionamento humano. Essa regra:

- Abre a mente para a orientação da Inteligência Infinita por meio da fé.
- Desenvolve autoconfiança pela construção de um relacionamento melhor do indivíduo com sua consciência.
- Constrói um caráter suficientemente sólido para sustentar o indivíduo em tempos de emergência.
- Desenvolve uma personalidade mais atraente.
- Atrai a cooperação amigável dos outros em todos os relacionamentos humanos.
- Desencoraja a oposição hostil de terceiros.
- Dá ao indivíduo paz de espírito e o liberta das limitações que ele mesmo criou.
- Torna o indivíduo imune às mais danosas formas de medo, já que a pessoa com uma consciência clara raramente teme alguma coisa ou alguém.

- Permite que o indivíduo se dedique à prece com mãos limpas e coração transparente.
- Atrai oportunidades favoráveis para autopromoção na profissão.
- Elimina o desejo de obter algo em troca de nada.
- Faz da prestação de serviço útil uma alegria que não pode ser encontrada de nenhuma outra maneira.
- Dá ao indivíduo uma reputação influente de honestidade e correção ao negociar, que é a base de toda confiança.
- Serve como desencorajador para o caluniador e reprimenda para o ladrão.
- Dá ao indivíduo um poder para o bem, pelo seu exemplo, para qualquer pessoa que o encontre.
- Desestimula todos os instintos básicos de ganância, inveja e vingança, e dá asas aos instintos mais elevados de amor e amizade.
- Capacita o indivíduo para reconhecer as alegrias de aceitar a verdade de todo mundo ser, e dever ser por direito, o "guardião do seu irmão".
- Estabelece uma espiritualidade pessoal mais profunda.

Essas não são apenas minhas opiniões. São verdades evidentes, cuja solidez é conhecida por todas as pessoas que vivenciam a Regra de Ouro como hábito diário.

HILL:

A partir de sua análise, fica evidente que a Regra de Ouro é o fundamento de todas as melhores qualidades da humanidade, e que a aplicação dessa regra fornece ao indivíduo uma poderosa imunidade contra todas as forças destrutivas.

CARNEGIE:

Sua ilustração é boa. Ela fornece imunidade contra muitos males que assolam a humanidade, mas a imunidade é negativa; ela também fornece o positivo poder de atração pelo qual podemos adquirir tudo que queremos da vida, de paz de espírito e compreensão espiritual até os bens materiais.

HILL:

Algumas pessoas alegam que gostariam de viver pela Regra de Ouro, mas acham impossível, pois temem que aqueles que não vivem de acordo com essa regra tirem proveito deles. Qual é sua experiência quanto a isso?

CARNEGIE:

Quando as pessoas dizem que não podem viver de acordo com a Regra de Ouro sem sofrer danos causados por terceiros, mostram claramente sua falta de compreensão desse princípio – um equívoco comum. Se você analisar com atenção os benefícios que enumerei, vai notar que são benefícios dos quais ninguém pode ser privado.

Penso que essa incompreensão comum sobre o princípio funcional da Regra de Ouro surge da crença de que os benefícios da sua aplicação devem vir daqueles que os recebem, e a verdade é que podem vir de fontes inteiramente diferentes. Além disso, o mal-entendido surge da falsa crença de que os benefícios consistem apenas em ganhos materiais!

O maior de todos os benefícios derivados da aplicação da Regra de Ouro é o que chega àquele que a aplica na forma de harmonia dentro da própria mente, o que leva ao desenvolvimento de caráter sólido. Não existe bem de valor comparável a um caráter sólido, e isso é algo que as pessoas precisam construir por si mesmas, por meio de seus pensamentos e atos. Caráter tem valor definido, prático.

*O conteúdo de seu caráter é opção sua. Dia a dia, o que você esco-
lhe, o que pensa e o que faz é quem você se torna.*

– Heráclito

HILL:

Mas não é verdade, Sr. Carnegie, que algumas pessoas tiram proveito daquelas que vivem pela Regra de Ouro, interpretando esse hábito como uma
fraqueza a ser explorada, em vez de virtude a ser recompensada?

CARNEGIE:

Sim, algumas pessoas fazem isso, mas a porcentagem que interpreta a regra dessa maneira é tão incomparavelmente pequena, que se torna insignificante. Portanto, pela lei das médias, você pode ver que vale a pena ignorar
o dano que alguém pode causar. Além disso, a Lei da Compensação entra
na transação, e por algum estranho plano da natureza, até o dano causado
por alguém de visão curta é compensado pelos 99 que respondem com a
mesma disposição. Emerson fez um relato muito claro disso em seu ensaio
"Compensação".

HILL:

Mas são muito poucos os que conhecem o ensaio de Emerson ou a Lei da
Compensação. E dentre estes, muitos os consideram meras pregações de
um moralista, algo que não tem valor real nas questões da vida moderna.
Poderia, então, dar seu ponto de vista sobre a viabilidade da Lei da Compensação em relação aos negócios modernos, como a experimentou?

CARNEGIE:

Toda minha experiência, nos negócios e em outros relacionamentos, me
forçou a aceitar a solidez da Lei da Compensação. Ela é uma verdade eterna

de que ninguém pode escapar, independentemente de quanto sejam inteligentes ou do esforço que possam fazer para tentar evitá-la.

Há sempre alguma circunstância irresistível que nos eleva ou rebaixa substancialmente em relação ao nosso lugar na vida, de acordo com nossos pensamentos e atos! Podemos escapar da influência dessa lei por um tempo, mas considerando um tempo médio de vida, a lei nos obriga a gravitar para a exata posição que nos cabe. Nossos pensamentos e atos determinam o espaço que devemos ocupar e a influência que podemos ter em nossos relacionamentos com outras pessoas. Podemos nos esquivar temporariamente de nossas responsabilidades com os outros, mas não podemos evitar permanentemente as consequências de fugir de nossas responsabilidades.

NOTA DO EDITOR:

Este é um dos princípios mais importantes do sucesso: somos livres para fazer as escolhas que quisermos, mas não somos livres das *consequências* dessas escolhas. Isso se aplica a qualquer objetivo que possamos ter. Por exemplo:

- Um objetivo financeiro: alguns amigos que ganham muito dinheiro (ou são financeiramente irresponsáveis) sugerem que você os acompanhe em férias na Europa. Você não quer perder a viagem, mas não tem dinheiro suficiente nas suas economias, então reserva as passagens aéreas no cartão de crédito, e acrescenta à fatura todas as suas despesas de viagem. Por causa da taxa exorbitante de juros, uma única viagem diminui, ao mesmo tempo, seu limite e seu score de crédito. Com o tempo, você descobre que isso prejudica muito suas chances de comprar um carro, ter casa própria e sair de férias com a família.
- Um objetivo de boa forma física: um restaurante fast-food é inaugurado perto do seu escritório. Embora tenha dito a amigos que queria

238 DINAMITE MENTAL

completar uma meia-maratona antes do fim do ano, a tentação das refeições calóricas e das bebidas cheias de açúcar é muito grande, e você cede com entusiasmo quase todos os dias úteis da semana. Cheio de carboidratos, fica preguiçoso demais para se exercitar, e com o passar do tempo, o objetivo se torna uma memória distante. Muitos anos mais tarde, você percebe que o maior impacto de sua decisão de fazer do restaurante fast-food sua principal fonte de nutrição foi no seu bem-estar e na carteira, enquanto tenta desesperadamente recuperar a saúde e cobrir os custos cada vez mais altos dos serviços de saúde.

- Um objetivo de negócios: um dia no escritório, você percebe que os funcionários estão fazendo fofoca. Como a pessoa de quem estão falando não está presente, você se sente à vontade para participar dos comentários e considera a ocasião uma oportunidade para interagir com os colegas. Pouco tempo depois, você descobre que as pessoas que faziam a fofoca o culpam pelos boatos ofensivos que se espalharam pelo escritório como fogo em palha seca, chegando aos ouvidos de seu supervisor. Seu grande objetivo do ano era conseguir a promoção pela qual trabalha há muito tempo, mas seu supervisor explica que vai ser difícil você recuperar a confiança no local de trabalho e até conservar seu emprego.

Nossa vida depende do que escolhemos nas milhares de bifurcações que encontramos pelo caminho todos os dias, então, escolha com sabedoria.

HILL:

Então, é conveniente aplicar a Regra de Ouro, já que sua aplicação traz resultados imediatos, obviamente, enquanto recusar-se a aplicá-la significa desvantagem temporária.

CARNEGIE:

Para obter todo o benefício dessa regra, é preciso que sua aplicação seja um hábito – em todas as relações humanas. Não há exceções! Muitas pessoas cometem o engano de escolher as circunstâncias em que aplicam a regra.

HILL:

Essa é uma observação muito conclusiva; não deixa espaço para contemporização com a Regra de Ouro. Ou percorremos o caminho completo, ou sofremos os resultados da negligência.

CARNEGIE:

É isso mesmo! E saiba que todos encontramos circunstâncias que nos tentam a deixar de aplicar a Regra de Ouro como uma conveniência temporária. No entanto, ceder a essa tentação é fatal. Os outros podem nem saber, mas nossa consciência sabe. Se a consciência é atropelada, torna-se fraca e deixa de servir ao seu propósito de orientar.

Nunca devemos tentar enganar outras pessoas deliberadamente e, mais importante, não podemos, em nenhuma circunstância, tentar enganar nossa consciência, já que isso só enfraquece a fonte de nossa orientação. Quem tenta se enganar é tão insensato quanto a pessoa que envenena a própria comida.

> *Relacionamentos são tudo. Tudo no universo só existe porque se relaciona com todo o resto. Nada existe em isolamento.*
> – Margaret Wheatley

HILL:

É óbvio que você acredita, Sr. Carnegie, que é possível aplicar a Regra de Ouro em todos os relacionamentos humanos e ainda prosperar nesta era de materialismo.

CARNEGIE:

Eu não colocaria exatamente assim. Faria essa colocação mais forte dizendo que aqueles que vivem de acordo com a Regra de Ouro – atenção, vivem de acordo com ela por uma questão de princípio – poderão prosperar dentro dos limites de sua capacidade individual, seja ela qual for. Os resultados de aplicar a regra derivam automaticamente e de fontes que são frequentemente as menos esperadas.

HILL:

Essa é uma afirmação muito definida, Sr. Carnegie. Suas realizações provam que a Regra de Ouro pode ser aplicada em uma era material como a nossa com lucro. Presumo, é claro, que tenha vivido sempre pela Regra de Ouro, mas gostaria de ouvir o que tem a dizer sobre isso.

CARNEGIE:

Não é um bom professor aquele que ensina uma coisa e pratica outra. Minha primeira compreensão da Regra de Ouro foi adquirida de minha mãe ainda muito pequeno, antes de eu vir para a América. Meu real conhecimento de sua solidez derivou de aplicá-la com o melhor de minha capacidade e compreensão.

HILL:

Alguma vez sofreu perda temporária por aplicar a Regra de Ouro?

CARNEGIE:

Ah, sim, muitas vezes! Mas que bom que falou em perda "temporária", porque não posso afirmar com honestidade que, de maneira geral, perdi alguma coisa por viver de acordo com a Regra de Ouro. Essas perdas que sofri ocasionalmente, em circunstâncias em que a regra foi aplicada sem uma resposta direta, foram compensadas muitas vezes em outras circunstâncias nas quais a resposta foi abundante.

Vou dar um exemplo do que quero dizer.

Quando entrei no ramo de produção de aço, o preço desse metal estava em torno de US$ 130 por tonelada. Esse preço parecia muito alto, então, comecei a procurar meios de reduzi-lo. De início, reduzi o preço para menos que o custo da produção naquele momento, embora meus concorrentes se queixassem dessa prática, alegando que eu os enfrentava de maneira injusta. Em pouco tempo, os negócios que conquistei como resultado da redução do preço me permitiram fazer reduções ainda maiores. Logo descobri que preços mais baixos significavam produção maior, e produção maior significava custos unitários menores e possibilitava preços reduzidos.

Mantive essa política até finalmente baixarmos o preço do aço para cerca de US$ 20 por tonelada. Enquanto isso, o preço reduzido do aço permitia seu uso de muitas formas, e depois de um tempo meus concorrentes perceberam que, em vez de prejudicá-los, eu os tinha *beneficiado* forçando-os a baixar seus preços. Assim, o consumidor foi beneficiado, os trabalhadores nas usinas de aço foram beneficiados, e os fabricantes de aço se beneficiaram de uma política comercial que, de início, tinha significado perda para os produtores.

Hoje, o aço é usado na fabricação de uma grande variedade de artigos em que não poderia ser utilizado pelos antigos preços e, no geral, nunca perdi nada forçando a redução do preço. Minhas perdas temporárias foram mais que compensadas pelos ganhos permanentes, e acho que isso demonstra como funciona a Regra de Ouro. Ela pode causar perdas temporárias, e frequentemente as causa, mas com o passar do tempo, os ganhos são maiores que as perdas.

HILL:

Quer dizer que a filosofia da Regra de Ouro combina com uma sólida economia comercial. É essa a ideia?

CARNEGIE:

É exatamente essa a ideia, e se quiser ver como isso funciona, fique de olho em Henry Ford e veja o que acontece com sua empresa. Ele adotou uma política de dar ao público um automóvel confiável pelo menor preço. Está colocando bons materiais e boa mão de obra em seu produto, e o público o recompensará com a preferência, por mais que ele tenha muitos concorrentes. O Sr. Ford vai prosperar além das expectativas da maioria das pessoas que agora o criticam.

Essa é uma profecia, mas fique atento e veja por si mesmo se ela não se realiza. O Sr. Ford vai dominar a indústria automobilística, e essa é uma certeza, a menos que algum outro fabricante previdente entre no ramo e siga seu exemplo.

NOTA DO EDITOR:

Claramente, essa foi uma profecia que se realizou! Henry Ford construiu uma empresa com fundamentos tão fortes que, em 2020, mais de sete décadas depois de seu falecimento, a Ford Motor Company emprega mais de duzentas mil pessoas, fabrica mais de seis milhões de veículos por ano e ainda é uma das maiores companhias automotivas no mundo. Desde a inauguração, a Ford produziu mais de 350 milhões de veículos.

Henry Ford disse certa vez: "Meu melhor amigo é quem desperta o melhor em mim". No contexto do que Carnegie acabou de enfatizar, talvez o titã da indústria automotiva estivesse falando não só sobre seu MasterMind pessoal, mas também sobre a motivação externa dos concorrentes.

HILL:

Não seria inviável para determinadas profissões viver pela Regra de Ouro, por exemplo, advogados, cuja profissão requer que processem casos nos quais seria difícil aplicar essa regra?

CARNEGIE:

Eu poderia fazer um discurso sobre esse assunto, mas tenho vasta experiência com muitos tipos de advogados. No entanto, vou me limitar a mencionar um deles, cuja política profissional – bem como seus resultados – deve fornecer uma resposta para sua pergunta.

Esse advogado não aceita um caso a menos que tenha certeza de que vai defender o lado certo. Isto é, ele não aceita um caso que não tenha mérito, e não preciso nem dizer que ele recusa mais clientes do que atende. Mas tenho que ressaltar que ele está sempre ocupado, e sua renda, considerando tudo o que sei sobre ele, é aproximadamente dez vezes maior que a de um advogado normal. Pago a esse advogado uma quantia substancial todos os anos por seu aconselhamento, e mais ainda por qualquer outro serviço que ele me prestar. Muitos amigos meus fazem a mesma coisa. Nós o contratamos porque confiamos nele, e nossa confiança se baseia, principalmente, na certeza de que ele não vai enganar um cliente para receber honorários, nem vai aceitar um caso que seja injusto ou desonesto com alguém.

HILL:

Entendo seu argumento. Advogados podem viver pela Regra de Ouro e prosperar, desde que estejam dispostos a abrir mão de casos que não tenham mérito. Mas e os clientes que chegam com o outro tipo de caso – o tipo injusto? Tenho a impressão de que esse tipo de caso prevalece mais do que o outro tipo.

CARNEGIE:

Em toda profissão, negócio e ocupação, existem maneiras de ganhar dinheiro por práticas injustas, e há indivíduos que se dispõem a ganhar dinheiro injustamente, mas todos são cercados por riscos que, mais cedo ou mais tarde, secam a fonte de renda ou trazem males, se não perdas, desproporcionais ao ganho.

É verdade que há muitos casos legais que não têm mérito; alguns são evidentes tentativas de conseguir alguma coisa em troca de nada por meio de fraude e mentira. Um advogado pode escolher esse tipo de caso, se quiser, é claro, mas repito minha afirmação original sobre esses casos trazerem males desproporcionais ao ganho desse profissional.

Dinheiro obtido injustamente pelas artimanhas da profissão legal pode *parecer* tão bom quanto qualquer outro tipo de dinheiro, mas ele vem acompanhado por um tipo estranho de influência que algumas pessoas preferem evitar. De algum jeito, ele se dissipa rapidamente sem servir ao seu maior valor, como o dinheiro roubado por assaltantes e ladrões. Já ouviu falar de algum assaltante ou ladrão bem-sucedido? Sei de muitos que conseguiram escapar com grandes quantias. A maioria hoje está presa ou morta.

Toda lei natural é moral! O universo inteiro reprova transações imorais de qualquer natureza. E ainda não nasceu alguém que possa contrariar com sucesso a tendência da lei natural por mais que um breve período.

O mais importante é tentar inspirar pessoas para que possam ser grandes naquilo que quiserem fazer.
— Kobe Bryant

Acredito que o segredo do grande poder da Regra de Ouro reside em sua harmonia com as leis morais. Ela representa o lado positivo das relações humanas; portanto, tem lei moral em sua retaguarda.

HILL:

Vamos pensar em pessoas jovens no início da carreira. Como elas podem lucrar com a Regra de Ouro?

CARNEGIE:

Bem, a primeira coisa essencial para o sucesso em qualquer área de mérito é caráter sólido. Aplicar a Regra de Ouro desenvolve caráter sólido e boa reputação. Talvez você queira um exemplo mais concreto de como os jovens podem obter lucro material com a aplicação da Regra de Ouro, então, vamos combinar os princípios da Regra de Ouro e de Fazer o Esforço Extra e ver que resultados temos.

Vamos dar um passo além e acrescentar o princípio da definição de um objetivo principal. Agora temos uma combinação que, se aplicada com persistência e sinceridade, será suficiente para dar a qualquer jovem um início mais que mediano na vida.

HILL:

É claro que essa combinação serviria também aos adultos, tanto quanto aos jovens, não?

CARNEGIE:

Sim. Quando sabemos o que queremos, decidimos ir atrás disso, formamos o hábito de Fazer o Esforço Extra para conseguir e usamos a Regra de Ouro no relacionamento com os outros, o mundo não pode nos ignorar. Vamos atrair atenção favorável, por mais humilde que seja o começo.

HILL:

Esses três princípios não seriam uma boa comunicação para aqueles que frequenta o colégio ou a faculdade se preparando para uma carreira? Não dariam a alguém uma vantagem definida sobre aqueles que não aplicam esses princípios?

CARNEGIE:

Sim, dariam. A maioria dos jovens tem esse ponto fraco, passar seus dias na escola estudando para ter "créditos" e ser aprovado nos exames, sem saber o que vão fazer com essa escolaridade depois de concluída. Acredito que a ação sem propósito é desperdiçada, independentemente de quando ou onde é realizada. Os "empreendedores", como o mundo costuma chamar as pessoas alertas, dinâmicas e bem-sucedidas, movem-se com um objetivo definido em praticamente tudo que fazem. Essas pessoas avançam com um motivo definido, um plano definido, e geralmente chegam ao destino, porque sabem para onde vão e são determinadas, não param até chegar lá.

HILL:

Você acredita que quem usa a Regra de Ouro para se relacionar com os outros e tem o hábito de Fazer o Esforço Extra enfrenta menos oposição que os outros?

CARNEGIE:

Geralmente, elas não encontrarão quase nenhuma oposição. Pelo contrário, terão a cooperação espontânea e amigável de terceiros. Essa tem sido a história de quem vive por essas duas regras.

HILL:

Então, podemos dizer que esses dois princípios não só servem como um guia moral, mas também removem do caminho do indivíduo as formas habituais de oposição?

CARNEGIE:

Essa é a história resumida em uma frase. Agora, chamo sua atenção para outro benefício que se pode obter vivendo por esses dois princípios. Ele consiste no fato de aqueles que vivem por esses princípios como hábito diário lucrarem, ao contrário dos outros que deixam de aplicá-los. Preciso dizer que a maioria das pessoas não presta atenção a nenhum desses princípios?

Estamos nos tornando rapidamente uma nação de pessoas gananciosas, egoístas, a maioria lutando para adquirir bens materiais, desconsiderando completamente os direitos dos outros. Essa tendência é tão clara que até um cego pode vê-la, mesmo sem olhar! Se essa tendência popular se mantiver por mais duas ou três décadas, os Estados Unidos serão reconhecidos no mundo como uma nação oportunista, gananciosa.

Se a tendência se mantiver indefinidamente, levará à destruição de nossa atual forma de governo, porque ganância é um mal contagioso e autoperpetuador que não reconhece limites dentro do espectro dos direitos humanos. Ela vai destruir o espírito do americanismo que fez essa nação rica e livre. Vai substituir cada estadista que temos por políticos gananciosos que buscam progresso pessoal, em vez de uma oportunidade para servir ao povo.

Afirmo, e quero enfatizar o que digo, que o espírito da Regra de Ouro é o único poder criado por humanos que pode sustentar essa nação em sua forma atual. Portanto, aqueles que vivem por essa regra não fazem mais do que beneficiar a si mesmos; darão uma contribuição clara para a nação como um todo, uma contribuição de valor proporcional à influência do indivíduo em sua comunidade.

Essa nação tem pouco a temer de forças externas. Tem muito a temer nas forças que agora vêm sendo criadas pelos hábitos das pessoas. Nosso lema no passado era "Um por todos e todos por um!". Esse lema é representado em nossa forma de governo, na aliança amigável entre o Estado e os governos federais.

Mas posso ver, pela tendência atual de hábitos egocêntricos, que esse lema se transforma rapidamente em outro: "Cada um por si, e que o diabo carregue quem ficar para trás".

HILL:

Acredita, então, que todos devem começar a Regra de Ouro como uma base comum para todas as relações humanas, sejam elas sociais ou comerciais? Essa é a ideia?

CARNEGIE:

Não, enfaticamente não. Não é essa a ideia. Todos devem parar de pregar a Regra de Ouro e começar a *praticá-la*!

Algumas pessoas acreditam que ao pregar sobre as regras do bom relacionamento cumprem sua obrigação com a sociedade, mas isso não é o bastante. Discursos que carecem de ação que sustente aquilo que defendem tornam-se monótonos. Um só indivíduo praticando a Regra de Ouro contribui mais para disseminar essa regra em sua comunidade do que toda a pregação de uma dezena de pessoas.

A mesma coisa se aplica aos negócios: deixe que uma companhia adote a Regra de Ouro como a base de suas relações e prove a qualidade dessa regra por sua prosperidade, e imediatamente outras firmas seguirão esse exemplo. Se empregados e empregadores se relacionassem com base na Regra de Ouro, não teríamos mais problemas de mão de obra, porque não haveria motivo para nenhum problema. Também não haveria espaço para agitadores profissionais, cujo negócio é explorar igualmente trabalhadores e empregadores promovendo a animosidade entre eles.

HILL:

Que lado deve iniciar a prática da Regra de Ouro – os empregadores ou os empregados?

CARNEGIE:

O lado que for mais esperto! O grupo que tomar a iniciativa e aplicar essa regra em suas transações terá uma tremenda vantagem sobre o outro. Estará em melhor posição para conquistar a simpatia e o apoio do público, porque, com a mesma certeza de que o sol vai nascer amanhã, o público vai reconhecer e recompensar adequadamente qualquer indivíduo ou grupo que viva pela Regra de Ouro. E quando eu digo "vive por ela", não me refiro a pregar a regra, mas a aplicá-la em todas as relações.

HILL:

Poderia enumerar algumas das principais vantagens que um empregador pode ter ao adotar a Regra de Ouro como base de sua política de negócios?

CARNEGIE:

Primeiro, o empregador se beneficiaria da melhor relação com seus empregados. Isso eliminaria disputas sindicais e aumentaria a produção. A produção aumentada tornaria possível o aumento de salários.

Chamaria a atenção do público de tal forma, que a nova política geraria publicidade gratuita de grande valor, levando a um maior consumo do produto do empregador.

Reduziria o custo da rotatividade de mão de obra, porque atribuiria um prêmio a cada cargo. Isso é muito importante para muitos empregadores, considerando que o treinamento de mão de obra capacitada consome tempo e dinheiro.

Eliminaria o esforço sacrificado do trabalho tanto para o empregador quanto para os empregados.

Reduziria perdas pela minimização de erros custosos dos empregados.

HILL:

Com todos esses possíveis benefícios esperando pelo empregador que adota a Regra de Ouro como base de suas relações comerciais, porque tão poucos tiram proveito da oportunidade de lucrar com ela?

CARNEGIE:

Por causa de uma das mais antigas falhas humanas – falta de visão! As pessoas mudam seus hábitos devagar e muitas vezes de má vontade – especialmente quando a mudança requer a introdução de novas ideias.

NOTA DO EDITOR:

No mundo cada vez mais competitivo dos negócios, as empresas procuram todas as vantagens para ter sucesso enquanto buscam agradar aos analistas financeiros com seus relatórios trimestrais de renda. Infelizmente, esse foco curto normalmente resulta em medidas extremas de cortes de despesas, como demitir funcionários, reduzir o tamanho ou a qualidade do produto (e torcer para ninguém notar), pagar o salário-mínimo e investir em automação para tornar obsoleto o toque humano.

No entanto, algumas empresas estão contrariando a tendência, como a Costco. A varejista norte-americana agora opera em mais de uma dezena de países, e seu sucesso se deve, em grande parte, a sua estratégia holística e visão de longo prazo. A Costco paga salários acima da média a sua equipe, enquanto oferece enorme economia a seus clientes. Essa estratégia contraintuitiva é eficiente porque a varejista trabalha com seus fornecedores para obter produtos mais acessíveis em grandes volumes, criando fortes defensores da marca entre seus três acionistas mais importantes: estafe, consumidores e fornecedores.

Atualmente, os 245 mil funcionários da Costco recebem o dobro da média nacional do varejo, e 88% têm seguro saúde oferecido pela empresa. Apesar de ser contestada por acionistas mais comedidos, essa fórmula provou ser vencedora para a Costco, cujas ações subiram 387% desde 2000.

A verdadeira visão incorpora a Regra de Ouro aplicada, em vez de adotar apenas medidas de corte de custos.

HILL:

E você acredita que a introdução da Regra de Ouro como base das relações comerciais seria uma ideia nova?

CARNEGIE:

Seria uma ideia antiga com um novo uso. Uma das dificuldades que tivemos em relação à adoção da Regra de Ouro como base de todas as relações comerciais é que muitas pessoas associam essa regra a pregações que envolvem dogma e credo, ignorando completamente as possibilidades dessa regra como uma força econômica. A Regra de Ouro é mais abrangente que qualquer dogma, mais profunda que qualquer religião, mas contém algo das melhores qualidades espirituais da humanidade.

HILL:

Você acredita, então, que a Regra de Ouro deve ser tirada do púlpito e levada ao campo de todas as profissões?

CARNEGIE:

Bem, o púlpito só a aproveitou parcialmente, considerando que ela é pregada há quase dois mil anos! Eu diria que devemos deixá-la no púlpito para o bem que puder fazer, mas dar a ela uma aplicação mais ampla nas questões práticas da vida diária.

HILL:

O que acredita que aconteceria, Sr. Carnegie, se um líder de trabalhadores anunciasse que, de agora em diante, todos os membros de sua associação seriam chamados a prestar serviço com base na Regra de Ouro, e cumprisse a promessa em disposição e de fato?

CARNEGIE:

O que aconteceria? Eu digo o que aconteceria. O líder logo teria o controle dos trabalhadores organizados. Os membros do sindicato estariam à disposição. Os empregadores seriam amigos do líder, como o público. É exatamente isso que aconteceria, mas o anúncio teria que ser respaldado em atos. Um mero sinal de nada adiantaria ao líder.

Não faz diferença qual é a vocação da pessoa, se é empregado ou empregador, ou se pertence à classe econômica mais alta ou mais baixa. Não há direitos de patente sobre a Regra de Ouro – ela é propriedade de quem quiser adotá-la. Se alguém adquirisse um direito de patente sobre essa regra, você veria outras pessoas infringindo a patente rapidamente. No momento em que se começa a proibir o uso de alguma coisa, as pessoas começam a procurar meios de desafiar quem proíbe.

Não perca mais tempo argumentando sobre como deveria ser uma boa pessoa.
Seja.
– Marco Aurélio

HILL:

Você acredita, então, que se a Regra de Ouro fosse alguma coisa tarifada, ela cairia rapidamente no uso popular?

CARNEGIE:

É assim que a mente humana funciona! Normalmente, ela subestima tudo que é gratuito.

HILL:

Se fosse solicitado a citar o maior benefício de viver pela Regra de Ouro, qual seria sua resposta, Sr. Carnegie?

CARNEGIE:

A resposta para essa pergunta é óbvia. O maior benefício para a prática da Regra de Ouro é a atitude mental modificada que ela confere. Aqueles que vivem de acordo com essa grande lei universal não têm espaço na mente para egoísmo e ganância. Eles DÃO antes de tentar TER. O resultado é que atraem amigos, porque eles mesmos são amigos.

HILL:

O espírito da Regra de Ouro leva a uma melhor compreensão da vida impessoal, altruísta. É essa a ideia?

CARNEGIE:

Sim. Ela não só leva a uma melhor compreensão da vida impessoal, como inspira o indivíduo a querer viver essa vida.

HILL:

E você acredita que o sucesso pessoal é mais fácil de alcançar para quem esquece de si mesmo e vive em benefício dos outros?

CARNEGIE:

Toda grande realização é resultado da aplicação da Regra de Ouro. Estude a vida daqueles que foram aclamados como grandes, e você vai aprender que eles viveram a vida de modo impessoal por opção:

- Michelangelo tornou-se um dos maiores artistas de todos os tempos por causa do desejo apaixonado de inspirar os outros com suas pinturas.
- Ludwig van Beethoven se fez imortal por causa do desejo de inspirar outros com sua música.
- Thomas A. Edison não trabalhava só por dinheiro, ele dedicava a vida à pesquisa científica, porque era inspirado por um desejo impessoal de descobrir os segredos ocultos da natureza para o benefício da humanidade.

E posso dizer com sinceridade que, ao longo da minha carreira, me preocupei mais com descobrir e desenvolver pessoas que estavam dispostas a servir aos outros do que com adquirir riqueza pessoal. A riqueza foi o resultado natural do serviço prestado.

HILL:

Qual diria que foi a maior realização de sua carreira?

CARNEGIE:

Talvez essa pergunta possa ser mais bem respondida por outra pessoa, mas minha resposta é que minha maior realização foi o número de trabalhadores que ajudei a ter uma vida mais plena, prestando serviço mais útil.

HILL:

Noto que não faz nenhuma menção às fortunas que ajudou esses trabalhadores a acumular. Essa também não é uma parte de sua realização que é digna de destaque?

CARNEGIE:

Não considero o acúmulo de riqueza pessoal, por si só, uma realização! A realização consiste no serviço que se presta, não no pagamento que se recebe!

HILL:

Sim, é claro! Vejo a distinção claramente. Mas não é verdade, Sr. Carnegie, que o mundo reconhece as realizações de uma pessoa mais pelo dinheiro que ela acumula do que pelo serviço que presta?

CARNEGIE:

Sim, esse é um erro comum de muita gente. E é um erro que leva muitos jovens a pensar mais em RECEBER do que em DAR! Esse se torna rapidamente o erro mais relevante do povo americano. Ele não está em harmonia com o espírito da Regra de Ouro, em que as pessoas se encontram antes se perdendo em serviço útil e altruísta prestado a outros.

HILL:

Sr. Carnegie, em sua opinião, o que pode mudar essa tendência de hábito norte-americano?

CARNEGIE:

Nada, talvez, exceto alguma catástrofe devastadora que reduzirá todo o povo substancialmente ao mesmo nível, em que todos serão forçados a ter humildade. Pode ser uma guerra, ou o resultado de um colapso de todo nosso sistema econômico.

A história mundial fornece evidência convincente que, quando as pessoas perdem de vista a vida impessoal e se tornam presas da ganância e do desejo egoísta por poder pessoal e riqueza, são atingidas pelo desastre de uma forma ou de outra. A ascensão e queda do Império Romano é um bom exemplo do que quero dizer.

HILL:

E você acredita que essa mesma regra se aplica a indivíduos que vivem apenas para si mesmos?

CARNEGIE:

Sim, sem dúvida! Em minha experiência profissional, notei que aqueles que se esforçaram para progredir à custa dos colegas foram os primeiros a perder consideração. Alguns deles conseguiram ascender a posições de autoridade, mas autoridade só serviu para inspirar neles maior egoísmo, e logo eles caíram vítimas do peso da própria fraqueza.

Eu não me lembro de um único trabalhador que tenha sido elevado a uma posição permanente de riqueza, seja em minha organização ou em outro lugar, sem levar outros de boa vontade. E percebi que aqueles que ajudaram o maior número de pessoas foram os que mais conquistaram para si mesmos.

Há uma regra infalível para a conquista do sucesso individual, e é o hábito de ajudar outras pessoas a conquistá-lo! Nunca soube de um caso em que essa regra não tenha funcionado. E ela se aplica a todas as formas de relações humanas. Aqueles que mais RECEBEM da vida são os que mais DÃO ou ajudam outras pessoas a RECEBER. Egoísmo não é uma das regras do sucesso, mas fica perto do topo da lista das causas de fracasso.

HILL:

Portanto, altruísmo é um dos elementos indispensáveis para todos que alcançam sucesso permanente em qualquer ocupação a que se dediquem?

CARNEGIE:

É isso mesmo, e quero chamar sua atenção para a relação direta entre altruísmo e a Regra de Ouro. Ninguém pode viver pela Regra de Ouro antes de aprender a se perder em serviço altruísta a outras pessoas.

HILL:

Que qualidade específica o espírito de altruísmo desenvolve para dar tamanho poder universal para o progresso pessoal?

CARNEGIE:

Eu diria que ele desenvolve a humildade e dá ao indivíduo uma melhor compreensão daquela qualidade intangível conhecida como "poder interior". Às vezes chamamos esse poder de fé, mas seja qual for o nome dado, ele é a fonte de toda genialidade. Quem desenvolve uma vida impessoal vive mais na vida de outras pessoas e, por meio delas, chega mais perto do Criador.

HILL:

Se entendi corretamente, você quer dizer que altruísmo leva ao desenvolvimento de uma mente aberta que permite que o indivíduo se reconheça e se adapte à orientação da Inteligência Infinita.

CARNEGIE:

Isso é exatamente o que quero dizer. Egoísmo nos influencia a seguir a orientação da vaidade. Então, ignoramos a fonte daquele poder interior que não tem nenhuma relação com a faculdade da razão, mas é maior que todas as faculdades mentais.

HILL:

E você acredita que esse poder interior pode ser reconhecido e aplicado como espírito orientador na solução dos problemas práticos da vida diária?

CARNEGIE:

Sim, essa é minha crença. E devo acrescentar que aqueles que preparam a mente para a orientação por meio desse poder não têm problema insolúvel, porque esse poder tem a resposta para todos os problemas, grandes e pequenos, materiais e espirituais. Esse é o poder que nos dá capacidade para transformar adversidades em benefícios, seja qual for a natureza e o escopo dessas adversidades.

> *Se você odeia alguém, isso é como um bumerangue que erra o alvo, volta e acerta sua cabeça.*
> – **Louis Zamperini**

HILL:

Como se pode "preparar a mente" para esse tipo de orientação?

CARNEGIE:

O ponto de partida para toda realização individual é a definição de um objetivo – saber exatamente o que se quer da vida. As pessoas podem dar ação e vida a seu objetivo principal definido apoiando-o com um desejo obsessivo por sua realização. Objetivo, apoiado por desejo mantido, leva ao desenvolvimento de planos práticos por meio do exercício da imaginação, para a realização daquele objetivo.

Ele também transfere para a parte subconsciente da mente uma imagem clara, definida do que se quer, e ali, por algum método desconhecido da humanidade, a mente faz contato com esse poder interior. Assim, de maneira breve, você tem uma descrição de como se prepara a mente para a orientação que vem de dentro.

HILL:

Você não mencionou a Regra de Ouro. Que papel ela assume no processo de "preparação da mente" para a orientação que vem de dentro, se é que tem algum papel?

CARNEGIE:

Um papel muito definido! Parece que esse poder interior secreto reprova egoísmo, ganância, inveja, ódio, intolerância e todas as outras características da mente associadas de alguma maneira a prejudicar os outros. Aqueles que carregam na mente um objetivo definido que é livre de todo desejo de lucrar à custa de outro – como quando nos relacionamos com os outros com base na Regra de Ouro – livram-se, dessa forma, de toda oposição de terceiros e, de fato, conquistam sua cooperação amigável. Assim, limparam o caminho para a realização daquilo que querem.

Pensamentos são coisas, e coisas poderosas! E pensamentos sobre oposição hostil na mente de outras pessoas podem prevalecer sobre o desejo do indivíduo em relação àquilo que ele busca na vida. A oposição alcança e influencia a mente do indivíduo, levando-a a hesitar por medo e dúvida. Se essa oposição não existe, não pode haver medo e dúvida. Você percebe, portanto, que o espírito da Regra de Ouro é um grande construtor de autoconfiança, e autoconfiança leva à fé, e fé leva à orientação que vem de dentro. É muito simples, depois que você entende claramente a ideia.

HILL:

Ah, sim! Entendo sua ideia claramente. O espírito da Regra de Ouro coloca as pessoas em harmonia com a própria consciência, e ela as liberta da oposição do medo e da dúvida que, de outra forma, as atrasaria na busca por aquilo que querem.

CARNEGIE:

Essa é a ideia colocada perfeitamente. Não podemos ter o pleno benefício da orientação pela fé, se não estivermos em paz com nossa consciência. Sem essa orientação, não podemos dispor do poder interior.

Sabe-se que a mente consciente transmite a atitude mental do indivíduo – não apenas os desejos, mas a crença que apoia esses desejos. Se essa crença é permeada por medo, dúvida, indecisão, inveja, ganância, ou qualquer outra forma de egoísmo, esses estados mentais são reconhecidos e tomados como base para a ação da mente subconsciente, e é claro que os resultados são negativos!

ANÁLISE:
A REGRA DE OURO APLICADA

Por Napoleon Hill

Existe uma chave mestra que abre todas as portas para a abundância de tudo o que os seres humanos precisam. Mas essa chave se encaixa em duas portas: uma é a porta para a FÉ, e a outra é a porta para o MEDO.

O poder por trás da chave mestra é tão ilimitado que pode superar todos os problemas humanos, transformando o mais humilde em realeza, se a chave for usada na porta da fé. Essa chave mestra confere o privilégio do controle completo – um privilégio que é irrevogável e só se pode perder pela falta de uso.

A chave mestra é chamada de PODER DO PENSAMENTO!

Por meio do condicionamento apropriado, a mente pode ser preparada para reconhecer, apropriar-se e usar esse poder interior – poder que se move pela orientação inspirada.

Fique em silêncio e ouça a voz que fala apenas pelo poder do pensamento.
– Andrew Carnegie

Foi esse poder interior, aplicado por meio da orientação inspirada, que capacitou Michelangelo a superar pobreza, oposição cruel e fraqueza física e o levou, finalmente, ao reconhecimento mundial como um dos maiores artistas da história. O mesmo poder revelou a Thomas A. Edison os segredos da natureza e o capacitou para se tornar um dos maiores inventores do mundo; elevou Beethoven ao status de gênio da composição musical, apesar da perda auditiva; revelou a Marie Curie o segredo do rádio; fez de Charles P. Steinmetz uma autoridade reconhecida no campo da eletricidade; e revelou a Marconi o princípio da telegrafia sem fio que levou, finalmente, à descoberta do rádio.

Esses e todos os outros que o mundo reconheceu como gênios alcançaram sua grandiosidade "condicionando" a mente para receber orientação por meio do poder interior, aquele poder que tem livre acesso a todos os segredos da natureza e não reconhece o fracasso como um elemento da realidade.

O "condicionamento" começa com o reconhecimento do poder que está disponível para aqueles que vivem a vida impessoal, dedicando a própria vida a servir a humanidade com uma disposição de desejo altruísta de fazer o bem – de dar antes de receber!

O primeiro passo para que se possa viver a vida impessoal é conhecido como Regra de Ouro. Ela foi reconhecida e aplicada por todas as pessoas que alcançaram verdadeira grandiosidade. Foi reconhecida por todo grande líder religioso e todo verdadeiro filósofo.

Confúcio a descobriu e fez dela a base de uma filosofia que o tornou amado. O Homem da Galileia a descobriu e, durante o Sermão da Montanha, a expressou nos termos mais compreensíveis jamais usados: "Assim, em tudo, façam aos outros o que vocês querem que eles façam a vocês".

Muitos sermões foram feitos sobre a Regra de Ouro, mas poucos interpretaram toda a profundidade de seu significado, cuja essência é:

> *Perca-se no serviço altruísta a outras pessoas. Assim, você vai descobrir a chave mestra para o poder interior que o guia com firmeza para a realização de seus mais nobres propósitos e objetivos.*

Não há mistério nesta fórmula! Qualquer um pode aplicá-la sem oposição, porque ela beneficia a todos que afeta.

É fato estabelecido que o espaço que ocupamos no mundo é determinado precisamente pela qualidade e quantidade do serviço que prestamos e pela atitude mental com que o prestamos. Esses fatores determinantes podem ser controlados por todo mundo.

É fato igualmente estabelecido que aqueles que ocuparam o maior espaço (por meio de sua influência e do reconhecimento público) superaram medo, inveja, ódio, intolerância, ganância, vaidade, egoísmo e o desejo de obter alguma coisa em troca de nada.

Essa também é uma parte do necessário "condicionamento" da mente para reconhecer e apropriar-se daquele poder interior que guia o indivíduo em triunfo por meio das resistências da vida.

Vamos agora analisar aqueles que aplicaram a Regra de Ouro vivendo a vida impessoal, de forma que possamos observar a disposição com que eles se relacionaram com outras pessoas.

Vou começar por Andrew Carnegie, porque nestes capítulos ele nos revelou detalhes íntimos do funcionamento interno de sua mente. No início da carreira, ele adotou o espírito de humildade que manteve ao longo da vida.

Em sua escalada da pobreza à riqueza, ele fez parte de sua responsabilidade inspirar outras pessoas a compartilhar seu sucesso, um comando que estendeu aos mais humildes empregados de sua companhia. Enquanto acumulava uma grande fortuna, ele também fez mais milionários que qualquer outro industrial conhecido pelo povo americano – e a maioria deles começou com pouca escolaridade e nada para dar, exceto mãos fortes e disposição.

Depois de ter acumulado uma fortuna, o Sr. Carnegie começou a pensar em uma maneira de distribuí-la, provando assim sua compreensão da vida impessoal.

No entanto, ele não se contentou com apenas *dar* seu dinheiro. Ele reconheceu que seu maior bem era o conhecimento pelo qual tinha adquirido sua riqueza. Esse conhecimento revelou a ele o escopo e as possibilidades do abundante poder interior ao qual recorreu com tanta avidez ao longo de sua diversificada carreira.

Andrew Carnegie não pensava apenas no próprio bem-estar, mas também no de gerações que ainda nem tinham nascido. Seu legado é reunido na filosofia da realização americana, que consiste nos princípios conhecidos da realização individual como foram aplicados no desenvolvimento do estilo de vida americano em uma grande variedade de vocações.

São capazes os que pensam que são capazes.

– Virgílio

Ele conhecia o valor da vida impessoal, porque se disciplinou vivendo assim! O espaço que ocupou, portanto, é tão grande quanto o mundo, e embora ele tenha se tornado um cidadão do universo, seu espírito segue em frente, inspirando pessoas a adquirir uma compreensão da vida impessoal por meio da educação superior e da leitura.

Em 1929, Thomas A. Edison comemorou um triunfo sobre a adversidade sem paralelos na história do mundo – um triunfo que faz as disputas do triunfo romano parecerem um circo comum. O triunfo romano foi uma área restrita a apenas uma fração do planeta. O mundo que aclamou Edison, no entanto, abrangia os dois hemisférios e todos os países da Terra.

Nenhum reconhecimento semelhante de genialidade individual jamais foi testemunhado antes. Esse foi o primeiro Jubileu de Ouro em que o mundo celebrou um triunfo da paz; onde não havia vítimas acorrentadas seguindo a procissão da vitória; onde maldade, inveja e ódio foram destronados e substituídos por manifestações de gratidão universal. Os benefícios conferidos à humanidade não foram menos que milagrosos, e foram concedidos por um homem cuja genialidade fez, no sentido figurado, o sol brilhar à noite pela conversão de energia armazenada em uma reprodução em miniatura da massa incandescente.

Alfred O. Tate, ex-secretário de Edison, disse:

No dia 21 de outubro, em seu ano do jubileu, os raios abrangentes de Luz Dourada que inundavam o país estavam voltados para Dearborn, Michigan, onde Henry Ford havia organizado uma comemoração em homenagem a Edison, distinto não apenas por sua magnificência, mas também pela genialidade que produziu alguns dos eventos mais relevantes da história de sua carreira, que literalmente os fez reviver.

Por volta das onze da manhã daquele dia histórico, eu estava na plataforma de uma pequena estação ferroviária na propriedade de Ford, esperando para "ver o trem chegar". A estação era uma réplica de uma daquelas em que, ainda muito jovem, Edison havia trabalhado como jornalista, e onde, em um canto do vagão de bagagens, ele editava e imprimia um jornal próprio, relatando os acontecimentos da linha.

Quando o trem parou, o primeiro passageiro a desembarcar foi o presidente dos Estados Unidos, Herbert Hoover, seguido pelos Sr. e Sra. Ford e Sra. Edison e seus convidados. Depois desceu um homem de cabelos brancos com um sorriso enigmático. Ele era o jornalista que, durante a breve viagem de trem, tinha se dedicado a vender réplicas de seu jornal original aos distintos passageiros no vagão – Thomas Alva Edison.

Às sete da noite desse dia, nos aposentos colunados de um prédio, uma réplica do Independence Hall na Filadélfia, a mais notável reunião dos homens mais distintos em todas as áreas da vida humana jamais realizada sob um teto participava do banquete de Henry Ford em homenagem a Edison.

O discurso em honra a Edison foi feito pelo presidente dos Estados Unidos. Quando Edison levantou-se para responder, estava dominado por uma emoção que foi comunicada a toda a plateia. Era a primeira vez que ele tentava falar sobre si mesmo em um evento dessa natureza. E nunca mais ele fez outra aparição semelhante.

Aqui vemos humildade em sua forma mais elevada! E aqui vemos a evidência de que aqueles que se perdem a serviço de outras pessoas serão descobertos e adequadamente recompensados.

Edison raramente falava de suas realizações. Seu lema era: "Atitudes, não palavras".

Ele vivia tão completamente perdido em seu trabalho, que não tinha tempo nem inclinação para pensar em si mesmo. Admitiu que, durante toda sua vida, nunca pensou com seriedade no que poderia RECEBER por seu trabalho. Sua maior preocupação se relacionava ao que ele poderia DAR!

Era inevitável, portanto, que descobrisse o poder interno que era a verdadeira origem de sua genialidade. Ele condicionou a mente para reconhecer e apropriar-se desse poder. Se fez isso de maneira consciente ou inconsciente tem pouca importância. Mas é importante reconhecermos que ele viveu a vida impessoal, por meio da qual preparou a mente para reconhecer e apropriar-se daquele poder interior para o benefício da humanidade.

O mundo fala sobre a Regra de Ouro há quase dois mil anos, e milhares de sermões foram feitos sobre ela, mas só alguns poucos descobriram que seu poder consiste em sua *aplicação*, não apenas na crença de sua solidez.

O propósito deste capítulo é descrever o que acontece quando a Regra de Ouro é aplicada em relacionamentos com outras pessoas. Portanto, chamo a atenção do leitor para dois princípios relacionados:

1. Atração harmoniosa.
2. Retaliação.

Há algo em nossa natureza que frequentemente nos faz retaliar na mesma moeda quando somos ofendidos por alguém com palavras ou atos. Também respondemos na mesma moeda quando somos favorecidos em palavras ou atos. Essa parte da natureza da humanidade já existia muito antes de os filósofos descobrirem o poder secreto da Regra de Ouro, e foi, sem dúvida, a interpretação que eles fizeram dessa parte da humanidade que levou à enunciação da Regra de Ouro.

Emerson descobriu que a Regra de Ouro é mais que um mero preceito moral. Ele percebeu que suas raízes existem no domínio da lei natural que governa não só os seres humanos, mas também todo átomo de matéria e toda unidade de energia no cosmos.

Emerson escreveu:

Polaridade, ou ação e reação, é o que encontramos em toda parte da natureza; escuridão e luz; calor e frio; no ir e vir das águas; macho e fêmea; inspiração e expiração de plantas e animais; sístole e diástole do coração; nas ondulações de fluidos e do som; na gravidade centrífuga e centrípeta; eletricidade, galvanismo e afinidade química...

O mesmo dualismo embasa a natureza e a condição do homem. Cada excesso causa uma falta; cada falta, um excesso. Todo doce tem seu azedo; todo mal tem seu bem. Toda faculdade que é receptora de prazer tem uma igual penalidade atribuída a seu abuso. A resposta para a moderação é sua vida. Para cada grão de sabedoria tem um grão de tolice. Para tudo que perdeu você ganhou alguma coisa; e para tudo que ganha, você perde alguma coisa...

As ondas do mar não buscam um nivelamento de seus movimentos mais elevados mais rapidamente do que as variedades de condições tendem a se igualar. Há sempre alguma circunstância niveladora que reduz o arrogante, o forte, o rico, o afortunado substancialmente ao mesmo nível de todos os outros.

É claro, a regra que Emerson descreve funciona exatamente da mesma maneira quando alguém prejudica os vizinhos por atos ou palavras, porque a ofensa põe em movimento uma causa que vai resultar em um efeito relacionado. Se o vizinho não retaliar na mesma moeda na primeira oportunidade, algum amigo dele vai retaliar, ou a "retaliação" pode vir de alguém inteiramente desconhecido, mas ela virá, em algum momento.

Mas ignorando inteiramente os efeitos da retaliação, há outro efeito inevitável que experimentamos quando ofendemos outra pessoa: um enfraquecimento proporcional de nossa personalidade. A transação ofende a consciência, reduz a autoconfiança, mina o autorrespeito e enfraquece a força de vontade.

Sucesso chega para aqueles que sabem percorrer o caminho da vida com um mínimo de fricção em seus relacionamentos.
– Napoleon Hill

Assim, todo o sistema da lei natural que controla o universo foi projetado para forçar todo ser humano a aceitar os resultados de seus atos. E todo pensamento, bem como todo ato que alguém pratica, torna-se uma parte fixa da personalidade do indivíduo!

Aqui, então, está o mais forte de todos os argumentos em favor da Regra de Ouro como base de todos os relacionamentos humanos: *aquilo que você faz ao outro, faz a você mesmo.* As leis inevitáveis da natureza não dão escolha nessa questão, exceto a de decidir se você vai se ajudar ou prejudicar com seus pensamentos e atos nos relacionamentos com outras pessoas.

Aplique o princípio e observe onde ele leva.

Quando Andrew Carnegie abriu as portas da oportunidade para os mais humildes trabalhadores de suas fábricas – e deu àqueles que estavam preparados para aceitá-la todo o benefício de sua experiência, seu capital e sua reputação de competente industrial –, ele fez mais que simplesmente ajudar outras pessoas a acumular riqueza. Ele agregou valor incomensurável à própria riqueza, valor representado por boas características de personalidade, além de posses materiais.

Ele poderia ter adquirido sua fortuna e a conservado à sua disposição, mas uma estranha qualidade se associa ao ganho duvidoso, algo que o faz dissipar-se. Esse fenômeno às vezes é resumido na expressão "vem fácil, vai fácil".

O Sr. Carnegie garantiu sua segurança financeira ajudando outras pessoas a se beneficiarem. Não há como escapar dessa conclusão, e os fatos são tão conhecidos que não podem ser questionados.

Que essa seja uma resposta para quem, por ignorância ou intolerância, reclama de que o Sr. Carnegie conseguiu sua riqueza à custa dos empregados em sua folha de pagamento. Ele a acumulou com a cooperação desses empregados, certamente, mas é seguro dizer que, para cada dólar que ele acumulou com o trabalho de seus funcionários, estes receberam cem dólares ou mais! E é bom lembrar que ele manteve aberta a porta da oportunidade para o mais humilde de seus empregados e para todos que tinham a ambição de progredir e deixar para trás a mediocridade do trabalho braçal, e que deu a cada trabalhador interessado a mesma oportunidade para acumular a riqueza que ele possuía.

E é bom lembrar também que o Sr. Carnegie tomou providências para que sua fortuna *continue* progredindo, ajudando outras pessoas a se prepararem para obter da vida o que quiserem, proporcionalmente ao que tiverem para dar em troca.

Até você, que está lendo esta página, pode lucrar com essa filosofia, uma circunstância derivada da previdência de um grande filantropo que tomou as medidas necessárias para garantir a você fácil acesso ao conhecimento que construiu a fortuna dele.

Aqui temos o altruísmo que só poderia ser manifestado por alguém que aprendeu o valor de viver a vida impessoal e compartilhar sua riqueza e oportunidade com todos que as aceitassem.

Essa análise não é feita para exaltar as virtudes de Andrew Carnegie, mas para descrever a você – alguém que está procurando seu lugar no mundo – o método pelo qual pode encontrá-lo: DANDO para poder RECEBER!

Os efeitos valiosos desse serviço, prestados com altruísmo, tornam-se eternos porque se multiplicam indefinidamente. O dinheiro que Andrew Carnegie acumulou e distribuiu é só uma parte infinitesimal das riquezas que sua mente produziu. A isso deve-se acrescentar as centenas de milhões de dólares que ele pagou e que ainda serão pagos a trabalhadores pela grande indústria do aço que ele fundou, e os milhões adicionais que ele economizou para aqueles que usam os produtos do aço graças à disponibilidade de seu cérebro, que o ajudou a reduzir o preço do aço de US$ 130 para US$ 20 a tonelada.

Portanto, vemos essa personalidade se perpetuando e seguindo em frente, para o bem ou para o mal, muito tempo depois de o corpo físico ter falecido. Isso também é uma resposta às leis eternas da natureza, particularmente a Lei da Compensação, que Emerson descreveu de maneira tão adequada.

Então, quando ouvir alguém dizer que acredita na Regra de Ouro e gostaria de praticá-la, mas não pode, porque as pessoas com quem tem que lidar não vivem de acordo com ela, saiba que essa pessoa não entende a premissa básica. Ela ignora que os benefícios da Regra de Ouro beneficiam quem vive de acordo com ela, independentemente dos atos de outras pessoas. Esses benefícios se manifestam na forma de caráter fortalecido, maior autoconfiança, iniciativa pessoal, paz de espírito, visão criativa, entusiasmo, autodisciplina, capacidade de lucrar com a derrota, definição de objetivo e melhor compreensão do poder interior que é revelado àqueles que condicionaram a mente para reconhecê-lo e aceitá-lo.

Era esse último benefício que Emerson tinha em mente quando disse: "Faça a coisa e terá o poder!". Emerson sabia que todo pensamento que temos e todo ato que praticamos tornam-se parte inseparável do nosso caráter, para nos ajudar ou amaldiçoar, de acordo com sua natureza.

Ele também sabia que o caráter sólido faz mais do que criar uma reputação favorável. Ele fornece ao indivíduo o excedente de fé que é necessário em tempos de emergência, quando força de vontade e a faculdade da razão são inadequadas para as necessidades humanas.

Pare aqui e medite sobre esse pensamento!

Ele é o ponto central da Regra de Ouro, e sua interpretação é a essência deste capítulo. Perca-se em serviço útil, e seus problemas desaparecerão como se fossem dispersos por um toque de mágica. A história da humanidade apoia essa afirmação, e ignorá-la seria uma perda trágica para quem está se empenhando para superar os problemas dos tempos complexos que vivemos.

Ao longo deste livro, Andrew Carnegie enfatizou a importância de manter uma atitude mental positiva. Ele demonstrou, por numerosos exemplos, que as circunstâncias externas de sua vida correspondem nos menores detalhes à sua atitude mental. Ele também forneceu evidência irrefutável de que relacionamentos harmoniosos com outras pessoas são a semente da qual germina todo sucesso pessoal.

Não podemos estar em harmonia com quem exploramos de maneira egoísta. Não podemos ter sucesso por nenhum tipo de relacionamento que prejudique outras pessoas. O sucesso chega para aqueles que levam os outros junto, compartilhando suas oportunidades e seu conhecimento no verdadeiro espírito da Regra de Ouro. Aqui está, então, a explicação para o estranho fato de nossos problemas serem resolvidos com mais facilidade quando ajudamos os outros a resolverem seus problemas. O mundo todo tem um parentesco próximo. Aquilo que afeta um, afeta proporcionalmente toda a humanidade. Quando o trabalho é abundante e os salários também, toda a vizinhança lucra. Quando o trabalho é escasso e as pessoas ficam ociosas, toda a vizinhança sente os efeitos da escassez.

Esse efeito é conhecido por muitos, mas entendido por poucos. Os poucos que o entendem são abençoados com o sucesso em tudo o que tocam – progridem no trabalho, sobrevivendo apesar das crises econômicas, guerras e outras emergências abrangentes que afetam todos à sua volta.

Se você quer mais evidências concretas de que compensa viver a vida altruísta, comece onde está e ajude aqueles à sua volta que são menos afortunados que você – não necessariamente dando dinheiro, mas dando incentivo e oferecendo a eles uma oportunidade para servir. Cada fardo que você tira dos ombros de alguém remove um fardo equivalente de cima dos seus ombros, ou, se você não tem fardos, o beneficia de alguma outra forma apropriada a seus desejos e suas necessidades.

Você não pode se apropriar dos benefícios da Regra de Ouro simplesmente acreditando nela. Precisa pôr sua crença em ação, como o Sr. Carnegie afirmou repetidamente.

Um dos maiores desejos de todas as pessoas é a felicidade! Buscamos riquezas materiais porque acreditamos que elas podem ser transmutadas em alguma forma de felicidade, porque, obviamente, a mera posse do dinheiro não pode dar felicidade.

Construímos e mantemos amizades por causa da felicidade que elas proporcionam. E amor, a mais elevada e nobre expressão das emoções humanas, é buscado universalmente por todas as pessoas porque dá felicidade.

Infelicidade é não saber o que quer e se matar para conseguir.

– Don Herold

Podemos dizer, portanto, que o principal objetivo da vida é encontrar a felicidade e mantê-la, mas a grande maioria das pessoas nunca desfruta de mais que alguns poucos momentos fugazes desse presente divino em um dado período, e alguns seguem pela vida sem nunca a experimentar.

Expressar a Regra de Ouro em todos os relacionamentos humanos é a única garantia satisfatória de felicidade.

John Rathbone Oliver, ao escrever o *Trinity Church Bulletin* de Columbia, Carolina do Sul, ofereceu uma verdadeira descrição da abordagem da felicidade com estas palavras:

Muitas pessoas que escrevem para mim reclamam por não serem felizes. Muitas vezes dizem: "Quero a felicidade que é meu direito de nascença". Na verdade, ninguém tem o direito à felicidade neste mundo. Podemos sentir que temos que reivindicar a felicidade, mas em terminologia legal há uma grande diferença entre reivindicação e direito. Reivindicações muitas vezes não são atendidas, e há muitas reivindicações falsas. Um direito, no entanto, significa a posse absoluta e justa de alguma coisa por alguma característica inerente da pessoa que a possui.

Dizer que temos o direito à felicidade e depois afirmar que somos infelizes é o mesmo que dizer que somos tratados injustamente e não recebemos a sobremesa que nos é devida. Essa é uma atitude mental que nada tem de cristã. Ninguém tem o direito à felicidade neste mundo, e as pessoas que exigem felicidade como um direito dificilmente a conquistam.

Felicidade é um subproduto. Às vezes, chega sem disfarces e de maneira inesperada. O mais comum é que derive de uma disponibilidade para aceitar os deveres e as dificuldades da vida diária e fazer seu trabalho no mundo com o mínimo possível de atrito mental.

O problema é que não somos suficientemente gratos pela felicidade passada. Dizemos: "Eu era muito feliz anos atrás, quando amava essa ou aquela pessoa ou fazia essa ou aquela coisa. Mas agora perdi a felicidade e, portanto, estou deprimido e desanimado". Devemos ser gratos por períodos passados de felicidade. No entanto, é comum sentirmos ainda mais a perda, porque um dia tivemos alguma coisa que nos trouxe felicidade.

Quando somos temporariamente felizes, esperamos que a felicidade se mantenha por tempo indefinido. Temos que aprender a lição do "anjo que parte". Nos Atos dos Apóstolos, você pode ler sobre como Deus mandou um anjo para libertar São Pedro da prisão. Ao toque do anjo, as correntes caíram da mão de São Pedro e as portas da prisão se abriram por conta própria. Então, São Pedro e seu guia saíram para a noite. Percorreram uma rua, e então o anjo se afastou dele. São Pedro esperava, talvez, que o anjo que já havia feito tanto por ele o levasse até em casa. Mas Deus levou o anjo para que São Pedro pudesse aprender como chegar em casa sozinho.

Na vida, a mesma coisa acontece com frequência: a pessoa ou a coisa em que nossa felicidade se baseia é removida de repente. Um filho amado morre, ou uma esposa amorosa é separada do marido. O amor de um marido esfria ou um amigo esquece sua amizade. O anjo que nos tirou da prisão da solidão é levado, e somos tentados a sentar e esperar. Como Jó, somos orientados a amaldiçoar Deus e morrer. Mas esse não é o jeito certo de lidar com a perda do anjo que partiu. A perda pode não ser uma fonte de infelicidade e tragédia, mas uma fonte de nova força e de novos caminhos de utilidade no mundo.

Criamos nosso plano de vida e ficamos revoltados quando alguma coisa destrói esse plano. Começamos caminhando em uma determinada direção e sentimos que estamos conquistando alguma coisa. Então, alguma coisa acontece, a estrada é bloqueada e não podemos mais continuar na mesma direção. Às vezes, parece que Deus estendeu Sua mão e nos fez parar. Então vem a tentação de desistir. Dizemos: "Se não posso ir do meu jeito, não vou de jeito nenhum". Não percebemos que há outras direções em que podemos seguir, e que Deus nos faz parar e voltar porque tem algo mais importantes para fazermos em outra direção e em outras circunstâncias.

Se as pessoas pudessem perceber essas coisas com um pouco mais de clareza, haveria menos queixas sobre felicidade perdida. A verdadeira felicidade nunca é perdida. Se foi felicidade verdadeira, sua lembrança e seu poder nos acompanharão para sempre.

Sim, o Sr. Oliver está certo! A verdadeira felicidade enriquece a alma de todos que a experimentam, e é encontrada, geralmente, por aqueles que ajudam os outros a encontrá-la. Além disso, felicidade pode ser encontrada pela Regra de Ouro, que nos inspira a viver com entusiasmo a vida altruísta por esse tipo de dedicação ser, em si mesma, uma das formas mais elevadas e nobres de felicidade.

Se você fosse seu empregador e ele ou ela fosse você, estaria satis-
feito com a qualidade e a quantidade de trabalho que está fazendo
e com a atitude mental com o que faz?
– Napoleon Hill

Aqui é, então, um lugar apropriado para explodir uma falácia popular com relação ao princípio funcional da Regra de Ouro. Aqueles que não entendem a lei por trás dessa grande regra de conduta humana muitas vezes cometem o engano de presumir que ela não é nada mais que uma boa teoria que não funciona no mundo material, em uma era de egoísmo e ganância. Erroneamente, argumentam que não podem se dar ao luxo de viver de acordo com a Regra de Ouro, porque seus vizinhos se recusam a viver assim, e aderir à regra os coloca em grande desvantagem.

"Eu administraria minha empresa de acordo com a Regra de Ouro com prazer", disse um empresário proeminente, "mas acabaria falido, porque aqueles com quem negocio tirariam proveito de mim".

Examinada superficialmente, essa declaração parece ter fundamento. Mas a filosofia da Regra de Ouro é mais profunda que transações superficiais. Ela é uma parte da lei natural que governa o universo, e para entender seus efeitos, temos que aprofundar essa análise.

A proverbial exceção (ou o que parece ser uma exceção) pode existir na pessoa que recebe os benefícios da Regra de Ouro aplicada, mas se recusa a retribuir, deixando, portanto, o benfeitor em desvantagem. Mas exceções minoritárias a qualquer regra de conduta humana não são importantes.

A questão importante é esta:

Toda experiência humana não prova que, de longe, a grande maioria responde na mesma moeda em suas interações com outras pessoas?

Portanto, que diferença faz se uma pessoa de cada cem com quem se faz negócios recebe os benefícios do relacionamento pela Regra de Ouro, mas se recusa a reconhecer esses benefícios pela apropriada retribuição? As outras 99 vão retribuir. Assim, a lei das médias vai dar ao benfeitor a justa compensação por seus atos, sem mencionar os benefícios que ele confere a si mesmo acrescentando a soma de seus atos ao próprio caráter e, dessa forma, projetando sua influência por intermédio da reputação melhorada.

A grande loja varejista Marshall Field & Company em Chicago tem uma regra que garante a todo cliente o direito de devolver uma mercadoria que não seja satisfatória e, sem dar explicações, trocá-la pelo valor exato que pagou por ela. A regra se mostrou lucrativa? Alguns clientes aproveitam a regra para ter vantagem sobre a loja? Vamos ouvir o que um gerente de departamento tem a dizer:

"Às vezes", disse o gerente do departamento de luvas, "as pessoas entram, compram um par de luvas caras, usam as luvas uma noite e, deliberadamente, esgarçam as costuras, devolvem as luvas e exigem o dinheiro de volta."

"O que você faz nesses casos?", perguntaram a ele.

"Não só devolvemos o dinheiro, como pedimos desculpas pelo tempo que o cliente perdeu para ir devolver a mercadoria."

"Mas como a loja consegue pagar o preço de aceitar desonestidade tão óbvia?"

"A loja", ele explicou", não pode pagar o preço de não aceitar. Talvez não mais que um a cada quinhentos consumidores usarão a regra dessa maneira desonesta, e mesmo essa exceção muitas vezes compensa muito, porque a pessoa espalha a notícia de que nossa loja cumpre o que promete e acata as reivindicações sem protestar."

Na cidade de Chicago, tem uma rede de lojas de chapéu que vende chapéus pelo preço popular de dois dólares. A política da loja é vender chapéus e garantir que qualquer mercadoria insatisfatória pode ser devolvida a qualquer momento de sua vida útil e trocada por um chapéu novo. Um cliente comprou um chapéu e, a cada seis meses a partir da compra, durante mais de três anos, devolveu o chapéu antigo com uma explicação de uma palavra – "insatisfatório" – e todas as vezes saiu com um chapéu novo.

Quando perguntaram ao dono por que ele não expulsava o trapaceiro da loja na próxima vez que o homem aparecesse, ele respondeu: "Expulsá-lo? Ora, se tivesse cem clientes como esse homem, eu poderia me aposentar em poucos anos. Ele é uma propaganda ambulante da loja, e não há uma semana em que não apareça um ou mais clientes novos dizendo que vieram comprar nossos chapéus porque ouviram o "trapaceiro" dizer que cumprimos nossa palavra. Esse homem nos dá a maior e melhor publicidade – e isso por um chapéu de dois dólares a cada seis meses – do que poderíamos comprar em espaço de jornal por centenas de dólares".

NOTA DO EDITOR:

A rede americana de café Starbucks oferece uma garantia simples a todos os clientes: se você não estiver satisfeito com a bebida, fazemos de novo até acertar. Isso garante que cada consumidor tenha uma experiência positiva, promovendo o retorno do cliente - e maior valor do tempo de preferência do cliente - por muitos anos.

Você pode apostar que muitas vezes um cliente inescrupuloso consumiu metade da bebida, e depois pediu uma nova alegando que o produto era "insatisfatório", para assim receber mais do que a quantidade pela qual pagou, tirando proveito da política da loja de garantir a satisfação do cliente. Mas o consumidor inescrupuloso não parece ter causado impacto significativo na rede de cafeterias, que agora tem mais de trinta mil lojas espalhadas pelo mundo e um capital de mercado de mais de US$ 100 bilhões.

No entanto, há pessoas que dizem: "Eu gostaria de viver de acordo com a Regra de Ouro, mas não posso, porque a outra pessoa não faria a mesma coisa".

Esqueça "a outra pessoa". A Regra de Ouro deve começar em casa, e se for realmente a Regra de Ouro aplicada, não mera teoria, ela trará recompensas adequadas, independentemente do que os outros possam fazer.

> *A comparação é o ladrão de alegria.*
>
> – atribuído a Theodore Roosevelt

Dois conhecidos meus formaram recentemente uma sociedade comercial envolvendo um investimento considerável de um deles. Embora a sociedade envolva o restante da vida deles nessa associação, o contrato entre eles é inteiramente verbal; nem um risco de caneta foi usado para registrá-lo. Acontece que ambos entendem e, da melhor maneira possível, vivem pela Regra de Ouro em todos os relacionamentos que mantêm com outras pessoas. Eles sabem, portanto, que um contrato verbal baseado em um encontro de mentes, sob a filosofia da Regra de Ouro, quando acatado por aqueles que vivem de acordo com essa regra, vale mais que todos os contratos legais já redigidos por advogados.

Vejamos como esse contrato está funcionando na prática!

Seis meses depois do acordo feito, um dos sócios – o que não tinha investido nenhum dinheiro – fez voluntariamente um seguro de vida e pôs o sócio como beneficiário, assegurando uma quantia muito superior àquela que o sócio tinha investido. Além disso, ele fez um testamento em que nomeou o sócio como seu único beneficiário. Um trecho do documento estabelecia:

> *Concebo e deixo para meu querido amigo e sócio, _____, todos os meus direitos e interesses no negócio de que somos proprietários, e todas as outras propriedades, reais e pessoais, que posso ter, e nomeio e indico _____ como Executor e Depositário deste, minha última vontade e meu testamento, com a solicitação de que ele tenha permissão para assim servir sem vínculo.*
>
> *Fui levado, por minha livre vontade, a deixar toda a minha propriedade para meu sócio como medida de meu reconhecimento por sua solidariedade, compreensão e disposição para entrar em uma sociedade comigo e investir elevada quantia na sociedade apenas pela força de sua confiança em mim, e sem nenhuma evidência escrita de nosso acordo, demonstrando assim sua crença e sua prática da Regra de Ouro como base para todas as relações humanas.*

O possível valor dos bens desse homem, considerando todos os fatores conectados a eles, pode ser bem superior a um milhão de dólares, mas ele obviamente legou sua propriedade ao sócio com um profundo sentimento de gratidão, baseado apenas em como o sócio lidou com ele, decidindo que o acordo verbal era suficiente para garantir a transação.

Conhecendo os dois sócios como conheço, tenho certeza de que o mais sagaz advogado não teria sido capaz de redigir um contrato legal que servisse ao propósito de ambos e representasse um compromisso maior que o acordo verbal. O arranjo vai funcionar necessariamente de forma satisfatória, porque é baseado na Regra de Ouro e foi acatado por duas pessoas que fizeram dessa regra uma parte de sua filosofia vitalícia nas relações com os outros.

Não quero aqui sugerir com esse exemplo que todos devem entrar em relacionamentos comerciais mantendo apenas acordos verbais, porque sou prático o suficiente para saber que há pessoas – muitas delas – que não respeitam nem tentam viver pela Regra de Ouro. O erro é uma perda para eles, é claro, mas a verdade é que, infelizmente, o mundo de maneira geral ainda não descobriu os profundos benefícios que estão disponíveis para quem vive por essa regra, em vez de apenas aceitá-la como uma teoria de relacionamento humano.

Alguns dos principais benefícios da Regra de Ouro aplicada

Como sabemos, o motivo é da maior importância em todas as relações humanas. Vamos então analisar os benefícios que se pode receber pela aplicação da Regra de Ouro e determinar com quantos dos nove motivos básicos agimos de acordo ao aplicar essa regra:

1. O MOTIVO DO AMOR:

Esta, a maior de todas as emoções, se baseia no espírito da Regra de Ouro que nos inspira a deixar de lado egoísmo, ganância e inveja e nos relacionarmos com os outros como se estivéssemos no lugar deles. O motivo do amor, expresso pela Regra de Ouro, nos permite pôr em prática livremente aquele velho mandamento de "amar o próximo como a ti mesmo". Ele nos leva ao pleno reconhecimento da unicidade da humanidade, no sentido de que qualquer coisa que prejudique nossos vizinhos também nos prejudica.

Vamos, portanto, aplicar a Regra de Ouro em todos os relacionamentos como uma forma prática de demonstrar o espírito de humanidade. Esse é o maior de todos os motivos para aplicar essa regra profunda.

2. O MOTIVO DO LUCRO:

Esse é um motivo sólido e universal, mas que muitas vezes é expresso de maneira egoísta. Ganhos financeiros obtidos com a aplicação da Regra de Ouro são mais duradouros. Trazem com eles a boa vontade daqueles de quem os ganhos foram obtidos. Esse tipo de ganho não estabelece má vontade, oposição organizada, animosidade ou inveja em relação àquele que o adquire. De fato, carrega com ele uma forma de cooperação espontânea de terceiros que não se pode ter de nenhuma outra maneira. É ganho abençoado no sentido mais estrito do termo.

3. O MOTIVO DA AUTOPRESERVAÇÃO:

O desejo de autopreservação é inato em todo ser humano. Pode ser alcançado com mais facilidade por aqueles que, em seus esforços para conquistá-lo, ajudam os outros em sua busca pelo mesmo desejo. A regra do "viva e deixe viver", quando aplicada, garante uma resposta igual. Assim, a Regra de Ouro aplicada torna-se o método mais seguro de alcançar a autopreservação pela cooperação amigável de outras pessoas.

4. O MOTIVO DE DESEJO POR LIBERDADE DE CORPO E ALMA:

Há um elo comum que afeta todas as pessoas e, por ser universal, influencia todo relacionamento humano, colocando as vantagens e as desvantagens da vida, as perdas e os ganhos substancialmente no mesmo nível. O preço justo é cobrado de quem tenta obter mais que sua cota justa dos ganhos ou se esquivar de sua parte das perdas.

Os que conquistam liberdade de corpo e mente mais depressa são aqueles que ajudam os outros a alcançar liberdade similar. Isso é evidente em todo relacionamento humano, seja de lucro ou de perda. Liberdade deve se tornar propriedade comum de vizinhos e associados do indivíduo, se for para ser desfrutada por ele.

Emerson tinha esse mesmo pensamento em mente quando disse: "A natureza odeia monopólios e exceções. As ondas do mar não procuram nivelar sua maior altitude mais depressa do que as diversidades de condição [da vida] tendem a se equalizar. Há sempre alguma circunstância niveladora que coloca os autoritários, os fortes, os ricos, os afortunados, substancialmente, na mesma posição de todos os outros".

5. O MOTIVO DO DESEJO DE PODER E FAMA:

Poder e fama, pelos quais o desejo é um dos nove motivos básicos da humanidade, são circunstâncias que só podem ser alcançadas pela cooperação amigável de outras pessoas, por meio da Regra de Ouro aplicada. Não há como escapar dessa conclusão – teste a afirmação, se quiser!

Mais uma vez, aqui se pode lucrar com o slogan do Rotary Club: "Mais se Beneficia Quem Melhor Serve". Não podemos "servir melhor" sem nos colocar no lugar de todos aqueles a quem servimos em todas as formas de relacionamento. Não podemos adquirir e deter poder e fama sem beneficiar outras pessoas na proporção dos benefícios que nós mesmos temos. Começamos agora a entender por que se deve praticar, além de pregar, a Regra de Ouro! É a prática que rende dividendos, não apenas a crença na regra.

Portanto, vemos que aqueles que se relacionam com os outros aplicando a Regra de Ouro em todos os seus atos ganham dessa forma cooperação por meio de cinco dos nove motivos básicos. Além disso, conferem a eles mesmos elevado grau de imunidade contra as influências dos dois motivos negativos – medo e vingança! Podemos dizer, portanto, que aqueles que vivem pela Regra de Ouro lucram por sete dos nove motivos básicos e conferem a eles mesmos proteção contra os dois motivos negativos.

Aqui está a verdadeira estrada para o poder pessoal! Podemos adquirir essa forma de poder com o pleno consentimento e a cooperação harmoniosa daqueles de quem a adquirimos. Portanto, ela é poder permanente.

Esse é o tipo de poder que se reflete em bom caráter. Portanto, é poder que nunca é usado para prejudicar outra pessoa.

Agora vamos enfatizar uma característica da Regra de Ouro que é frequentemente ignorada – especificamente, que seus benefícios podem ser alcançados apenas por seu uso, e não só pela mera crença em sua solidez ou na pregação da solidez da regra para outras pessoas. Uma atitude passiva em relação a essa grande regra da conduta humana não vai resultar em nada. Aqui, como no caso da fé, uma atitude passiva não tem nenhum valor prático. "Atos, não palavras", deve ser o lema!

A Regra de Ouro é pregada de um jeito ou de outro há mais de dois mil anos, mas o mundo de maneira geral a aceitou apenas como uma pregação. Raramente pessoas em cada geração descobriram os poderes potenciais disponíveis por meio da aplicação dessa grande lei e se beneficiaram de sua aplicação. Se isso não fosse verdade, o mundo não estaria agora voltado, como está, para a destruição da civilização.

Os benefícios dessa filosofia são tão variados e estupendos em número, que seria inviável tentar enumerá-los, mas um ponto quero enfatizar: os benefícios chegam para aqueles que aplicam a filosofia, como um hábito, em todos os relacionamentos com outras pessoas.

Não espere receber sempre benefícios diretos daqueles com quem se relaciona com base na Regra de Ouro, porque, nesse caso, você vai ficar desapontado. Há alguns que não responderão na mesma moeda, mas esse fracasso será prejuízo deles, não seu.

Aqui vai um excelente exemplo do que quero dizer. Em uma certa cidadezinha, na região norte dos Estados Unidos, mora um homem que é reconhecido por todos como o "cidadão mais importante" da cidade. Ele ocupa essa posição há 25 anos, ou mais.

Sozinho, angariou fundos para uma das melhores igrejas da cidade. Em troca por esse serviço ele recebeu... o quê? Recebeu epítetos e agressões de alguns membros da igreja e de alguns cidadãos alheios à igreja, de pessoas que não gostavam dele por causa de sua liderança, e talvez porque o arquiteto que eles queriam não foi contratado.

Esse homem financiou e construiu a mais importante subdivisão da cidade, adicionando beleza e valor aos imóveis do entorno e à cidade em geral. Ele é proprietário e administrador dos maiores e mais bem-sucedidos negócios da cidade, nos quais emprega um grande número de pessoas que recebem excelentes salários. Sua influência se estende pelos Estados Unidos, e por causa de sua reputação de "fazer as coisas" ele atraiu muitas novas indústrias para sua região. Provavelmente, ele fez mais por seu estado do que qualquer outro indivíduo vivo atualmente.

Ele conseguiu manter seu histórico tão limpo, que mantém relações amigáveis com todos os partidos políticos e praticamente todos os políticos, embora não seja aliado de nenhum deles. Sua influência no Capitólio é tanta, que ele conseguiu várias vantagens do governo federal para seu estado. Se um homem já viveu de acordo com a Regra de Ouro em sua aplicação mais prática em todas as relações humanas, esse homem é ele.

Você pode pensar, portanto, que ele é um herói em sua cidade, mas esqueça! Não é. Pelo contrário, os "imprestáveis" só têm inveja dele. Algumas vezes foram injustos com ele em atos e palavras. Considerando essas atitudes, ele teria razão para retaliar, mas ele só "retribui" fazendo o certo, servindo os vizinhos sempre e em qualquer lugar que eles permitam.

Ele nunca fala sobre a ingratidão dessas pessoas, nem demonstra com atitudes ou palavras que se ressente por isso – porque ele vive pela Regra de Ouro.

Alguns vão perguntar: "Que vantagem esse homem tem por viver pela Regra de Ouro?".

Em primeiro lugar, ele está prosperando, e progride muito mais que o cidadão mediano de sua cidade. Supomos que isso contentaria algumas pessoas, mas vamos analisar um pouco mais. Esse homem ainda é relativamente jovem. Está progredindo depressa – nos campos espiritual, mental e financeiro. Ele prospera no sentido mais amplo, que abrange não só benefícios materiais, mas também uma boa reputação que atrai constantemente oportunidades que ele não solicitou para projetar sua influência e aumentar sua fortuna material.

Há pouco tempo, uma delegação de industriais colocou voluntariamente nas mãos dele uma oportunidade para prestar um serviço de alcance ainda maior por seu estado, em condições que garantiriam alta remuneração pessoal para ele. O homem aceitou a responsabilidade, mas se recusou a lucrar com ela. Seu escritório é uma câmara de compensação de influência que toca praticamente todos os interesses de seu estado, e muitos líderes, tanto políticos quanto industriais, o visitam com frequência.

A palavra desse homem vale mais que os papéis de muita gente. Todos sabem disso. Sua aderência à Regra de Ouro conquistou para ele a confiança da maioria das pessoas, e apesar da falta de visão de algumas, ele continua prosperando.

Esse homem não é parte da comunidade em que vive. Ele é a própria comunidade no sentido mais amplo, não por aclamação própria, mas pela aclamação daqueles que reconhecem o bom caráter e são atraídos por ele. Não seria exagero dizer que ele é o homem mais afortunado em sua comunidade – não por ter sorte ou ser favorecido pelo acaso, mas por causa de sua filosofia de vida.

O que ele é, ele se tornou por esforço próprio. Não nasceu rico. Pelo contrário, começou a carreira nos negócios carregado de dívidas que não contraiu. Nada jamais lhe foi dado sem que ele tivesse trabalhado muito antes de receber! E essa é outra peculiaridade daqueles que vivem pela Regra de Ouro – eles têm o hábito de Fazer o Esforço Extra.

Esse homem tem alguns inimigos que não diriam uma palavra boa a seu respeito, mas dariam a fortuna de um rei, se a tivessem, para estar em seu lugar.

Prepare-se, então, se você quer viver pela Regra de Ouro, para conviver com gente que não o imitará, mas o invejará. Não dê atenção à inveja dessas pessoas – ela é um dos piores defeitos da humanidade, um defeito que não prejudica ninguém, além daquele que a alimenta.

Meu melhor amigo é aquele que desperta o que tenho de melhor.
– Henry Ford

Entrevistei esse homem recentemente e pedi para ele declarar com franqueza sua opinião sobre os resultados que tinha alcançado pela aplicação da Regra de Ouro. De início, ele se mostrou propenso a pensar nos dissabores que alguns vizinhos tinham causado ao se recusarem a retribuir seus favores. Analisou as circunstâncias uma a uma, depois examinou-se com cuidado por vários minutos, olhando para o espaço em silêncio. Por fim, ele olhou para mim, me encarou e disse com emoção profunda:

"Os verdadeiros benefícios que recebi do meu jeito de lidar com as pessoas não vieram dos outros; não foram ganhos materiais; eles consistem no sentimento que tenho na alma, onde estou em paz comigo mesmo."

E agora pense nessa afirmação!

Aqui está um homem que se sente em *paz* com ele mesmo. Você percebe o que significa esse tipo de paz? Significa que esse homem tem fé em si mesmo – fé que permite a ele apoiar seu julgamento com uma firmeza de decisão que raramente se vê em outro. Ele não precisa de ninguém para ajudá-lo a tomar decisões sobre nada. Toma decisões com rapidez e firmeza. Age com base na própria iniciativa e com grande entusiasmo, incentivado pela vontade de vencer que o ajuda a vencer.

É inegável que esse homem exerce um grande poder em seu estado. Ele adquire esse poder por meio de sua atitude, e tem essa atitude porque está em paz com ele mesmo. Portanto, ele lucrou com a Regra de Ouro de um jeito que não tem a ver com a recusa de outras pessoas de se nortearem por essa regra em suas relações com ele. Aqui, então, está um importante preceito da Regra de Ouro aplicada: ela dá ao indivíduo a coragem para tomar decisões definidas e sustentá-las diante de qualquer forma de oposição.

Quem vive pela Regra de Ouro como hábito está sempre em paz consigo mesmo. Tem imunidade contra a maioria das formas de medo. Pode encarar seus concidadãos com franqueza, porque tem a consciência limpa.

Dizem que as pessoas não podem tomar plena posse de seu poder mental, a menos que estejam em paz com sua consciência. A Regra de Ouro é o meio pelo qual podemos formar uma afinidade próxima com nossa consciência, e é a única regra confiável pela qual isso pode ser feito.

COMPENSA APLICAR A REGRA DE OURO?

Vamos examinar a Regra de Ouro analisando os benefícios tangíveis conquistados por quem vive de acordo com ela. Vamos começar pela grande fortuna Rockefeller, usada hoje em grande parte para o benefício da humanidade por meio de pesquisas científicas desenvolvidas para o progresso da civilização.

John D. Rockefeller Jr., que dá continuidade ao nobre trabalho de sua família no espírito da Regra de Ouro, anunciou o seguinte credo:

> Acredito no valor supremo do indivíduo e em seu direito à vida, à liberdade e à busca da felicidade.
>
> Acredito que todo direito implica uma responsabilidade; toda oportunidade, uma obrigação; toda posse, um dever.
>
> Acredito que a lei foi feita para o homem, não o homem para a lei; que o governo é servo do povo, não seu senhor.
>
> Acredito na dignidade do trabalho, seja ele mental ou braçal; que o mundo não deve a ninguém o sustento, mas que deve a cada homem uma oportunidade de ganhar um sustento.
>
> Acredito que poupar é essencial para uma vida bem-organizada e que economia é um requisito primário para uma sólida estrutura financeira, seja no governo, nos negócios ou nos assuntos pessoais.
>
> Acredito que verdade e justiça são fundamentais para uma ordem social duradoura.
>
> Acredito que uma promessa é sagrada, que a palavra de uma pessoa deve valer tanto quanto um documento; que caráter – não riqueza, poder ou posição – é de valor supremo.
>
> Acredito que a prestação de serviço útil é o dever comum da humanidade, e que só no fogo purificador do sacrifício a escória do egoísmo é queimada, e a grandeza da alma humana é libertada.
>
> Acredito em um Deus que é todo sabedoria e amor, seja qual for seu nome, e que a satisfação do indivíduo, sua maior felicidade e sua mais ampla utilidade são encontradas na vida em harmonia em Sua vontade.

Acredito que o amor é a maior coisa do mundo; que só ele pode superar o ódio; que o certo pode e vai triunfar sobre a força.

Aqui encontramos a incorporação do princípio da Regra de Ouro como a base do credo Rockefeller tão perfeitamente colocado quanto poderia ser. O Sr. Rockefeller não tem dificuldades financeiras. Portanto, está em posição de criar o próprio credo e viver de acordo com ele sem pensar em seu valor monetário. Presume-se que tenha escolhido adotar a Regra de Ouro como base de seus relacionamentos com outras pessoas por acreditar que a regra é boa, e isso rende a ele dividendos em satisfação pessoal. Essa conduta deu a ele paz de espírito. Construiu para ele uma reputação pública ilibada.

A fortuna Rockefeller foi prejudicada por sua forma de "idealismo" aplicado? O Sr. Rockefeller achou difícil viver de acordo com a Regra de Ouro e ainda permanecer de posse de sua fortuna?

A resposta pode ser encontrada se examinarmos o histórico dos negócios em que a fortuna Rockefeller está investida. Não conheço todos, mas sei que alguns prosperaram e vão continuar prosperando, sem dúvida.

Vejamos o Radio City, por exemplo. Quando Rockefeller comprou o local onde a empresa foi construída, o imóvel ficava em uma área heterogênea de Manhattan, uma região em declínio. Ele agora é uma casa de entretenimento valorizada nacionalmente, tão atraente que grandes públicos pagam todos os dias um valor considerável pelo ingresso só para visitá-la.

Os valores de aluguel são muito mais altos que aqueles que eram recebidos pelo uso do espaço antes de os Rockefeller assumirem a propriedade, e a região está se tornando rapidamente o centro da atividade empresarial da cidade de Nova York.

Vejamos outro exemplo, a Standard Oil Company. Foi pela administração dessa companhia que boa parte da fortuna Rockefeller foi acumulada. Ela prosperou? Bem, pergunte a qualquer um na rua se gostaria de ter ações da Standard Oil, e você terá sua resposta.

Apesar da acirrada concorrência no ramo do petróleo, a Standard Oil continua em boa posição em sua área. Os produtos da empresa têm tão boa reputação que não é preciso fazer afirmações exageradas na publicidade da companhia para criar um mercado para eles. A Standard Oil determinou o ritmo para todas as outras companhias de petróleo no merchandising de primeira classe. A maneira como o público respondeu, com a continuação da preferência, é a melhor prova de que a Regra de Ouro é lucrativa nos negócios.

NOTA DO EDITOR:

Em 1911, por causa do grande sucesso da Standard Oil Company, a Suprema Corte dos Estados Unidos a dividiu forçosamente em 34 companhias. Os méritos dessa decisão ainda são discutidos mais de um século depois de ela ter sido tomada, mas as principais entidades que possuem os remanescentes da Standard Oil hoje são nomes domésticos: BP, Exxon, Marathon e Chevron.

Estima-se que se essa divisão forçada não tivesse acontecido, a Standard Oil valeria hoje mais de US$ 1 trilhão.

Os empreendimentos Rockefeller, todos eles, são a inveja do mundo dos negócios. Por causa dos elevados padrões éticos sob os quais são conduzidos, os negócios não foram prejudicados. Pelo contrário, prosperaram e continuam prosperando, embora possa haver os que acreditam que a Regra de Ouro é inviável nesses tempos modernos.

Procure aonde for, é improvável que você encontre um grupo que tenha aderido mais estritamente à Regra de Ouro como política de negócios do que aquele que administra os interesses dos Rockefeller. Eles provaram que a Regra de Ouro pode ser aplicada nos negócios modernos sem causar desvantagens econômicas. Provaram que a Regra de Ouro pode se tornar um benefício poderoso nos negócios modernos.

A Coca-Cola Company é outro exemplo impressionante de prosperidade baseada na Regra de Ouro aplicada aos negócios. A empresa foi fundada nas mais humildes circunstâncias há mais de duas gerações. Asa Candler começou o negócio com uma grande chaleira, uma fórmula para fazer o xarope de Coca-Cola e uma colher de pau para mexer o xarope.

Passo a passo, a companhia cresceu até abraçar o planeta hoje em dia. A companhia prosperou tão universalmente, que fez fortunas para muitos que foram responsáveis por seu desenvolvimento, desde os engarrafadores e os motoristas dos caminhões que transportavam a bebida até os comerciantes. As ações da Coca-Cola há muito tempo estão entre as favoritas dos investidores. A companhia é conhecida por estar entre as indústrias mais bem-administradas da América. Seus representantes e empregados são o mais elevado tipo de cidadão americano, e ouvimos dizer que o espírito de união entre os empregados é tão forte que eles percebem a empresa como uma grande família de pessoas satisfeitas. Todos são bem pagos, e todos são felizes.

Quando a Grande Depressão aconteceu em 1929, a Coca-Cola não sentiu o golpe como os outros. Não houve demissões, não houve redução de salários, e a empresa enfrentou aquela experiência desafiadora sem nenhuma redução.

Como as empresas Rockefeller, a Coca-Cola Company baseia seus negócios na política da Regra de Ouro de justiça para todos. A companhia descobriu que aderir a essa política é uma boa filosofia de negócios.

NOTA DO EDITOR:

Talvez não haja investidor mais renomado mundialmente que Warren Buffett. Conhecido por sua lógica, perspicácia, e pelo amor pelos fundamentos, o "Oráculo de Omaha" representa a Regra de Ouro aplicada, além de todas as outras lições defendidas por Carnegie e Hill. É surpreendente, então, que em 1988 ele tenha comprado mais de 6% da Coca-Cola?

Buffett partiu para cima da companhia durante a volatilidade que cercou a queda do mercado de ações em 1987, comprando aproximadamente US$ 1 bilhão em ações por preços favoráveis. Ele reconheceu que os fundamentos da companhia permaneciam sólidos, embora muitos estivessem vendendo suas ações às pressas, e que ela desfrutava de consciência de marca sem paralelos no mundo em sua categoria.

Hoje, Buffett e suas companhias associadas têm quase 10% da Coca-Cola. Suas ações são comercializadas atualmente por cerca de US$ 55 a cota, o que significa que elas valem mais que 22 vezes o investimento original de Buffett, mais dividendos – uma mudança de porcentagem de mais de 2.100%!

O exemplo mais impressionante, talvez, da aplicação da Regra de Ouro nos negócios pode ser encontrado na organização da McCormick & Company, de Baltimore, produtores e importadores de chás, especiarias e medicamentos. A estrutura do relacionamento entre os empregados e deles com a administração é conhecida como plano de "Administração Múltipla". Esse plano foi inaugurado por Charles P. McCormick, presidente da empresa, em 1932, e é tão abrangente que afeta de maneira benéfica cada um dos dois mil ou mais empregados, bem como a administração.

Aqui vemos o princípio do MasterMind em operação em grande escala, com todos os empregados da companhia – do presidente para baixo – como um real ou potencial membro da aliança MasterMind sob a qual opera o plano de Administração Múltipla.

O plano de Administração Múltipla fornece uma grande variedade de benefícios e não tem, até onde posso determinar, nenhuma característica contestável. Vou citar algumas de suas vantagens.

O plano:

- Fornece a todos os empregados um motivo forte e definido para fazer seu melhor em todas as circunstâncias, garantindo, portanto, o progresso do indivíduo na empresa por mérito e seu crescimento mental e espiritual.
- Inspira definição de objetivo.
- Desenvolve autoconfiança por meio de autoexpressão.
- Incentiva cooperação amigável entre todos os empregados, eliminando a habitual tendência das pessoas de "passar para a frente" e fugir da responsabilidade individual.
- Desenvolve liderança encorajando iniciativa pessoal.
- Cria presteza mental e imaginação aguçada.
- Proporciona uma válvula de escape para ambição individual sobre uma base que é altamente benéfica para o indivíduo.
- Dá a todos um sentimento de pertencimento, de forma que ninguém é deixado sem meios de obter reconhecimento pessoal.
- Inspira lealdade entre os empregados e garante a lealdade deles com a companhia, erradicando assim problemas de mão de obra.
- Dá à companhia o mais pleno benefício de todos os talentos, engenhosidade e visão criativa dos empregados, fornecendo, ao mesmo tempo, compensação adequada para esses talentos em proporção a seu valor.

Se você não presta serviço acima e além daquele pelo qual é pago, com base em que pediria pagamento maior?

– Napoleon Hill

Vamos agora examinar o plano funcional de Administração Múltipla como foi descrito pelo Sr. Robert Littell, que escreveu a história dessa política de relacionamento humano pela Regra de Ouro para a *Reader's Digest*:

Um jovem amigo meu, ambicioso e capaz, disse algo outro dia que me pareceu uma crítica significativa de como muitas empresas americanas são administradas – ainda mais significativa por ecoar queixas que todos nós ouvimos muitas vezes, ou sentimos pessoalmente, talvez.

"Tenho algo para dar à nossa empresa que ela não parece querer", disse meu amigo. "A administração está em algum lugar lá em cima, nas nuvens, e não tenho contato com ela. De início, tentei fazer sugestões, mas logo aprendi a ficar de boca fechada e cumprir ordens. Em frequentes discursos para nós, empregados, o presidente – que mal reconhece minha presença quando me vê no elevador – me pede para ser 'leal'. Como se lealdade fosse uma via de mão única. Os poucos aumentos que recebi foram implorados, e concedidos de má vontade. Porém, mais que dinheiro, quero reconhecimento, liberdade e a sensação de estar envolvido nos assuntos da companhia. O distanciamento dos que estão no topo da hierarquia faz os que estão embaixo assumirem uma atitude do tipo 'não me importo'. Acho que isso causa mais prejuízo à empresa que uma greve."

Uma queixa como essa não poderia ser feita pelos empregados da McCormick & Company de Baltimore. Porque a McCormick & Company, por meio de seu plano de Administração Múltipla, descobriu como acessar fontes ocultas de energia, iniciativa e entusiasmo muitas vezes negligenciadas pela administração centralizada, e aprendeu como recrutar o coração, bem como a mente dos homens que trabalham para ela.

Por 43 anos, esse negócio de especiarias, chá e extrato foi gerenciado por seu fundador, Willoughby M. McCormick, um gênio. Quando morreu em 1932, no auge da Grande Depressão, ele foi sucedido pelo sobrinho, Charles P. McCormick. O jovem McCormick, mesmo após 17 anos de aprendizado, não se sentiu capaz de assumir a coroa de um homem só. Queria dividir a responsabilidade com aqueles que pudessem aprender a usá-la. Ele sentia que a independência precisava ser restaurada em uma organização mergulhada em rotina, e a imaginação criativa tinha que ser revivida entre aqueles que haviam dito "sim" à mente de um homem por tanto tempo que estavam usando apenas metade da própria mente.

A diretoria da empresa era formada por homens de 45 anos ou mais. Seus hábitos de pensamento eram permeados pelo passado. Havia necessidade de mais alguma coisa. E assim, da necessidade, nasceu a ideia da Administração Múltipla. McCormick escolheu 17 pessoas mais jovens de vários departamentos e disse a elas:

"Vocês são a diretoria júnior. Vão complementar a diretoria sênior e alimentá-la com ideias. Escolham seu presidente e o secretário. Discutam tudo que tem relação com a empresa. Os livros estão abertos para vocês – a mente de seus superiores também estará. Façam as recomendações que quiserem – com uma condição: tem que ser unânime."

Uma avalanche de energia e novas ideias foi liberada. Pessoas que se sentiam simples escriturários glorificados provaram o sabor da responsabilidade, e clamavam por mais. Ainda no primeiro ano e meio, praticamente todas as recomendações dos júniores foram adotadas. Com tantas melhorias, McCormick & Company mal sabia que havia uma depressão. No entanto, mais importante que dólares e centavos, a diretoria júnior era um experimento de sucesso brilhante em engenharia humana.

Eu vi a diretoria júnior em ação: 17 jovens em torno de uma mesa comprida, cada um propondo ideias para elevar a empresa um degrau acima. Algumas ideias eram rejeitadas às gargalhadas, outras eram direcionadas a um comitê para serem estudadas, todas eram esmiuçadas por um grupo de iguais. O clima era livre, havia muita brincadeira, mas acima de tudo pairava a sombra daquele dia, duas vezes por ano, quando a diretoria júnior elegia três novos membros – depois de dispensar os três eleitos em uma votação como os menos eficientes.

Também vi a diretoria da fábrica em ação. Era um resultado lógico do sucesso da diretoria júnior. Em muitas fábricas, contramestres ou supervisores ficam separados com suas máquinas o dia todo e assentem para os processos mentais do escritório. Mas aqui eles têm um presidente e um secretário, se reúnem uma vez por semana para sugerir, para criticar, para fazer sua parte na administração do negócio; mais uma vez, aqui também havia discussão e acordo, em vez de ordens e obediência.

Todo sábado, os três conselhos se reúnem. Títulos e cargos são esquecidos – eles não significam quase nada na McCormick, de qualquer maneira. A troca saudável dessas discussões tão abrangentes há muito tempo baniu a troca de favores, os ciúmes departamentais e a politicagem no escritório. A matemática da Administração Múltipla é simples: 40 cabeças, se você conseguir chegar ao que existe dentro delas, são melhores que uma.

E a Administração Múltipla não para nesses conselhos. Antigamente, a colocação e a promoção de novos empregados era uma questão de tentativa e erro, e a rotatividade entre eles era alta. Mas hoje, cada recém-chegado que mostra sinais promissores é imediatamente patrocinado por um membro da Diretoria Júnior, cujo trabalho é nem tanto supervisionar seu trabalho quanto dar a eles conselhos gerais – se tiverem o bom senso de pedir. Depois de três meses, cada mês com um patrocinador diferente, o protegido é devolvido ao grupo dos que só fazem o necessário, ou escolhido para treinamento e progresso. Para os iniciantes ambiciosos, o incentivo é valiosíssimo. A essa altura, alguns empresários podem perguntar: "Tudo muito bonito e democrático, mas isso compensa?" Sim. É lucrativo para a companhia: o overhead baixou 12% em 1929, a rotatividade de mão de obra caiu para 6% ao ano, e para menos que isso entre os empregados mais jovens. Paga os funcionários comuns com bônus no Natal, maiores a cada ano nos últimos cinco anos; e paga um salário-mínimo duas vezes maior que aquele do auge da prosperidade e muito acima do salário por trabalho similar em Baltimore. A folha de pagamento é 34% mais alta do que era em 1929, mas a produção também é 34% maior.

Os três conselhos, trabalhando juntos, desenvolveram gradualmente uma política de pessoal que coloca a McCormick & Company na primeira fila dos empregadores esclarecidos. A semana de trabalho na McCormick tem 40 horas (nove anos atrás eram 56). Isso inclui dois intervalos de dez minutos todos os dias, nos quais os empregados tomam uma xícara do chá McCormick por conta da casa.

Não tem pagamento por produção, nem pressão para acelerar o trabalho. Mãos que cuidam de máquinas automáticas mudam periodicamente para amenizar a monotonia.

São oito feriados remunerados, e uma semana de férias remuneradas por ano para todos os empregados com mais de seis meses de empresa. Os picos e vales sazonais foram nivelados para um ano estável de 48 semanas.

E essa é uma das poucas companhias que conheço onde ser demitido é um processo quase tão trabalhoso quanto ser admitido. Para demitir um trabalhador, são necessárias as assinaturas de quatro superiores desse funcionário. Normalmente, eles são chamados diante da diretoria da fábrica e têm autorização para se defender. A McCormick & Company onera a si mesma com um erro se dispensa alguém antes de essa pessoa receber ajuda para entender que sua demissão é justa e necessária.

Nos Estados Unidos, no Canadá e na Inglaterra, mais de 160 companhias estabeleceram a Administração Múltipla do plano McCormick. Essa parece ser a melhor resposta até agora para a centralização, contaminação e burocracia que infecta as empresas e o governo.

O plano de Administração Múltipla funciona para os empregados da McCormick por causa do espírito de compreensão humana e cooperação amigável que os indivíduos colocaram nele – um espírito que começou com a administração e foi prontamente acatado pelos empregados.

E, obviamente, esse espírito de compreensão e cooperação proporciona adequada administração para a companhia porque reconhece e recompensa apropriadamente o mérito até do empregado mais humilde e, ao mesmo tempo, elimina da organização os desinteressados e os desajustados. Aqui temos, então, um plano inteligente que dá a cada indivíduo a mais completa oportunidade para comercializar seus serviços por todo o valor que eles têm. Embora a organização seja formada por cerca de dois mil empregados, a individualidade de cada um é tão bem preservada, que eles têm oportunidades tão boas de chamar atenção quanto teriam se a organização fosse pequena.

Portanto, o plano de Administração Múltipla da McCormick finalmente eliminou um dos maiores flagelos das grandes organizações industriais: pessoas perdendo a identidade no grupo numeroso. Anteriormente, só os ousados e agressivos tinham uma oportunidade de se promover atraindo atenção para seu trabalho.

A maioria das pessoas trabalha mais por reconhecimento e uma palavra de recomendação, quando merecida, do que trabalhariam por dinheiro. Ninguém quer se sentir um parafuso em uma grande máquina. Uma das principais maldições da indústria é o fato de ela ter sido desenvolvida de forma que as pessoas não tenham opção, além de sentir que não são importantes. Assim, tanto a administração quanto seus subordinados foram privados do maior bem da indústria – o espírito de cooperação amigável como o que existe na organização McCormick.

E o que é necessário para preservar esse espírito?

Chales P. McCormick deu a resposta para essa pergunta em seu plano de Administração Múltipla. Reduza esse plano a seus componentes, e você vai descobrir que ele é simplesmente a Regra de Ouro aplicada à indústria.

Por meio de sua aplicação, a McCormick Company devolveu a alma à sua indústria. Além disso, eu ficaria muito surpreso se a companhia fosse atingida por algum problema econômico que não pudesse resolver, porque quando um grupo de pessoas une suas mentes em um espírito de harmonia para a realização de um objetivo definido, sempre encontra um caminho para realizá-lo.

Obviamente, o plano é lucrativo para a companhia, como provou seu histórico financeiro, mas não vamos esquecer que ele também é lucrativo para cada empregado individualmente, já que o espírito também se estende para os relacionamentos com outras pessoas fora da organização. Portanto, o plano é de grande benefício público, porque incentiva a aplicação da Regra de Ouro sempre que um empregado da companhia encontra outras pessoas em relações particulares e sociais.

Certamente, se esse plano estivesse em prática em todas as empresas do país, o estilo de vida americano não estaria correndo risco de aniquilação pela crença em filosofias subversivas. De fato, o espírito da Regra de Ouro oferece ao indivíduo mais benefícios pessoais que qualquer outra filosofia.

A Era Industrial trouxe uma diversidade de problemas humanos, e todo o sistema de relações humanas está passando por uma mudança rápida. Não temos como prever que tipo de sistema vai se desenvolver dessa mudança, mas sabemos que, primeiro, ele deve ser baseado em decência comum e, segundo, deve fornecer os meios para que as pessoas procurem voluntariamente trabalhar juntas em um espírito de cooperação amigável. Ele deve ser tão justo para todos que não permitirá a exploração de nenhum indivíduo ou grupo de indivíduos sob nenhum pretexto, e acima de tudo, deve assegurar a plena e livre expressão da iniciativa individual, como faz o plano da Administração Múltipla.

Lembre-se, nenhum sistema pode resistir, a menos que seja solidamente baseado na filosofia da Regra de Ouro do "viva e deixe viver". Essa filosofia nunca falhou onde foi aplicada com sinceridade de propósito.

Uma das dificuldades das quais surgiu boa parte dos mal-entendidos entre empregados e empregadores é que essa indústria se tornou tão vasta, que o elemento humano foi negligenciado. Empregadores e empregados precisam reconhecer a necessidade de humanizar suas relações dentro de algum plano como o da Administração Múltipla, se os Estados Unidos quiserem continuar sendo o país mais rico e mais livre do mundo.

As pessoas não são livres quando:

- Têm medo umas das outras.
- Não têm confiança mútua.
- Não conseguem exercitar a iniciativa pessoal em suas ocupações.
- Precisam negociar entre elas por intermédio de "profissionais" que lucram mais quando controvérsias existem.
- Precisam pagar pelo privilégio de ter um emprego.
- Não têm autorização para se reunirem como empregadores e empregados e resolverem seus problemas mútuos, como fazem os empregados da McCormick.

O futuro da população dos Estados Unidos vai depender em grande medida do sistema em que empregados e empregadores na indústria se relacionem de maneira prestativa no futuro.

A REGRA DE OURO COMO A BASE DAS RELAÇÕES GESTÃO-EMPREGADO

Estima-se que nove a cada dez pessoas nos Estados Unidos tire o sustento direta ou indiretamente das atividades da indústria norte-americana. É importante, portanto, que aqueles que mantêm nossos vastos empreendimentos industriais – tanto a supervisão quanto seus subordinados – adotem um denominador comum para que possam trabalhar em harmonia, se essa nação quiser se manter próspera e livre.

Vamos relacionar quem tem interesse direto nas relações industriais:

1. As pessoas de todas as áreas da vida que têm suas economias investidas nas ações de corporações industriais.
2. Os gestores que têm a responsabilidade de supervisionar operações.

3. Os trabalhadores, habilidosos ou não, que desempenham o trabalho braçal.

4. O público em geral que consome os produtos, mas não tem participação direta em suas atividades.

5. Os legisladores e agentes públicos que aprovam leis sobre relações industriais e políticas empresariais, e cujo governo é sustentado pelos impostos da indústria.

6. Os milhões de profissionais que trabalham nas companhias com a cadeia de fornecedores, como fazendeiros, lojistas e outros comerciantes que vendem produtos e serviços para as indústrias e seus empregados.

Aqui temos seis grupos distintos que têm interesse no espírito de harmonia que sustenta nosso sistema industrial. Cada indivíduo desses seis grupos é afetado pelo que acontece com a indústria, e para que a indústria sobreviva, todos devem assumir sua parte na responsabilidade de manter a harmonia entre esses grupos.

Mas há muito mais em jogo que o mero bem-estar profissional de qualquer membro desses seis grupos! A democracia está em teste, e cada membro desses grupos está na defensiva, quaisquer que sejam suas opiniões profissionais ou interesses pessoais.

Nossa democracia se baseia na indústria americana, já que ela é a principal fonte de nossa vida econômica. Se a indústria americana entra em colapso por conta do egoísmo e da ganância daqueles que têm a responsabilidade de mantê-la, todo o estilo de vida americano vai desabar com ela. Não tenhamos ilusões sobre isso. Melhor ainda, vamos encarar esse fato com um espírito de obrigação conjunta e responsabilidade mútua nos esforços para salvar a instituição que tem sido responsável por nosso direito de reivindicar esta como a "mais livre e mais rica nação do mundo".

Para proteger e manter o estilo de vida americano, precisamos viver a vida impessoal. Essa é a mesma premissa que foi proposta pelo Homem da Galileia há quase dois mil anos e por outros grandes filósofos que, por eras, chamaram nossa atenção para o poder interior que está disponível para aqueles que fazem aos outros o que fazem a eles mesmos.

Pratique um ato aleatório de bondade, sem esperar recompensa, seguro na certeza de que, um dia, alguém pode fazer a mesma coisa por você.
– Princesa Diana

Para o estilo de vida americano sobreviver e a indústria ser mantida, essa regra precisa ser adotada e aplicada por cada membro dos seis grupos. O verdadeiro relacionamento dos membros deve ser visto de uma perspectiva que esteja focada em coisas mais elevadas que salários e acúmulo de riqueza pessoal. Ele deve ser visto no contexto de sua influência sobre os propósitos para os quais a humanidade foi criada.

Capital e trabalho são essenciais um ao outro – seus interesses são tão interligados, que não podem ser separados. Em uma nação civilizada, como essa de que nos gabamos, eles são mutuamente dependentes. Se existe alguma diferença, é que o capital depende mais do trabalho que o trabalho do capital, porque a vida pode ser mantida sem capital.

Ninguém pode viver de sua riqueza. Ninguém come ouro e prata; ninguém se veste com títulos de propriedade ou ações e investimentos. O capital nada pode sem o trabalho, e seu único valor está no poder de comprar trabalho ou seus resultados. Ele é, em si mesmo, o produto do trabalho.

Mas trabalho não pode existir sem capital, e há milhares de anos o trabalho tem sido oferecido como meio de troca para que se compre as necessidades da vida. Nós nos tornamos mais dependentes uns dos outros na medida em que nossas necessidades se multiplicam e a civilização avança. Cada pessoa trabalha em sua profissão e faz o *melhor* trabalho porque pode dedicar suas energias para áreas a que são especialmente adequadas. O resultado é que as pessoas contribuem cada vez mais para o bem público. Enquanto estão trabalhando para os outros, todos os outros estão trabalhando por elas.

Essa é a Lei da Vida Impessoal, uma lei que governa em todos os lugares do mundo material. Todos aqueles que se dedicam a um emprego útil são filantropos, benfeitores públicos. Alguns poucos dólares em uma multidão de bolsos são impotentes, mas unidos – no que chamamos de "capital" – eles movem o mundo, dando às pessoas uma via de expressão para seus talentos associada à melhor liberdade econômica que o mundo já conheceu.

Apesar das reivindicações dos agitadores e daqueles que exploram o trabalho por um preço, a condição do trabalhador está melhorando constantemente. O trabalhador comum nos Estados Unidos tem conveniências e confortos que príncipes de origem real não poderiam ter e não exigiam há um século ou menos. Vestem-se melhor, têm maior variedade tanto de necessidades quanto de luxos, vivem em moradias mais confortáveis e têm muitas outras conveniências domésticas que o dinheiro não poderia comprar poucas décadas atrás.

Somos unidos por elos comuns, independentemente do grupo a que pertencemos. Os ricos e os pobres, os que estudaram e os ignorantes, os fortes e os fracos são entrelaçados no estilo de vida americano em uma teia social e cívica. Prejuízo para um é prejuízo para todos, como ajuda para um é ajuda para todos.

Mas os benefícios do capital não se limitam a suprir necessidades e desejos do presente. O capital abre novos locais de trabalho e revela novas fontes de renda pela pesquisa científica. Ele também é investido em grande parte para fornecer os meios de cultura intelectual e espiritual. Livros são multiplicados por preços em constante redução, e a melhor educação está disponível para a pessoa mais humilde. Por um preço unitário, os jornais levam a história do mundo à porta da casa do indivíduo, enquanto o rádio garante no lar mais humilde as notícias do dia e clássicos da música sem nenhum custo.

Não se pode investir capital em nenhum produto útil sem abençoar uma variedade de pessoas. Ele põe em movimento o maquinário da vida, multiplica empregos e coloca os produtos de todas as nações na porta de todos por preços acessíveis ao indivíduo.

Se o capital presta todo esse serviço – e se pode ser posto em uso pelo trabalho e deriva todos os seus valores do trabalho –, por que deve haver apenas conflito entre eles?

Não existe base real para o conflito entre capital e trabalho – ele surge dos dois lados buscando apenas metade da verdade. Tomando essa parte pelo todo, elas cometem erros desastrosos para ambas, embora os mal-entendidos sejam muito frequentemente resultado da ação de agitadores que lucram mais quando capital e trabalho divergem.

NOTA DO EDITOR:

Em 2005, o imigrante turco Hamdi Ulukaya transformou uma velha fábrica da Kraft na área nobre de Nova York na principal instalação industrial para sua startup de iogurte, Chobani. Onze anos depois, enquanto demissões em massa continuavam assolando a economia e com mais de quinhentos mil americanos perdendo o emprego só em 2016, uma companhia contrariava a tendência. A companhia de iogurte, com pouca esperança de sucesso, tinha ultrapassado US$ 1 bilhão em vendas anuais e sentia que era hora de dar alguma coisa em retribuição ao povo que a tinha ajudado a chegar tão longe.

Chobani deu 10% da empresa a seus dois mil empregados, um bônus muito bem-vindo, considerando sua avaliação de US$ 3 bilhões, com os empregados mais antigos recebendo as maiores alocações. Esse foi o último ato de boa vontade da Chobani, que doa 10% de seus lucros para obras de caridade todos os anos e tem um terço de seu estafe composto por refugiados.

No anúncio, Ulukaya comemorou com seus colegas, dizendo: "Antes trabalhávamos juntos; agora somos sócios". O presente inesperado tinha por intenção não só recompensar as pessoas que haviam tornado tudo aquilo possível, mas também ajudar a resolver a crescente lacuna entre os salários dos executivos e dos trabalhadores, reconhecendo sua força de trabalho como iguais trabalhando em uma disposição de harmonia por um objetivo comum.

Pouco tempo depois, o CEO da Chobani disse: "Construí algo que nunca pensei que seria esse sucesso, mas não consigo pensar na Chobani sendo construída sem todas essas pessoas. Agora elas vão trabalhar para construir a empresa ainda mais, e para construir o próprio futuro ao mesmo tempo."

Paixão inflama a mente e cega a compreensão. Quando a paixão é despertada, as pessoas sacrificam seus interesses, contrariando o bom senso, para prejudicar os outros, e as duas partes sofrem perdas. O conflito vai continuar, sem dúvida, até que as duas partes descubram que estão enganadas, que seus interesses são mútuos, e que esses interesses só podem ser atendidos pela cooperação amigável e dando a cada parte a recompensa merecida.

Greves e piquetes não vão resolver problemas fundamentais para capital ou trabalho, porque os ganhos temporários obtidos por um ou outro lado são mais que superados pela perda dos dois lados e da economia de maneira geral. Violência e ameaças não funcionam, e dinamite, seja na forma de explosivos ou da força mais destrutiva de paixão descontrolada, não vai conter ou amenizar nenhum sentimento hostil.

Não se pode, nem se deve esperar que a legislação resolva disputas entre empregadores e empregados. Um lado pode se beneficiar dessas leis por algum tempo, mas seja qual for o ganho obtido por esse método, ele será perdido no relacionamento tenso que resultará dele.

Não se intimide com o que não sabe. Essa pode ser sua maior força e garantir que você faça as coisas de um jeito diferente de todo mundo.
– Sara Blakely

O trabalhador e o capitalista têm um interesse mútuo e comum que não pode ser melhorado pela legislação. Nenhum dos dois pode prosperar permanentemente sem a prosperidade do outro, e nem todas as leis do mundo podem mudar isso. Que cada um tome a Regra de Ouro como guia. Se 10% das pessoas praticassem a Regra de Ouro, isso teria um impacto tão profundo sobre o mundo que 80% de nossas leis seriam supérfluas.

Ela é uma simples regra de conduta que cobre todas as relações humanas, favorecendo a todos e não prejudicando ninguém. Ficamos conhecidos como uma nação de "empreendedores"! Não seria sábio se fizéssemos meia-volta e nos tornássemos conhecidos como uma nação de "favorecedores"?

Comece fazendo o seguinte:

- Evite tentar mudar os outros em vez disso se esforce para mudar *você mesmo!*

- Em vez de pregar, expresse suas convicções com *ação*.
- Enfatize menos os "não faça" e dê mais importância aos "faça".

Só seu exemplo pode mudar os hábitos daqueles que o cercam. Comece melhorando seus relacionamentos com as pessoas mais próximas. Não dê atenção às falhas dos outros, mas olhe bem para a melhoria nas suas, porque elas estão sob seu controle e você pode melhorar essas falhas à vontade. Por exemplo:

- Se sua personalidade é negativa, você pode mudar isso.
- Se sua atitude mental é negativa, você pode mudar isso também.
- Se a natureza de seu trabalho torna inconveniente ou impossível prestar um serviço melhor, você pode ao menos prestar esse serviço com uma atitude mental agradável que vai aumentar suas amizades e conquistar maior apreciação por seus serviços. Na medida em que sua atitude mental muda, as circunstâncias de sua vida também mudam, e você vai descobrir um dos maiores segredos de todos os tempos, o segredo que foi a base de todas as grandes realizações, o segredo que grande parte do povo americano perdeu.

O segredo é este:

Quando nos perdemos em serviço altruísta prestado a outras pessoas, descobrimos o caminho para aquele poder interior que é a base de todo sucesso pessoal.

Para nos encontrarmos, precisamos antes amar a nós mesmos. Quando você descobre esse segredo, não é mais sobrecarregado pela oposição hostil de outras pessoas. Discórdia e conflito vão desaparecer de sua vida como que por um toque de mágica, e você vai experimentar uma paz de espírito que ultrapassa a compreensão.

Você vai reconhecer que as preocupações que teve no passado foram criadas por você mesmo. Vai saber também que a solução para seus problemas está ao alcance do seu controle.

Além disso, outra coisa estranha vai acontecer. Você vai descobrir que tem:

- Bênçãos que ignorou porque sua mente não estava sintonizada para reconhecê-las.
- Bênçãos de liberdade em uma grande democracia.
- Bênçãos de liberdade de iniciativa pessoal por meio da qual pode se dedicar ao trabalho que escolher.
- Bênçãos de liberdade de expressão por meio da qual pode proferir suas ideias sem medo de reprimenda.
- As múltiplas bênçãos de oportunidade para compartilhar das riquezas de uma nação que forneceu a seu povo o mais alto padrão de vida conhecido pela civilização.

Você pode ler as biografias daquelas pessoas que o mundo reconheceu como grandes e ver por si mesmo que elas alcançaram sua grandiosidade vivendo a vida altruísta nascida do espírito da Regra de Ouro, e que pode imitá-las. Para facilitar a tarefa de ler as biografias de algumas pessoas que o mundo tornou imortal por causa de seu espírito altruísta, menciono algumas aqui.

Louis Pasteur, conhecido por sua pesquisa em física, química e bacteriologia, descobriu novos métodos para a prevenção e cura de enfermidades físicas. Ele poderia ter explorado essas descobertas para obter significativo ganho pessoal, mas as deu ao mundo sem estipular um preço.

William Penn, cujo insight da psicologia humana era tão preciso que ele viveu em paz com indígenas durante o início da residência dos colonos ingleses nos Estados Unidos, lidando com eles com base na Regra de Ouro, garantindo, dessa forma, sua cooperação amigável.

Benjamin Franklin, cujo espírito da Regra de Ouro abriu para ele as portas das relações diplomáticas na França e em outros países europeus. Essa cooperação durante a Revolução Americana bem pode ter contribuído para o equilíbrio de poder que deu a vitória final aos exércitos de Washington em Yorktown.

Simón Bolívar, o "George Washington" da América do Sul, que liderou as forças que conquistaram a independência das nações hoje chamadas de Venezuela, Colômbia, Equador, Panamá, Peru e Bolívia. Tendo gastado sua grande fortuna pessoal na causa libertária a que dedicou tão generosamente sua vida, o Sr. Bolívar é, talvez, o maior exemplo de serviço público do princípio da Regra de Ouro em toda América do Sul.

Florence Nightingale, cujo serviço altruísta no cuidado dos enfermos e feridos durante a Guerra da Crimeia permanece gravado na mente de todos que conhecem sua história. Embora a doença fosse devastadora à sua volta e ela sofresse de enfermidade crônica, Florence se manteve fielmente em seu posto. Depois do fim da guerra, a Sra. Nightingale dedicou seu tempo a disseminar os conhecimentos sobre saúde e enfermagem que hoje beneficiam os doentes no mundo todo.

Fanny Crosby, que apesar de ter ficado cega pouco depois de nascer, dedicou a vida a escrever canções que viverão para sempre e a espalhar bondade de cima da plataforma de aula. Compôs mais de oito mil canções de esperança e amor que confortam pessoas pelo mundo. Privada da luz do sol, a Sra. Crosby compartilhou a luz interior de esperança e fé com milhões que foram tocados por seu espírito da Regra de Ouro.

John Chapman, que ganhou fama como o "Johnny Appleseed" da primeira fronteira americana. Ele plantou sementes de maçã antes de os pioneiros chegarem para que eles pudessem ter frutas.

Jacob Riis, um imigrante da Dinamarca que chegou à América e dedicou a maior parte de sua vida a melhorar as condições de vida nos cortiços de Nova York. Theodore Roosevelt ofereceu ao Sr. Riis a chance de ser indicado para cargos importantes, na época em que foi governador de Nova York e também quando se tornou presidente dos Estados Unidos, mas o Sr. Riis recusou, dizendo que já estava tão ocupado ajudando os vizinhos, que não podia entrar na política.

Knute Rockne, o grande treinador de futebol da Notre Dame, cujo espírito exemplar de justiça e ética no esporte fez do time de futebol da Notre Dame notícia de primeira página nos Estados Unidos, estabelecendo o mais elevado padrão de relacionamento entre atletas com base na Regra de Ouro.

Will Rogers, o sábio das telas e dos palcos, cuja filosofia simples e o humor seco fizeram dele um embaixador da boa vontade na América. Embora tivesse renda significativa, pode-se dizer com honestidade que seu humor era apresentado no verdadeiro espírito da Regra de Ouro, porque ele nunca recorreu à ridicularização injusta ou destrutiva para ganhar aplausos.

Sir Wilfred Grenfell, que dedicou sem nenhum egoísmo 42 anos de sua vida para o bem-estar daquelas que agora são as províncias canadenses de Newfoundland e Labrador. A maioria dos cidadãos era composta por pescadores nativos que nunca tinham visto um médico, antes de ele chegar para ajudá-los. Inspirado por um amor generoso pelos fracos e impotentes, Dr. Grenfell ajudou esses pescadores do norte, angariando, graças à cooperação do povo do Canadá, da Inglaterra e dos Estados Unidos, dinheiro suficiente para construir e equipar seis hospitais, sete enfermarias e quatro navios. Além de oferecer cuidados médicos, Sir Wilfred promovia uma dieta balanceada ajudando as pessoas a plantar vegetais que pudessem crescer no clima frio para ajudar a evitar o escorbuto.

Conheça a vida dessas e de outras pessoas que deram contribuições altruístas à civilização, e você vai se convencer de que existem oportunidades abundantes para todos que vivem pela Regra de Ouro.

Você também vai se convencer de que não é o sistema econômico do mundo ocidental que precisa mudar, mas a atitude mental daqueles que deixaram de reconhecer as bênçãos desse sistema, que proporciona uma oportunidade para todas as pessoas que se dispõem a prestar qualquer tipo de serviço benéfico.

O medo não impede a morte. Ele impede a vida.
– Naguib Mahfouz

Os empregados da McCormick não têm queixas contra o estilo de vida americano, porque descobriram um jeito prático de tirar dele sucesso material pela prestação de serviço útil. Charles P. McCormick descobriu que não havia nada de errado no sistema industrial americano, exceto o desajuste das pessoas que o mantinham, e ele se ocupou em corrigir as relações daqueles que trabalhavam em sua empresa, em vez de criticar o sistema.

Se a McCormick & Company pôde ajustar as relações humanas de maneira lucrativa e feliz dentro do sistema industrial americano, outras pessoas podem fazer a mesma coisa, como algumas estão fazendo, de fato.

Sr. McCormick começou o reajuste dos relacionamentos em sua indústria fornecendo a cada trabalhador, do cargo mais elevado ao mais humilde, um motivo adequado para fazer o melhor esforço e colocar a melhor atitude mental na empresa. Como Andrew Carnegie enfatizou, tudo o que se faz é baseado em algum tipo de motivo. Como provou a empresa do Sr. McCormick, quando o motivo é baseado na filosofia da Regra de Ouro de dar e receber, viver e deixar viver, há pouco para causar desajustes entre seres humanos, se é que há alguma coisa.

É característica da Regra de Ouro que quem vive de acordo com ela não pode enganar nem ser enganado! A regra funciona para um equilíbrio justo em todas as relações humanas, de forma que todos recebam proporcionalmente ao que dão, em qualidade e quantidade. E não vamos esquecer que o indivíduo recebe aquilo a que tem direito sem recorrer à força, coação legislativa ou medidas legais. Os que vivem de acordo com a Regra de Ouro encontram bem pouca utilidade para os serviços de um advogado, e raramente têm necessidade de recorrer à força dos números para proteger seus direitos ou receber o que lhe é devido.

Algum tempo depois de o sistema de Administração Múltipla entrar em operação na fábrica da McCormick em Baltimore, o representante de um sindicato de trabalhadores chegou ao local e anunciou que tinha sido enviado para organizar alguns trabalhadores. Vamos deixar o Sr. Charles P. McCormick, presidente da companhia, contar o que aconteceu com suas próprias palavras:

> *Um agente de um sindicato de trabalhadores chegou ao meu escritório anunciando que tinha sido delegado para organizar certos funcionários em nossa fábrica. Disse a ele para ir em frente, se achava que poderia conseguir alguma coisa, mas garanti que estaria desperdiçando seu tempo e esforço. Depois informei esse homem sobre como nossa fábrica é administrada e o que estamos fazendo com nosso pessoal. Garanti que se ele nos dissesse como fazer mais por nossos empregados, acataríamos sua sugestão com*

prazer, desde que fossem possíveis dentro das limitações dos negócios. Ele me fez algumas perguntas, que respondi com sinceridade. Então, depois de pensar um pouco sobre a proposta, ele disse que achava que não compensaria tentar organizar nossa fábrica, e foi levar o relatório a seus superiores.

Quando empregadores e empregados lidam uns com os outros com base na Regra de Ouro, não precisam de interferência externa para resolver seus problemas. McCormick & Company tem o maior de todos os sindicatos, um que acolhe, felizmente, tanto a gestão quanto os empregados – um sindicato que protege os direitos de todos os indivíduos com mais zelo do que poderia fazer qualquer organização externa. Os princípios desse sindicato podem ser encontrados no Sermão da Montanha, descrevendo a maior de todas as regras do relacionamento humano: FAÇA AOS OUTROS O QUE QUER QUE ELES FAÇAM A VOCÊ!

NOTA DO EDITOR:

A gigante alimentícia americana McCormick & Company pode ter sido fundada em 1889, mas seu estilo único de gerenciamento garantiu que ela continuasse sua ascensão meteórica. O fabricante de alimentos hoje tem mais de doze mil empregados e atende a consumidores em mais de 150 países, gerando mais de US$ 5 bilhões em vendas anuais.

A cultura mudou, desde que Charles P. McCormick estabeleceu o plano de Administração Múltipla em 1932? De jeito nenhum. Na verdade, McCormick & Company desenvolveu sua base já forte com treze diretorias locais, três diretorias regionais e uma diretoria global, assegurando que a empresa continue agregando valor aos consumidores, empregados e fornecedores igualmente, trabalhando com grupos de representantes dos funcionários que dão a todos os empregados um fórum para se comunicar e colaborar.

Seu estilo de gestão Poder ao Povo dá a todos na empresa uma oportunidade para resolver alguns de seus mais difíceis desafios lado a lado com seus executivos, das mais elevadas colocações, dividindo os lucros da companhia. Além de oferecer oportunidade de desenvolvimento no mundo real, ela garante engajamento entre a gestão e aqueles que estão nas linhas de frente, mantendo a posição da McCormick & Company à frente do ramo de produção de alimentos no mundo todo.

Desde 1982, quando abriu o capital por pouco mais de US$ 1 por ação, a McCormick & Company cresceu e hoje sua ação vale mais de US$ 160, um aumento de mais de 15.000%! Uma situação vantajosa para todos os envolvidos.

Há alguns anos, algumas pessoas em Louisville, Kentucky, ficaram perplexas quando viram um homem sair em alta velocidade de uma loja em sua cadeira de rodas e ajudar um cego a atravessar uma esquina movimentada. O homem na cadeira de rodas era Lee W. Cook, que nasceu sem mobilidade nas pernas. Uma investigação revelou que o Sr. Cook não só tinha progredido na vida, mas também se tornara diretor de uma empresa bem-sucedida, com a qual havia acumulado uma fortuna considerável.

Ao falar sobre sua filosofia de vida, o Sr. Cook disse:

> *Nunca penso em mim como alguém prejudicado porque, como pode ver, se olhar em volta, há muitas pessoas em pior situação que a minha. Durante toda minha vida, fiz questão de ajudar quem está em posição de incapacidade sempre que encontro uma oportunidade. Não me lembro de ter recebido algum benefício direto com isso,*

mas o mundo tem sido bom para mim, porque tenho prosperado muito além das expectativas, para alguém nas minhas condições. A bondade que ofereço aos outros é uma expressão gratificante de gratidão por minha boa sorte.

Uma das experiências mais estranhas que já tive envolveu um jovem que mandei para a faculdade de medicina. A família dele era pobre demais para pagar seus estudos, mas o rapaz estava determinado a se tornar médico, e eu o ajudei. Muitos anos passaram, e ele desapareceu, aparentemente esquecendo seu benfeitor.

Uma noite, quando eu estava saindo da minha loja depois de um dia de trabalho, conduzi a cadeira até o meio da rua, certo de que não havia carros, e de repente um automóvel virou a esquina em alta velocidade, e vinha em minha direção tão depressa, que eu não teria conseguido escapar ileso, se alguém não houvesse corrido e me puxado para a calçada. O homem que me salvou era o mesmo que eu tinha mandado para a escola de medicina. Ele estava a caminho da loja para me dizer que tinha se instalado em outra cidade e o consultório ia bem. Eu o levei para minha casa, onde ele se hospedou naquela noite, e ficamos conversando até bem tarde. Descobri que ele pagava a dívida que tinha comigo patrocinando outros dois jovens na faculdade de medicina. Como vê, portanto, quando se planta a semente da bondade humana ela germina, cresce, se reproduz e se espalha como um jardim. Agora sei que, em vez de ajudar um jovem a estudar, fui um instrumento para que três rapazes adquirissem educação.

Às vezes ajudo pessoas que não merecem ajuda. Mas isso é azar delas, não meu. Os benefícios que recebo são de tal natureza, que não podem ser tirados de mim, porque se tornam parte do meu caráter.

Lembro que uma vez dei um dólar a um velho que entrou mancando em minha loja e disse estar com fome e desempregado. Um dólar foi tudo que ele pediu. Quando ele saiu da loja, notei que não "mancava" tanto quanto antes, quando entrou, por isso decidi segui-lo para ver o que faria com o dinheiro. Não precisei ir muito longe.

Ele foi direto para o bar mais próximo, entrou sem dar nenhum sinal de dificuldade para andar, pôs o dólar em cima do balcão e pediu tudo em uísque. Esperei até ele esvaziar os primeiros dois copos, então levei minha cadeira para dentro do bar e dei a ele a maior surpresa de sua vida.

Em vez de reprovar sua mentira, eu o chamei a um canto e pedi para se abaixar para ouvir minha mensagem. Então peguei outro dólar, dei a ele e cochichei: "Este não é por sua sinceridade; é pela vergonha de ter mentido para um aleijado. Se tivesse me falado a verdade, eu teria dado US$ 10 com a mesma generosidade com que dei os dois".

O homem se afastou, olhou para a bebida que tinha deixado em cima do balcão e saiu apressado, e nunca mais eu soube dele.

O Sr. Cook contou essa história rindo muito, depois explicou que tinha desenvolvido um aguçado senso de humor com o qual conseguia fazer concessões a quase todas as fraquezas humanas.

Provavelmente, eu deveria ter socado o nariz do canalha, mas isso o teria ajudado menos que o segundo dólar. Além do mais, é parte da minha filosofia transformar em risada muitas experiências que, se eu as levasse a sério, me fariam chorar. Sou tão eternamente grato por ter sido privado de minhas pernas, e não dos olhos, que acho

*muito difícil me colocar na posição de juiz de alguém, seja qual for a
fraqueza da pessoa.*

Não é surpreendente que o Sr. Cook tenha prosperado nos negócios. Ele enviou bons pensamentos para todo mundo e se dedicou a praticar atos de bondade sempre que teve uma oportunidade. A Lei da Atração Harmoniosa fez o resto!

*Você pode fazer outra pessoa agir com você como quiser agindo
antes dessa maneira com ela.*
– Napoleon Hill

Toda noite de Natal, durante muitos anos, as pessoas de Louisville se acostumaram a ver o Sr. Cook em alguma parte da região dos cortiços na cidade, com uma mula puxando uma carroça carregada de cestas com alimentos. Ele distribuía cem dessas cestas todo ano, levando-as pessoalmente para as famílias mais necessitadas, dando preferência às que tinham filhos pequenos. Cada cesta continha comida suficiente para uma boa ceia de Natal. Ele nunca perguntava o nome daqueles a quem dava as cestas, e nunca dizia seu nome a eles, mas cada cesta continha um cartão com essa mensagem simples:

Com os cumprimentos de alguém que ama esta comunidade.

Sem discurso, sem truques para conseguir publicidade, sem tentar humilhar quem recebia sua bondade. Mas a fama desse homem se espalhou, e ele prosperou. Obviamente, havia uma testemunha invisível de suas boas ações, e a compensação chegou tão silenciosa e misteriosa quanto seus movimentos ao fazer suas doações.

"Sentimentalismo excêntrico!", alguns podem dizer, Bom, talvez fosse, mas ficamos pensando no que aconteceria, se algumas pessoas que não são "excêntricas" ou "sentimentais" imitassem o exemplo do Sr. Cook e começassem a DAR, em vez de dedicar a maior parte de suas energias a tentar "RECEBER! Este não seria um mundo melhor, se toda comunidade tivesse ao menos um personagem como o Sr. Cook, que tomou para si a tarefa de plantar as sementes da bondade onde elas raramente são conhecidas, se é que são?

A história a seguir é sobre um advogado que foi contratado por um homem miserável para cobrar uma dívida de um casal de idosos que tinha poucas posses materiais:

"Não", disse o advogado ao cliente. "Não vou defender sua queixa contra esses idosos. Pode procurar outra pessoa para representá-lo, ou retire a queixa, como achar melhor."

"Acha que não vai ganhar dinheiro com isso?", o cliente perguntou.

"Provavelmente um pouco, mas esse dinheiro viria da venda da casinha que esse velho e sua esposa chamam de lar. De qualquer maneira, não quero me envolver nisso."

"Ah, está com medo, é?"

"De jeito nenhum. Foi algo mais profundo que medo que me fez parar."

"Imagino que o velho patife tenha implorado para não ser cobrado."

"Bem, sim, ele implorou!"

"E você fraquejou e cedeu?"

"Sim, se é assim que quer colocar! Foi isso!"

"Por que fez isso?"

"A verdade é que derramei umas lágrimas quando soube de toda a história."

"E o velho implorou a você, foi isso mesmo?"

"Não, eu não disse isso. Ele não me falou uma palavra sequer."

"Então, será que posso saber a quem ele se dirigia quando você o ouviu?"

"A Deus Todo-Poderoso!"

"Ah, o velho pilantra recorreu à oração, é?"

"Não para me impressionar, de jeito nenhum. Bem, encontrei a casinha sem nenhuma dificuldade e bati na porta, que estava encostada, mas ninguém ouviu, então entrei e, do pequeno hall, vi pela fresta de uma porta uma salinha aconchegante, e na cama, com a cabeça prateada sobre as almofadas, uma senhora que olhava para o mundo como minha mãe olhou na última vez que a vi nesta terra. Eu me preparava para bater de novo, quando ela disse: 'Venha, Pai, agora, eu imploro. Estou pronta'. E ao lado dela se ajoelhou um homem de cabelos brancos, ainda mais velho que a esposa, imagino, e não fui capaz de bater na porta outra vez."

O advogado prosseguiu: "Pois bem, ele começou. Primeiro, lembrou a Deus que eles ainda eram Seus filhos obedientes, e que não se revoltariam contra Sua vontade, qualquer que fosse ela. É claro, seria difícil para eles perder a casa naquela idade, especialmente com a pobre senhora tão doente e impotente, e ah, tudo poderia ter sido diferente, se um dos filhos deles tivesse sido poupado. Então, a voz bondosa cedeu à dor, e a mão pálida surgiu de baixo do cobertor e se moveu lentamente sobre os cabelos brancos do homem. Ele então repetiu que nada poderia ser mais doloroso que se despedir dos três filhos – a menos que a mãe e ele tivessem que se separar".

"Mas pelo menos ele parecia se confortar com a certeza de que Deus sabia que não era sua culpa, se eles agora eram ameaçados com a perda da querida casinha, o que os obrigaria a mendigar ou procurar um abrigo – um lugar que eles suplicavam para não ter que conhecer, se essa fosse a vontade de Deus. Depois ele citou uma coleção de promessas relacionadas à segurança daqueles que confiam no Senhor. De fato, foi a súplica mais emocionante que já ouvi. E por fim, ele rezou para que Deus abençoasse os que ameaçavam fazer justiça."

Mais devagar que nunca, o advogado disse: "E eu... eu prefiro ir para o abrigo para pobres esta noite a macular meu coração e sujar as mãos com um processo desse tipo".

"Está com medo de derrotar as preces do velho, é?"

"Deus abençoe sua alma, homem, não é possível derrotá-las!", disse o advogado. "Estou dizendo, ele deixou toda a questão nas mãos de Deus. Disse que fomos ensinados a revelar nossos desejos a Deus, mas de todas as apelações que já ouvi, essa é a que supera todas. É que aprendi esse tipo de coisa na infância. E de qualquer maneira, por que fui enviado para ouvir aquela prece? Certamente não sei, mas entrego o caso em suas mãos."

O cliente parecia desconfortável.

"Preferia que não tivesse me contado sobre a oração do velho."

"Por quê?"

"Bem, porque quero o dinheiro que aquela casa renderia, mas estudei a Bíblia quando era mais novo, e odiaria contrariar o que me contou. Preferia que não tivesse ouvido uma palavra de tudo isso, e na próxima vez, eu não ouvirei petições que não são feitas para os meus ouvidos."

O advogado sorriu.

"Meu caro", ele disse, "está enganado mais uma vez. Ela era para os meus ouvidos, e para os seus também, e era assim que Deus Todo-Poderoso queria que fosse. Minha mãe costumava cantar sobre Deus agir de maneiras misteriosas, eu me lembro bem."

"Minha mãe também cantava sobre isso", disse o reclamante, torcendo entre as mãos os documentos do caso. "Pode ir até lá de manhã, se quiser, e dizer a eles que a dívida foi quitada."

"De maneira misteriosa", o advogado acrescentou rindo.

"É, de maneira misteriosa."

Quando os mais nobres sentimentos são eliminados do coração humano, as relações entre os homens tornam-se frias, mecânicas e mercenárias.

Não há dúvida de que emoções são frequentemente expressas em detrimento de ganho financeiro, mas há ganhos de outro tipo que algumas pessoas valorizam mais que dinheiro ou qualquer coisa que o dinheiro pode comprar. É a relação harmoniosa que estabelecemos com nossa consciência, a satisfação que vem de dentro quando sabemos que não prejudicamos ninguém intencionalmente, não enganamos ninguém e nos esforçamos para sermos úteis, e sabemos que nossa palavra é aceita por todos que nos conhecem como uma garantia!

Algumas pessoas podem acreditar que essa filosofia foi organizada originalmente com o propósito de ajudar os que a seguem a acumular riquezas materiais. Embora seja verdade que aqueles que a dominam e aplicam não têm dificuldades para acumular riquezas materiais em abundância, o principal objetivo que o Sr. Carnegie tinha em mente ao inspirar a organização da filosofia era ajudar as pessoas a viverem felizes e percorrem seu caminho na vida de maneira harmoniosa. Ele percebeu que existem riquezas de valor muito superior ao representado pelo dinheiro. Sua atitude em relação ao dinheiro foi revelada pela decisão de abrir mão de quase toda sua imensa fortuna antes de morrer.

O Sr. Carnegie considerava que a maior porção de sua fortuna consistia nessa filosofia, percebendo, como aconteceu, que ela é uma filosofia de vida completa, suficiente para suprir todas as necessidades humanas. Ele dedicou seus últimos anos de vida a colaborar na preparação do material que compõe a filosofia em um momento em que podia passar seu tempo como bem entendesse. Ele escolheu dedicá-lo a ajudar gerações que nem haviam nascido ainda.

A vida do Sr. Carnegie deve ser uma dica importante para todos nós na escolha de caminhos que levam à felicidade. Ele tinha tudo que o dinheiro podia comprar – e tinha em abundância, mas abriu mão da maior parte de sua fortuna material. Isso deve sugerir a ideia de que nosso tempo deve ser dividido de tal forma, que a maior parte seja dedicada à prestação de serviço útil com o qual possamos ter felicidade, não com o acúmulo de coisas materiais além de nossas necessidades imediatas.

Não pertenço àquela escola de pensamento cujos seguidores acreditam haver virtude em morar em um sótão e ter uma vida de sacrifício; de jeito nenhum! Acredito em opulência nos limites do razoável, mas não acredito em opulência em detrimento de felicidade.

Quando alguém descobre que a maior parte de seu tempo é necessária para defender e preservar posses materiais, você pode ter certeza de que essa pessoa está sofrendo algum desajuste com a vida em geral, com ela mesma e com os vizinhos em particular. Além do ponto em que as posses materiais fornecem ao indivíduo liberdade mental para seguir a ocupação que ele escolher, os bens se tornam uma pedra pendurada no pescoço. Não ofereço essa sugestão como um sermão, mas a partir de experiência prática. Ela se baseia em observações cuidadosas de muitas pessoas que se aprisionaram por suas fortunas até perderem contato com todos que conheciam e com quem mantinham as melhores relações humanas.

> *Felicidade é quando o que você pensa, o que diz e o que faz estão em harmonia.*
> – Mahatma Gandhi

Penso também nessa estranha experiência pela qual o mundo todo está passando, uma experiência que parece penalizar toda a humanidade por causa da prática comum de adorar coisas materiais. Não consigo evitar o sentimento de que, no futuro, o mundo vai criticar quem dedicou a vida inteira para acumular fortunas materiais, em detrimento do bem que poderiam fazer ajudando outras pessoas menos afortunadas a assegurar uma porção mais equitativa das necessidades da vida.

Creio saber o que está errado com nosso mundo materialista. Andrew Carnegie sabia o que estava errado. Ele nos deu o remédio inspirando a organização dessa filosofia, porque percebeu que era necessária uma distribuição melhor do conhecimento com o qual se vive uma vida harmoniosa, não o mero acúmulo de riqueza material.

REFLEXÃO

Por James Whittaker

O melhor tipo de segurança é a segurança pessoal que é desenvolvida de dentro para fora.

– Andrew Carnegie

Parabéns por ter chegado tão longe!

Muito se tenta, mas muito pouco é concluído; portanto, você deve ficar extremamente orgulhoso de si mesmo por demonstrar autodisciplina suficiente para ler um livro que, se apropriadamente entendido e aplicado, vai transformar sua vida por completo.

Há uma grande probabilidade de sua cabeça estar fervendo – a minha certamente esteve cada vez que li este livro. Por meio da conversa fascinante entre Hill e Carnegie, e exemplificado por meio das anotações, cobrimos um conjunto inteiro de assuntos. Entre eles estão independência financeira, relacionamentos, educação, progresso na carreira e administração de negócios, entre muitos outros.

Você também foi inspirado por histórias de indivíduos que se posicionam, apesar das insuperáveis probabilidades, e avançam em direção a conquistas, liberdade e realização. Você viu como várias empresas pelo mundo estão aplicando os exatos princípios e métodos propostos neste livro para criar enorme valor para seus clientes, empregados e acionistas.

Essas lições foram segmentadas em três temas abrangentes:

1. **Autodisciplina:** Tomar posse da própria mente.
2. **Aprender com a derrota:** Cada adversidade carrega em si a semente de um benefício equivalente.
3. **A Regra de Ouro aplicada:** O que você faz ao outro faz a si mesmo.

Você se lembra da primeira citação mencionada neste livro? Talvez tenha notado que é a mesma incluída no começo desta seção:

O melhor tipo de segurança é a segurança pessoal que é desenvolvida de dentro para fora.

A inspiradora citação de Carnegie reforça o poder que temos para criar as circunstâncias que desejarmos. A mesma quantidade de energia que usamos para reclamar de como as coisas estão ruins pode ser dominada e direcionada para a criação daquilo que queremos na vida. Quanto mais nos responsabilizamos por nossas circunstâncias, mais poder temos para mudá-las.

Quando você desenvolve a segurança pessoal que vem de dentro, carrega uma aura de confiança, bondade e utilidade enquanto busca caminhos para prestar serviço para mais e mais pessoas. Isso, é claro, estimula a grande lição de que o melhor jeito de receber é dar, incentivando-o a dar maior contribuição. Com o tempo, você vai notar que oportunidades frequentes começam a encontrar o caminho até você, em vez de ter que procurá-las constantemente.

Agora que estamos aqui, o que vem a seguir? Bem, é hora de criar um pouco de dinamite mental para você mesmo! Você foi oficialmente aceito como um dos grandes promotores de mudança, um grupo que começou com Carnegie, continuou com Hill e as inúmeras pessoas que ele influenciou (inclusive eu), e agora você.

Você tem a responsabilidade de conduzir a tocha e liderar pelo exemplo em tudo o que faz – para sua família, sua comunidade e o mundo.

Assim, seu exemplo vai inspirar aqueles que o cercam, enquanto procuramos reconhecer e libertar o potencial de cada indivíduo no planeta. Se conseguirmos, a harmonia ampla finalmente será possível, e a missão de Carnegie e Hill estará completa.

Não importa o que aconteceu no seu passado, por mais que tenha sido traumático. Você é muito mais forte que qualquer adversidade que possa enfrentar, isso eu garanto. Não se esqueça disso quando se deparar a cada dia com momentos de decisão que, extrapolados, vão determinar sua vida, seu impacto e seu legado.

Mantenha este livro à mão para poder revê-lo sempre que for necessário. E se eu puder ajudar de algum jeito em sua jornada, é só me avisar.

Para a frente e para cima sempre,
James Whittaker

POSFÁCIO

Por Sharon Lechter

Você tem uma consciência de sucesso?

Dinamite mental nos permitiu sentar à mesa com Andrew Carnegie e Napoleon Hill enquanto eles discutiam a verdade por trás de toda realização pessoal. Como eterna estudante de Carnegie e Hill, fiquei surpresa com os insights adicionais que adquiri com *Dinamite mental*. Ele é realmente um mapa para o desenvolvimento de uma consciência de sucesso.

Em todo corpo de trabalho de Hill, Definição de Objetivo é destacado como o primeiro passo em toda realização pessoal. Sem definição de objetivo, é fácil cair vítima de crenças autolimitadoras como "não sou bom o bastante", "não mereço" ou "falar é fácil". Essas crenças abrem a porta para o medo assumir o controle de nossos pensamentos e, portanto, de nossos atos. Esse medo pode nos paralisar e impedir de alcançar o sucesso que merecemos.

Em seu livro *Mais esperto que o Diabo*, Hill explora o efeito paralisante do medo e introduz o conceito de "alienar". No livro, o Diabo define alienação assim:

Posso definir da melhor forma a palavra "alienar" dizendo que pessoas que pensam por elas mesmas nunca se alienam, enquanto aquelas que pensam pouco ou não pensam por elas mesmas são

*alienadas. Um alienado é alguém que se deixa influenciar e contro-
lar por circunstâncias alheias à sua mente. Um alienado é alguém
que aceita tudo que a vida joga em seu caminho sem protestar ou
lutar. Não sabe o que quer da vida e usa todo seu tempo para ter
só isso.*

Hill reitera que ter Definição de Objetivo é o primeiro passo para superar a alienação. Começa quando assumimos o controle sobre nossos pensamentos. Cada pensamento que temos se torna parte de quem somos. Limpando a mente de todos os pensamentos de fracasso e de crenças autolimitadoras, podemos transformar o medo em fé. A fé verdadeira evoluiu quando estamos em paz com nossos pensamentos e consciência. Hill afirma que essa fé é a fonte de toda genialidade, e também é essencial para o desenvolvimento de uma consciência de sucesso.

Para nos ajudar nessa cruzada, Carnegie e Hill compartilham três passos importantes que são essenciais para a descoberta de nosso maior potencial. São eles:

1. Desenvolver autodisciplina.
2. Aprender com a derrota.
3. Praticar a Regra de Ouro.

Embora pareça simples na definição, criar o hábito de praticar essas três etapas requer tremenda atenção, esforço e força de vontade. Carnegie e Hill falam da importância da força de vontade e do papel que ela desenvolve no desenvolvimento da autodisciplina para assumirmos o controle da nossa vida:

Força de vontade é o instrumento com que podemos fechar a porta contra qualquer experiência ou circunstância que deixamos deixar para trás definitivamente. Com esse mesmo instrumento, podemos abrir a porta para a oportunidade na direção que escolhermos. Se a primeira porta que tentamos abrir oferece dificuldade, vamos tentar outra e outra, até finalmente encontrarmos a que vai ceder a essa força irresistível.

Desafio frequentemente minhas plateias com a pergunta: Existe em sua vida uma porta que você tenha que fechar, para que outras portas de oportunidade se abram?

Mas Hill e Carnegie vão um passo além:

A porta deve ser fechada e trancada para que não exista nenhuma possibilidade de voltar a ser aberta.

Você consegue pensar em alguém que está apegado a alguma coisa que aconteceu no passado? Incapaz de superar? Poderia ser você? Um fracasso é uma ocorrência, algo que aconteceu no passado. Não é uma definição. O conselho de Hill e Carnegie para fechar e trancar a porta é muito importante para impedir aquelas crenças autolimitadoras que resultam de voltar atrás.

Feche bem a porta, depois reorganize sua força de vontade para desenvolver a autodisciplina e aprender com a derrota ou com erros do passado. Erros são oportunidades de aprendizado para o crescimento. Sua autoconfiança vai crescer, e você vai sentir o medo se transformar em força da sua fé. Essa fé o conduzirá além de quaisquer obstáculos que encontrar pelo caminho.

Bem quando estamos assumindo o controle de nossos pensamentos, Carnegie nos leva para fora de nós mesmos e destaca a importância de nossos atos e, mais especificamente, a importância de praticar a Regra de Ouro e Fazer o Esforço Extra.

... a primeira coisa essencial para o sucesso em qualquer área de mérito é um caráter sólido. Aplicar a Regra de Ouro desenvolve solidez de caráter e boa reputação.

Para extrair mais da Regra de Ouro, deve-se combiná-la com o princípio de Fazer o Esforço Extra, em que reside a porção aplicada da Regra de Ouro. A Regra de Ouro assegura a atitude mental correta, enquanto Fazer o Esforço Extra garante a porção de ação dessa grande regra. Combinar os dois dá ao indivíduo o poder de atração que induz cooperação amigável de outras pessoas, além de fornecer oportunidades para acúmulo pessoal.

Suas ações afetam de maneira considerável a consciência de sucesso. Mas então Hill e Carnegie juntam tudo isso com uma única, mas dramática declaração.

Ninguém pode viver pela Regra de Ouro antes de aprender a se perder em serviço altruísta para outras pessoas.

É pelo serviço altruísta a outras pessoas que nossa fé revela a orientação de que precisamos para realmente desenvolver uma consciência de sucesso. Tendo a força de vontade para controlar a autodisciplina, aprender com a derrota e praticar a Regra de Ouro por meio de serviço altruísta a outras pessoas, vamos realizar o sucesso de nosso maior potencial.

À sua consciência de sucesso e àqueles a quem você serve.

Sharon Lechter
Autora de *Pense e enriqueça para mulheres*

Coautora de *A três passos do ouro, Success and Something Greater, Pai rico, pai pobre*

Comentarista de *Mais esperto que o Diabo*

www.sharonlechter.com

REFLEXÃO

NAPOLEON HILL

Napoleon Hill nasceu em 1883, em uma choupana de um cômodo nas montanhas remotas de Wise County, Virginia. Nasceu pobre, e sua mãe morreu quando ele tinha nove anos. Um ano depois, o pai se casou de novo, e a madrasta se tornou a fonte de inspiração do menino. Com a influência dela, Hill começou a carreira de escritor aos treze anos como "repórter da montanha" para jornais de cidades pequenas.

Em 1908, Hill foi designado para entrevistar Andrew Carnegie, e uma entrevista de três horas acabou se transformando em outra de três dias. Enquanto Hill o entrevistava, Carnegie vendeu a ele a ideia de organizar a primeira filosofia do mundo sobre realização pessoal baseada nos princípios do sucesso. Carnegie apresentou Hill aos gigantes da época, inclusive Henry Ford, Thomas A. Edison e John D. Rockefeller. Hill passaria as duas décadas seguintes entrevistando, estudando e escrevendo sobre esses indivíduos extraordinários.

Vinte anos depois, Hill publicou *A lei do triunfo*. Em 1937, Hill lançou *Quem pensa enriquece*, que se tornou o maior bestseller de autoajuda de todos os tempos e continua vendendo milhões de cópias no mundo todo.

Hill criou a Fundação Napoleon Hill como uma instituição educacional sem fins lucrativos cuja missão é perpetuar sua filosofia de liderança, automotivação e realização individual. Hill faleceu em 1970, depois de uma longa e bem-sucedida carreira escrevendo, lecionando e palestrando sobre os princípios do sucesso. Seu trabalho é um monumento à realização individual e é a pedra fundamental da motivação moderna.

Seus livros, áudios, vídeos e outros produtos motivacionais são disponibilizados ao leitor como um serviço da Fundação, para que você possa construir sua biblioteca de materiais sobre realização pessoal... e para ajudar o leitor a adquirir não só riqueza financeira, mas também a verdadeira riqueza da vida.

Saiba mais sobre Napoleon Hill:

http://naphill.org

JAMES WHITTAKER
Bacharel em Administração de Empresas (Mgt), Diploma Avançado de Planejamento Financeiro (FP), MBA

James Whittaker cresceu na Austrália, onde teve uma bem-sucedida carreira de dez anos em planejamento financeiro, administrando uma companhia de mais de US$ 2 bilhões, antes de começar a própria jornada empresarial. Hoje, James fundou companhias e lançou produtos em uma variedade de áreas, inclusive saúde, marketing, cinema, roupas esportivas e publicações.

Ele é procurado internacionalmente como palestrante, e é convidado frequente na mídia, tendo comparecido a mais de 300 programas de rádio, podcast e televisão, e em publicações mundialmente reconhecidas como as revistas *Entrepreneur*, *Money* e *Success*.

James é autor de dois bestsellers, com seu segundo livro, *Think and Grow Rich: The Legacy*, lançado em 2018, como um acessório oficial para o filme de muitos milhões de dólares baseado no clássico atemporal de Napoleon Hill. James também é o orgulhoso coprodutor executivo do filme.

Além disso, ele é fundador do The Day Win Mastermind, um programa que ajuda profissionais e empreendedores a encontrar sua voz, construir seu grupo social e causar impacto. Em 2019, ele lançou o podcast Win the Day para ajudar pessoas a se apoderarem de sua saúde financeira, física e mental.

Por meio de suas palestras, dos bestsellers e dos programas de liderança, James ajudou centenas de indivíduos e companhias a alcançar novos patamares de responsabilidade, felicidade e sucesso. Para complementar a própria experiência, James compartilha lições reunidas de suas entrevistas com mais de cem dos mais bem-sucedidos líderes empresariais, ícones culturais e atletas para revelar o que é possível para aqueles que sonham grande, seguem o plano certo e ganham o dia.

Acima de tudo, ele espera inocular a importante verdade fundamental de que a cada dia, se não tomarmos a decisão de vencer, teremos tomado automaticamente a decisão de perder.

Saiba mais sobre James Whittaker:

http://jameswhitt.com

SOBRE A FUNDAÇÃO NAPOLEON HILL

A Fundação Napoleon Hill é uma instituição educacional sem fins lucrativos dedicada a fazer do mundo um lugar melhor. Para saber mais sobre Napoleon Hill, analise todos os produtos da Fundação (incluindo os livros autorizados oficialmente, os áudios e os programas de liderança), assine o boletim Thought for the Day, e ainda, visite a Fundação Napoleon Hill on-line.

http://naphill.org

CONTE SUAS HISTÓRIAS

"Não há limitações para a mente, exceto aquelas que nós reconhecemos."
– Napoleon Hill

Jornadas como a sua ajudam a inspirar o mundo!

Muitas vezes, especialmente em nossos momentos mais sombrios, ou se estamos presos em um círculo vicioso, esquecemos as infinitas possibilidades colocadas à nossa disposição, se sonharmos grande, seguirmos o caminho certo e agirmos. Livros como este nos ajudam a descobrir quem realmente somos, dando-nos um alinhamento em todas as áreas da vida que nos movem para grande contribuição, felicidade e sucesso.

Se você gostou de ler *Dinamite mental* de Andrew Carnegie, ou se ele ajudou a transformar você de algum jeito, adoraríamos saber! Visite o site abaixo para compartilhar comentários e feedback com a Fundação Napoleon Hill.

Afinal, sua história pode ser justamente o que vai salvar uma vida.

Conte sua história:
http://naphill.org

AGRADECIMENTOS

Por James Whittaker

Qualquer projeto desta magnitude, que faria justiça ao enorme legado de Andrew Carnegie e Napoleon Hill, requer contribuições e apoio de muita gente – um exemplo concreto do princípio do MasterMind!

Primeiro, agradeço a Don Green e à Fundação Napoleon Hill por manterem vivas estas importantes lições e disponibilizá-las em quase todos os idiomas e países da Terra. Seu trabalho árduo continua dando esperança àqueles que mais precisam dela, revelando um futuro muito mais próspero para todos que têm coragem para pensar de uma forma maior que suas circunstâncias. Agradeço também por confiarem a mim este projeto – é uma grande honra servir mais uma vez à Fundação, e espero promulgar estas lições pelo resto de minha vida.

A Andrew Carnegie, que será para sempre renomado como o filantropo arquetípico por meio de seu modelo para ajudar as pessoas a se ajudarem. Sua visão de projetar e disseminar um mapa para o sucesso, um mapa que possa ser aplicado por qualquer pessoa – até mesmo aquelas nas mais miseráveis ou trágicas circunstâncias, continua transformando todas as indústrias do planeta. Ela também inspira outras pessoas para contribuírem com seu tempo, seus recursos e habilidades para elevar os padrões de vida e criar um futuro mais radiante e harmonioso do que poderíamos imaginar. Em nome da humanidade, eu os saúdo.

A Napoleon Hill, cuja curiosidade inata só foi aprimorada por seus prodigiosos talentos de redator. Por meio de livros como este, *Quem pensa enriquece*, *Lei do triunfo* e outras dezenas deles, você continua mostrando que há esperança para todos nós, fornecendo um mapa claro para a liberdade, a felicidade e o sucesso. Espero que minha contribuição neste livro esteja à altura do padrão excepcionalmente elevado que você estabeleceu.

A Sharon Lechter, por colaborar voluntariamente com este projeto e liderar a cruzada da educação financeira. Além de todo o trabalho extraordinário que faz para transformar o mundo em um lugar melhor, você é uma grande mentora para mim e muitos outros como empreendedora, oradora e filantropa.

A Sterling Publishing, que se empolgou com este projeto desde o primeiro dia e trabalhou de forma incansável para levá-lo às mãos do maior número de pessoas possível. Obrigado por confiar em minha visão criativa e por liderar as inúmeras e essenciais tarefas de bastidores.

À minha esposa, Jennifer, por me inspirar continuamente por meio de seu trabalho intenso, seu amor e sua bondade. O apoio e a compreensão durante as noites intermináveis, as longas viagens e os prazos urgentes merecem todo o meu reconhecimento. Agradeço também por nossa linda filha, Sophie, que com um único sorriso me faz sentir o homem mais sortudo do planeta. Aos meus pais, Noel e Geraldine, por criarem uma plataforma de amor incondicional para a família e levarem uma vida de constante integridade.

Finalmente, a todos que leram este livro e agiram a partir dele de maneira consistente, deliberada. Nunca subestime o quanto seu exemplo é poderoso para aqueles à sua volta.

DEPOIMENTOS

"Dinamite mental nos leva diretamente à fonte de uma das conversas mais fascinantes já ocorridas. É uma leitura envolvente e repleta de dicas práticas para as pessoas transformarem sua vida."

– Janine Shepherd
(autora bestseller, palestrante e especialista em resiliência)

"Dinamite mental nos faz lembrar por que visionários como Carnegie e Hill causaram tanto impacto. É um livro extraordinário lançado em um momento em que o mundo mais precisava dele."

– Brandon T. Adams
(Produtor premiado com um Emmy Award
e apresentador de *Success in Your City*)

"Este livro é leitura obrigatória. James Whittaker vai direto à fonte da filosofia do sucesso com Andrew Carnegie, cuja visão é ainda mais relevante hoje. O impacto deste livro será sentido pelas futuras gerações."

– Satish Verma
(Presidente/CEO do Think and Grow Rich Institute)

"Em toda área de esforço, há um momento crítico, uma intersecção ou conexão em que o que há de mais avançado dá um salto quântico. Foi o que aconteceu no campo do desenvolvimento pessoal quando Andrew Carnegie e Napoleon Hill se uniram. O mundo nunca mais foi o mesmo, e você não será o mesmo depois de conhecer *Dinamite mental*, de Andrew Carnegie. Leia e enriqueça."

– Jim Stovall
(Presidente da Narrative Television Network)

"Motivador, inspirador e altamente viável. *Dinamite mental* é o mapa para o sucesso massivo nos negócios e na vida."

– Dr. Steve Sudell
(Criador do The Neck Hammock™ e cofundador do Stretch Lab)

"Muita gente gostaria de ser uma mosca na parede para ouvir as conversas mais importantes da história. *Dinamite mental* nos dá a mais rara das oportunidades, e testemunhamos como dois dos maiores discutem e desconstroem o alto desempenho. É magistral. As nuances que são vitais para pegar impulso na vida são recortadas de maneira brilhante por Napoleon Hill. Além disso, James Whittaker reúne esses trechos de maneira linda e essencial, transformando uma transcrição em um poderoso manual para a grandiosidade individual. O livro realmente prova que o chefe exterior é um reflexo do chefe interior."

– Greg Layton
(Fundador do Chief Maker)

"Muita coisa mudou desde as primeiras conversas entre Andrew Carnegie e Napoleon Hill, em 1908. Mas muito mais ainda não mudou. *Dinamite mental* chega como um farol do passado, lembrando-nos da sabedoria atemporal usada pelos mais influentes predecessores de Carnegie e Hill no presente, e deve ser seu guia para um futuro bem-sucedido."

– Joshua Ellis
(Editor-chefe da revista *Success*)

"As lições que Hill e Carnegie compartilham neste livro vão ajudar qualquer pessoa a transformar fracasso percebido em triunfo. É uma leitura obrigatória para qualquer um que quer realizar no mais alto nível."

– David Meltzer
(Cofundador da Sports 1 Marketing,
autor bestseller e premiado coach de negócios)

THE NAPOLEON HILL FOUNDATION
What the mind can conceive and believe, the mind can achieve

O Grupo MasterMind – Treinamentos de Alta Performance é a única empresa autorizada pela Fundação Napoleon Hill a usar sua metodologia em cursos, palestras, seminários e treinamentos no Brasil e demais países de língua portuguesa.

Mais informações:
www.mastermind.com.br

Livros para mudar o mundo. O seu mundo.

Para conhecer os nossos próximos lançamentos
e títulos disponíveis, acesse:

🌐 www.**citadel**.com.br

f /**citadeleditora**

📷 @**citadeleditora**

🐦 @**citadeleditora**

▶ Citadel - Grupo Editorial

Para mais informações ou dúvidas sobre a obra
entre em contato conosco através do e-mail:

✉ contato@**citadel**.com.br